JEAN-JACQUES ROUSSEAU

Les Confessions

Tome I

INTRODUCTION ET COMMENTAIRES
DE BERNARD GAGNEBIN

LE LIVRE DE POCHE

Professeur de technique de la recherche dans les sciences humaines à l'Université de Genève, doyen de la faculté des lettres pendant douze ans, Bernard Gagnebin est codirecteur de l'édition des « Œuvres complètes » de J.-J. Rousseau dans la Pléiade. Il a publié plusieurs ouvrages et révélé des inédits de Voltaire, Rousseau et Chateaubriand.

INTRODUCTION

Les Confessions s'ouvrent par ces mots : « Je forme une entreprise qui n'eut jamais d'exemple et dont l'exécution n'aura point d'imitateur. Je veux montrer à mes semblables un homme dans toute la vérité de la nature; et cet homme ce sera moi. »

Une entreprise qui n'eut jamais d'exemple? Et saint Augustin? et Montaigne? et Jérôme Cardan en Italie? et Samuel Pepys en Angleterre? N'ont-ils pas, bien avant Rousseau, écrit leurs mémoires, leurs confessions?

Il est vrai que saint Augustin n'a dévoilé les égarements de sa jeunesse que pour rendre témoignage à Dieu de la faiblesse de la nature humaine. Quant à Cardan, il est, selon Rousseau « si fou qu'on ne peut tirer aucune instruction de ses rêveries », d'autant plus qu'elles remplissent dix in-folio d'extravagances. Enfin, si Samuel Pepys ne craint pas de révéler les détails les plus intimes de son existence, il ne porte aucun jugement moral sur ses actes et semble même rejeter tout critère éthique. Reste Montaigne. Dans un premier préambule de son livre — préambule abandonné au profit d'une sorte d'appel au Jugement dernier — Rousseau s'est efforcé de

prévenir les objections : « Montaigne se peint ressemblant, mais de profil. Qui sait si quelque balafre à la joue ou un œil crevé, du côté qu'il nous cache, n'eût pas totalement changé sa physionomie. »

Selon Rousseau la sincérité de Montaigne est toute relative. L'auteur des *Essais* ne raconte que ce qu'il lui plaît de dire. Il n'avoue que les défauts qui peuvent le rendre aimable. Ces hommes qui parlent d'eux en ne découvrant qu'une partie de la vérité sont aux yeux de Rousseau de « faux sincères », qui trompent d'autant plus gravement qu'ils se targuent de dire vrai. Lui, Rousseau, a l'ambition de dévoiler tout son être : « Je dirai hautement : voilà ce que j'ai fait, ce que j'ai pensé, ce que je fus. J'ai dit le bien et le mal avec la même franchise. Je n'ai rien tu de mauvais, rien ajouté de bon... »

Pour se connaître, Rousseau va raconter sa vie à partir de sa naissance. Il va rechercher les sensations déterminantes qui forment ce qu'il appelle ses « chaînes d'affections secrètes ». Ce sont elles qui lui permettront de brosser son portrait moral. Est-il besoin de souligner la nouveauté de cette méthode ? En recherchant dans son enfance et sa jeunesse l'origine de ses pensées et de ses sentiments, Rousseau faisait, cent cinquante ans avant Freud, ce qu'on appelle de la psychologie rétrospective. Sans doute espère-t-il aussi échapper à la réalité présente en se réfugiant dans ses souvenirs.

Mais au moment où il rédige les premières lignes des *Confessions,* il ne se juge pas encore le plus malheureux des hommes ni ne s'imagine être la

victime d'un immense complot. Son intention est bien de montrer « un homme dans toute la vérité de la nature ». Que peut donc lui apporter cette enquête sur son enfance et sa jeunesse? Elle lui fournira les traits dominants de sa personnalité, qui sont autant de thèmes que Rousseau développe de livre en livre.

En effet, *Les Confessions* sont composées comme une symphonie, dont les principaux thèmes sont donnés dans le premier mouvement, repris et amplifiés ensuite de morceau en morceau.

Le premier trait de son être sensible, Rousseau l'impute à sa naissance. Sa mère étant décédée quelques heures après lui avoir donné le jour, Jean-Jacques a éprouvé très vite un sentiment de culpabilité. Sentiment calviniste sans doute, mais sentiment avivé par les regrets d'un père qui ne pouvait s'empêcher de pleurer son épouse défunte. En proie à la culpabilité Rousseau éprouvera un besoin de justification. Tout accusé cherche à se justifier. *Les Confessions,* et plus encore les *Dialogues* et *Les Rêveries,* offrent finalement le portrait d'un homme qui se prétend méconnu, bafoué, trahi, et qui cherche désespérément à se laver des accusations qu'il croit avoir été portées contre lui.

Rousseau déclare qu'il sentit avant de penser et que la lecture des romans développa en lui une imagination vive et ardente. Il devait souffrir toute sa vie de cette hypersensibilité quasi maladive, qui lui fait voir dans la moindre démarche d'autrui comme une atteinte à son indépendance et à son amour-propre.

Cette sensibilité d'écorché-vif, jointe au sentiment de culpabilité et au désir de se justifier feront naître en lui le besoin d'aimer et plus encore celui d'être aimé. Dans le premier livre des *Confessions,* Rousseau dévoilera progressivement son être intime en partant de ses premières sensations. C'est ainsi qu'il va expliquer son goût de la lecture, puis son attrait pour la musique, son amour de la nature, son besoin d'indépendance et de liberté, sa singularité et ses extravagances, son amour-propre qui, quoiqu'il en dise, confine au narcissisme. Mais cette exploration dans son passé entraîne la révélation d'autres « chaînes d'affections secrètes » : le rôle de la maladie dans toute vie humaine, le sentiment très vif de l'injustice, que Rousseau transposera, à l'âge adulte, sur les plans politique et social, enfin cette découverte horrible : le sentiment de sa propre injustice. N'a-t-il pas accusé Marion d'avoir volé un ruban d'argent qu'il s'était lui-même approprié?

C'est ainsi que naîtra dans son esprit l'idée que le bonheur toujours menacé est précaire et que la chute est proche du Paradis. Il faut si peu de chose pour mettre fin à la transparence des consciences et rejeter l'homme dans l'opacité. Jean-Jacques n'aura alors pas d'autre issue que de se réfugier dans l'imaginaire et de reconstruire un nouveau Paradis dans un nouveau site privilégié.

Le schéma : bonheur-chute-exil dans l'imaginaire se retrouve tout au long des *Confessions,* à Bossey, aux Charmettes, à l'Ermitage, à l'île de Saint-Pierre. Aussi Rousseau l'appliquera-t-il à son analyse de l'histoire

de l'humanité et recherchera-t-il une société qui ne soit pas encore corrompue pour en faire le modèle de son État idéal.

On a beaucoup critiqué la complaisance que Rousseau a mise à évoquer certains détails intimes de sa vie. La fessée de Mlle Lambercier, les approches honteuses de certains prêtres à l'Office du Santo Spirito à Turin, l'initiation à l'amour chez Mme de Warens, la misère matérielle et morale du jeune musicien, les aventures de Rousseau dans les bras d'une courtisane vénitienne sont décrites avec une sorte de complaisance. Il est vrai que chacune de ces scènes est en quelque sorte contrebalancée par une évocation de la nature, de l'innocence ou du bonheur qui la précède ou la suit immédiatement. Ces aveux s'expliquent par le besoin de tout dire et de tout avouer avec une entière sincérité. Rousseau s'est rendu compte de l'incongruité de ses propos, car il se croit plus d'une fois obligé de s'excuser : « J'ai fait le premier pas et le plus pénible dans le labyrinthe obscur et fangeux de mes confessions » écrit-il après avoir raconté la fessée de Mlle Lambercier à Bossey. « Qui que vous soyez qui voulez connaître un homme, osez lire les deux ou trois pages qui suivent, vous allez connaître à plein Jean-Jacques Rousseau », dit-il au moment de pénétrer dans la chambre de Zulietta à Venise.

Rousseau s'est d'ailleurs fort bien expliqué sur ses intentions : « Je voudrais pouvoir en quelque façon rendre mon âme transparente aux yeux du lecteur, et pour cela je cherche à la lui montrer sous tous les points de vue, à l'éclairer par tous les jours, à faire en sorte qu'il ne s'y passe pas un mouvement qu'il

n'aperçoive, afin qu'il puisse juger par lui-même du principe qui les produit. »

Et plus loin : « En détaillant avec simplicité *tout* ce qui m'est arrivé, *tout* ce que j'ai fait, *tout ce que* j'ai pensé, *tout ce que* j'ai senti, je ne puis induire (le lecteur) en erreur, à moins que je ne le veuille; encore même en le voulant, n'y parviendrais-je pas aisément de cette façon. »

Tout dire. Ne cacher aucune faute, aller dans tous les recoins de l'âme pour débusquer les penchants douteux et les intentions mauvaises : l'homme peut-il être absolument sincère? Ni Proust, ni Gide, ni James Joyce, ni Julien Green, ni même Amiel (qui pourtant a écrit un *Journal intime* de 16 847 pages sans avoir l'intention de le publier) n'ont pu ou n'ont voulu tout dire. L'homme peut-il se connaître soi-même? Ne s'abuse-t-il pas nécessairement sur soi? N'a-t-il pas tendance à se valoriser ou au contraire à se noircir? Le miroir devant lequel il se place ne renvoie-t-il pas nécessairement une image déformée de son propre visage?

Quoiqu'il en dise, Rousseau a dû parfois remplir des vides, mais il l'a fait à l'aide de « quelque ornement indifférent » ou encore « en disant les choses comme il me semblait qu'elles avaient dû être », car cette vérité-là, la vérité des faits, n'est pas essentielle. Ce qu'il lui importe c'est d'écrire l'histoire de son âme, de brosser le portrait moral de son être, de faire éclater sa vérité profonde, qui se confond avec la vérité, parce que cette vérité-là se trouve au fond de son cœur. Et le cœur ne saurait mentir.

« En me livrant à la fois au souvenir de l'impression reçue et au sentiment présent, je peindrai doublement l'état de mon âme, savoir au moment où l'événement est arrivé et au moment où je l'ai décrit » lit-on au livre IV. Rousseau a mis le doigt, l'accent sur un aspect extrêmement important de toute « autobiographie », un aspect qui la distingue fondamentalement du journal intime. Alors que ce dernier est écrit en quelque sorte parallèlement à l'événement, l'autobiographie — sous quelque forme qu'elle soit — procède du souvenir et de la mémoire. Rousseau a très justement remarqué que le présent et le passé ne coïncident pas toujours et qu'il est amené à peindre doublement l'état de son âme : au moment où il vivait l'événement et à la lumière de son souvenir. Sa mémoire est sans doute excellente, mais il ne peut s'empêcher d'interpréter son souvenir à la lumière du présent. « J'ai étudié les hommes et je crois être assez bon observateur, écrit-il au livre III. Cependant je ne sais rien voir de ce que je vois, je ne vois bien que ce que je me rappelle et je n'ai de l'esprit que dans mes souvenirs. De tout ce qu'on dit, de tout ce qu'on fait, de tout ce qui se passe en ma présence, je ne sens rien, je ne pénètre rien. Le signe extérieur est tout ce qui me frappe. Mais ensuite tout cela me revient : je me rappelle le lieu, le temps, le ton, le regard, le geste, la circonstance, rien ne m'échappe. »

Rousseau est le premier, à notre avis, à avoir décrit la résurgence de la mémoire affective grâce à un signe mémoratif : odeur, son, couleur, qui vous transporte

immédiatement dans le passé. *La Nouvelle Héloïse* doit
peut-être à ce procédé ses plus belles pages et la
chambre d'auberge de Sion jouera dans son incons-
cient le rôle du chant de la grive ou du vol de choucas
chez Chateaubriand, celui de la madeleine chez Marcel
Proust.

En tête de la seconde partie des *Confessions,* Rous-
seau a introduit tardivement sept paragraphes expri-
mant dans quelle atmosphère et avec quels matériaux
il s'est décidé à poursuivre son récit. « J'écrivais la
première (partie) avec plaisir, avec complaisance, à
mon aise, à Wootton ou dans le château de Trye,
écrit-il; tous les souvenirs que j'avais à me rappeler
étaient autant de nouvelles jouissances. » Au contraire
la suite de son histoire ne lui offre que « malheurs,
trahisons, perfidies, que souvenirs attristants et déchi-
rants... »

En réalité le livre VII, qui relate le séjour de Rous-
seau à Venise, se rattache encore aux six premiers
livres par une tonalité enjouée, insouciante, heureuse.
(Dans le manuscrit de Paris ce livre a été transcrit
dans le même volume que les livres I à VI.) Avec le
livre VIII Rousseau découvre ses premiers ennemis :
c'est Grimm et Diderot qui veulent entraîner les
Levasseur dans leur « Ligue », c'est l'orchestre de
l'Opéra qui songe à le faire « assassiner ». La lente
descente dans les ténèbres ne fait que commencer.
Au fur et à mesure que Rousseau dénonce l'hypocrisie
de la société dans laquelle il vit, il voit se former
contre lui une ligue dont Choiseul est le chef et qui

réunit non seulement l'Église et le gouvernement, mais les jésuites et les encyclopédistes, la coterie holbachique et les amies du prince de Conti. Dans le livre XI, il dénonce « le plus noir, le plus affreux complot qui jamais ait été tramé contre la mémoire d'un homme », et au début du livre XII, il écrit : « Ici commence l'œuvre de ténèbres dans lequel depuis huit ans je me trouve enseveli, sans que de quelque façon que je m'y sois pu prendre il m'ait été possible d'en percer l'effrayante obscurité. Dans l'abîme de maux où je suis submergé, je sens les atteintes des coups qui me sont portés, j'en aperçois l'instrument immédiat, mais je ne puis voir ni la main qui le dirige, ni les moyens qu'elle met en œuvre. »

La seconde partie des *Confessions* a été rédigée en quelques mois à une époque où Rousseau est profondément malheureux, brouillé avec presque tous ses amis, persuadé d'être la victime d'un abominable complot, injuste, méfiant, hypersensible. Aussi va-t-il interpréter les événements qu'il relate à la lumière des drames qu'ils ont provoqués, et leur donner une signification rétrospective. Rousseau se persuade que ses adversaires veulent étouffer sa voix, la voix de la vérité.

En écrivant ses *Confessions* avec une franchise et une honnêteté sans égales au XVIIIᵉ siècle, Rousseau espérait expier les fautes de sa jeunesse comme celles de son âge mûr. C'est pourquoi il ose se présenter devant Dieu, son livre à la main et c'est très sincèrement qu'il engage l'Être suprême à rassembler autour de lui

« l'innombrable foule » de ses semblables, à les invi-
ter à découvrir leur cœur. « Et puis qu'un seul te dise,
s'il l'ose : je fus meilleur que cet homme-là. »

Rousseau tend à rejeter sur autrui les défaillances
dont il s'est rendu coupable. C'est la société, pense-
t-il, qui est responsable des fautes qu'il a commises.
A plusieurs reprises, il affirme qu'il est innocent parce
que son cœur est pur. De même qu'il rejette l'idée du
péché originel, Rousseau prétend que seule l'huma-
nité est responsable de ses errements et de ses mal-
heurs. En rompant avec la société et avec ses tentations
et en vivant en plein accord avec la nature, il estime
avoir échappé à la corruption humaine et pouvoir
conserver un peu de la bonté naturelle, originelle de
l'homme. Au milieu de la société du XVIII^e siècle, qu'il
juge inhumaine et dépravée, Rousseau est persuadé
d'être un des rares hommes vivant selon la nature et
selon la voix du cœur*.

BERNARD GAGNEBIN

* Voir les « Commentaires » à la fin du tome II.

PREMIÈRE PARTIE

Voici le seul portrait d'homme, peint exactement d'après nature et dans toute sa vérité, qui existe et qui probablement existera jamais. Qui que vous soyez, que ma destinée ou ma confiance ont fait l'arbitre du sort de ce cahier, je vous conjure par mes malheurs, par vos entrailles, et au nom de toute l'espèce humaine, de ne pas anéantir un ouvrage unique et utile, lequel peut servir de première pièce de comparaison pour l'étude des hommes, qui certainement est encore à commencer, et de ne pas ôter à l'honneur de ma mémoire le seul monument sûr de mon caractère qui n'ait pas été défiguré par mes ennemis. Enfin, fussiez-vous, vous-même, un de ces ennemis implacables, cessez de l'être envers ma cendre, et ne portez pas votre cruelle injustice jusqu'au temps où ni vous ni moi ne vivrons plus, afin que vous puissiez vous rendre au moins une fois le noble témoignage d'avoir été généreux et bon quand vous pouviez être malfaisant et vindicatif : si tant est que le mal qui s'adresse à un homme qui n'en a jamais fait ou voulu faire, puisse porter le nom de vengeance.

LIVRE PREMIER

1712-1728

Intus, et in cute.

Je forme une entreprise qui n'eut jamais d'exemple
et dont l'exécution n'aura point d'imitateur. Je veux
montrer à mes semblables un homme dans toute
la vérité de la nature; et cet homme ce sera moi.

Moi seul. Je sens mon cœur et je connais les
hommes. Je ne suis fait comme aucun de ceux que
j'ai vus; j'ose croire n'être fait comme aucun de
ceux qui existent. Si je ne vaux pas mieux, au
moins je suis autre. Si la nature a bien ou mal fait
de briser le moule dans lequel elle m'a jeté, c'est
ce dont on ne peut juger qu'après m'avoir lu.

Que la trompette du Jugement dernier sonne
quand elle voudra, je viendrai, ce livre à la main,
me présenter devant le souverain juge. Je dirai
hautement : « Voilà ce que j'ai fait, ce que j'ai

pensé, ce que je fus. J'ai dit le bien et le mal avec
la même franchise. Je n'ai rien tu de mauvais, rien
ajouté de bon, et s'il m'est arrivé d'employer quel-
que ornement indifférent, ce n'a jamais été que
pour remplir un vide occasionné par mon défaut de
mémoire; j'ai pu supposer vrai ce que je savais
avoir pu l'être, jamais ce que je savais être faux.
Je me suis montré tel que je fus; méprisable et vil
quand je l'ai été, bon, généreux, sublime, quand
je l'ai été : j'ai dévoilé mon intérieur tel que tu
l'as vu toi-même. Être éternel, rassemble autour de
moi l'innombrable foule de mes semblables; qu'ils
écoutent mes confessions, qu'ils gémissent de mes
indignités, qu'ils rougissent de mes misères. Que
chacun d'eux découvre à son tour son cœur aux
pieds de ton trône avec la même sincérité; et puis
qu'un seul te dise, s'il l'ose : *Je fus meilleur que cet
homme-là.* voir p - 128

Je suis né à Genève en 1712, d'Isaac Rousseau,
citoyen, et de Suzanne Bernard, citoyenne. Un bien
fort médiocre à partager entre quinze enfants ayant
réduit presque à rien la portion de mon père,
il n'avait pour subsister que son métier d'horloger,
dans lequel il était à la vérité fort habile. Ma mère,
fille du ministre Bernard, était plus riche; elle
avait de la sagesse et de la beauté; ce n'était pas
sans peine que mon père l'avait obtenue. Leurs
amours avaient commencé presque avec leur vie :
dès l'âge de huit à neuf ans ils se promenaient
ensemble tous les soirs sur la Treille; à dix ans
ils ne pouvaient plus se quitter. La sympathie,

l'accord des âmes affermit en eux le sentiment qu'avait produit l'habitude. Tous deux, nés tendres et sensibles, n'attendaient que le moment de trouver dans un autre la même disposition, ou plutôt ce moment les attendait eux-mêmes, et chacun d'eux jeta son cœur dans le premier qui s'ouvrit pour le recevoir. Le sort, qui semblait contrarier leur passion, ne fit que l'animer. Le jeune amant, ne pouvant obtenir sa maîtresse, se consumait de douleur; elle lui conseilla de voyager pour l'oublier. Il voyagea sans fruit, et revint plus amoureux que jamais. Il retrouva celle qu'il aimait tendre et fidèle. Après cette épreuve, il ne restait qu'à s'aimer toute la vie, ils le jurèrent, et le ciel bénit leur serment.

Gabriel Bernard, frère de ma mère, devint amoureux d'une des sœurs de mon père; mais elle ne consentit à épouser le frère qu'à condition que son frère épouserait la sœur. L'amour arrangea tout, et les deux mariages se firent le même jour. Ainsi mon oncle était le mari de ma tante, et leurs enfants furent doublement mes cousins germains. Il en naquit un de part et d'autre au bout d'une année; ensuite il fallut encore se séparer.

Mon oncle Bernard était ingénieur : il alla servir dans l'Empire et en Hongrie sous le prince Eugène. Il se distingua au siège et à la bataille de Belgrade. Mon père, après la naissance de mon frère unique, partit pour Constantinople, où il était appelé, et devint horloger du sérail. Durant son absence, la beauté de ma mère, son esprit, ses

talents*, lui attirèrent des hommages. M. de la
Closure, résident de France, fut des plus empressés
à lui en offrir. Il fallait que sa passion fût vive,
puisqu'au bout de trente ans je l'ai vu s'attendrir
en me parlant d'elle. Ma mère avait plus que de la
vertu pour s'en défendre, elle aimait tendrement
son mari; elle le pressa de revenir : il quitta tout
et revint. Je fus le triste fruit de ce retour. Dix
mois après, je naquis infirme et malade; je coûtai
la vie à ma mère, et ma naissance fut le premier de
mes malheurs.

Je n'ai pas su comment mon père supporta cette
perte, mais je sais qu'il ne s'en consola jamais.
Il croyait la revoir en moi, sans pouvoir oublier
que je la lui avais ôtée; jamais il ne m'embrassa
que je ne sentisse à ses soupirs, à ses convulsives
étreintes, qu'un regret amer se mêlait à ses ca-
resses : elles n'en étaient que plus tendres. Quand
il me disait : « Jean-Jacques, parlons de ta mère »,
je lui disais : « Hé bien! mon père, nous allons

* Elle en avait de trop brillants pour son état, le ministre son
père qui l'adorait ayant pris grand soin de son éducation. Elle
dessinait, elle chantait, elle s'accompagnait du théorbe, elle avait
de la lecture et faisait des vers passables. En voici qu'elle fit
impromptu dans l'absence de son frère et de son mari, se pro-
menant avec sa belle-sœur et leurs deux enfants, sur un propos
que quelqu'un lui tint à leur sujet :

> Ces deux Messieurs qui sont absents
> Nous sont chers de bien des manières;
> Ce sont nos amis, nos amants;
> Ce sont nos maris et nos frères,
> Et les pères de ces enfants.

donc pleurer », et ce mot seul lui tirait déjà des
larmes. « Ah! disait-il en gémissant, rends-la-moi,
console-moi d'elle, remplis le vide qu'elle a laissé
dans mon âme. T'aimerais-je ainsi si tu n'étais que
mon fils? » Quarante ans après l'avoir perdue, il
est mort dans les bras d'une seconde femme, mais
le nom de la première à la bouche, et son image au
fond du cœur. -

Tels furent les auteurs de mes jours. De tous
les dons que le Ciel leur avait départis, un cœur
sensible est le seul qu'ils me laissèrent; mais il avait
fait leur bonheur, et fit tous les malheurs de ma vie.

J'étais né presque mourant; on espérait peu de
me conserver. J'apportai le germe d'une incommo-
dité que les ans ont renforcée, et qui maintenant
ne me donne quelquefois des relâches que pour
me laisser souffrir plus cruellement d'une autre
façon. Une sœur de mon père, fille aimable et
sage, prit si grand soin de moi qu'elle me sauva.
Au moment où j'écris ceci, elle est encore en vie,
soignant, à l'âge de quatre-vingts ans, un mari plus
jeune qu'elle, mais usé par la boisson. Chère tante,
je vous pardonne de m'avoir fait vivre, et je
m'afflige de ne pouvoir vous rendre à la fin de vos
jours les tendres soins que vous m'avez prodigués
au commencement des miens. J'ai aussi ma mie
Jacqueline encore vivante, saine et robuste. Les
mains qui m'ouvrirent les yeux à ma naissance
pourront me les fermer à ma mort.

Je sentis avant de penser : c'est le sort commun

de l'humanité. Je l'éprouvai plus qu'un autre.
J'ignore ce que je fis jusqu'à cinq ou six ans; je ne
sais comment j'appris à lire; je ne me souviens que
de mes premières lectures et de leur effet sur moi :
c'est le temps d'où je date sans interruption la
conscience de moi-même. Ma mère avait laissé des
romans. Nous nous mîmes à les lire après souper,
mon père et moi. Il n'était question d'abord que
de m'exercer à la lecture par des livres amusants,
mais bientôt l'intérêt devint si vif, que nous lisions
tour à tour sans relâche, et passions les nuits à cette
occupation. Nous ne pouvions jamais quitter qu'à
la fin du volume. Quelquefois mon père, entendant
le matin les hirondelles, disait tout honteux :
« Allons nous coucher; je suis plus enfant que toi. »

En peu de temps j'acquis, par cette dangereuse
méthode, non seulement une extrême facilité à lire
et à m'entendre, mais une intelligence unique à
mon âge sur les passions. Je n'avais aucune idée des
choses, que tous les sentiments m'étaient déjà
connus. Je n'avais rien conçu, j'avais tout senti.
Ces émotions confuses, que j'éprouvais coup sur
coup, n'altéraient point la raison que je n'avais pas
encore; mais elles m'en formèrent une d'une autre
trempe, et me donnèrent de la vie humaine des
notions bizarres et romanesques, dont l'expérience
et la réflexion n'ont jamais bien pu me guérir.

Les romans finirent avec l'été de 1719. L'hiver
suivant, ce fut autre chose. La bibliothèque de ma
mère épuisée, on eut recours à la portion de celle
de son père qui nous était échue. Heureusement,

il s'y trouva de bons livres; et cela ne pouvait guère
être autrement, cette bibliothèque ayant été formée
par un ministre, à la vérité, et savant même, car
c'était la mode alors, mais homme de goût et
d'esprit. L'*Histoire de l'Église et de l'Empire,* par
Le Sueur; le *Discours* de Bossuet *sur l'Histoire
universelle;* les *Hommes illustres,* de Plutarque;
l'*Histoire de Venise,* par Nani; les *Métamorphoses*
d'Ovide; La Bruyère; Les *Mondes,* de Fontenelle;
ses *Dialogues des Morts,* et quelques tomes de
Molière, furent transportés dans le cabinet de mon
père, et je les lui lisais tous les jours, durant son
travail. J'y pris un goût rare et peut-être unique
à cet âge. Plutarque surtout devint ma lecture
favorite. Le plaisir que je prenais à le relire sans
cesse me guérit un peu des romans; et je préférai
bientôt Agésilas, Brutus, Aristide, à Orondate,
Artamène et Juba. De ces intéressantes lectures,
des entretiens qu'elles occasionnaient entre mon
père et moi, se forma cet esprit libre et républicain,
ce caractère indomptable et fier, impatient de joug
et de servitude, qui m'a tourmenté tout le temps de
ma vie dans les situations les moins propres à lui
donner l'essor. Sans cesse occupé de Rome et
d'Athènes, vivant pour ainsi dire avec leurs grands
hommes, né moi-même citoyen d'une république,
et fils d'un père dont l'amour de la patrie était
la plus forte passion, je m'en enflammais à son
exemple; je me croyais Grec ou Romain; je devenais
le personnage dont je lisais la vie : le récit des
traits de constance et d'intrépidité qui m'avaient

frappé me rendait les yeux étincelants et la voix forte. Un jour que je racontais à table l'aventure de Scævola, on fut effrayé de me voir avancer et tenir la main sur un réchaud pour représenter son action.

J'avais un frère plus âgé que moi de sept ans. Il apprenait la profession de mon père. L'extrême affection qu'on avait pour moi le faisait un peu négliger, et ce n'est pas cela que j'approuve. Son éducation se ressentit de cette négligence. Il prit le train du libertinage, même avant l'âge d'être un vrai libertin. On le mit chez un autre maître, d'où il faisait des escapades comme il en avait fait de la maison paternelle. Je ne le voyais presque point, à peine puis-je dire avoir fait connaissance avec lui; mais je ne laissais pas de l'aimer tendrement, et il m'aimait autant qu'un polisson peut aimer quelque chose. Je me souviens qu'une fois que mon père le châtiait rudement et avec colère, je me jetai impétueusement entre eux, l'embrassant étroitement. Je le couvris ainsi de mon corps, recevant les coups qui lui étaient portés, et je m'obstinai si bien dans cette attitude, qu'il fallut enfin que mon père lui fît grâce, soit désarmé par mes cris et mes larmes, soit pour ne pas me maltraiter plus que lui. Enfin mon frère tourna si mal, qu'il s'enfuit et disparut tout à fait. Quelque temps après, on sut qu'il était en Allemagne. Il n'écrivit pas une seule fois. On n'a plus eu de ses nouvelles depuis ce temps-là, et voilà comment je suis demeuré fils unique.

Si ce pauvre garçon fut élevé négligemment, il n'en fut pas ainsi de son frère, et les enfants des rois ne sauraient être soignés avec plus de zèle que je le fus durant mes premiers ans, idolâtré de tout ce qui m'environnait, et toujours, ce qui est bien plus rare, traité en enfant chéri, jamais en enfant gâté. Jamais une seule fois, jusqu'à ma sortie de la maison paternelle, on ne m'a laissé courir seul dans la rue avec les autres enfants, jamais on n'eut à réprimer en moi ni à satisfaire aucune de ces fantasques humeurs qu'on impute à la nature, et qui naissent toutes de la seule éducation. J'avais les défauts de mon âge; j'étais babillard, gourmand, quelquefois menteur. J'aurais volé des fruits, des bonbons, de la mangeaille; mais jamais je n'ai pris plaisir à faire du mal, du dégât, à charger les autres, à tourmenter de pauvres animaux. Je me souviens pourtant d'avoir une fois pissé dans la marmite d'une de nos voisines, appelée Mme Clot, tandis qu'elle était au prêche. J'avoue même que ce souvenir me fait encore rire, parce que Mme Clot, bonne femme au demeurant, était bien la vieille la plus grognon que je connus de ma vie. Voilà la courte et véridique histoire de tous mes méfaits enfantins.

Comment serais-je devenu méchant, quand je n'avais sous les yeux que des exemples de douceur, et autour de moi que les meilleures gens du monde? Mon père, ma tante, ma mie, mes parents, nos amis, nos voisins, ce qui m'environnait ne m'obéissait pas à la vérité, mais m'aimait, et moi

je les aimais de même. Mes volontés étaient si peu excitées et si peu contrariées, qu'il ne me venait pas dans l'esprit d'en avoir. Je puis jurer que jusqu'à mon asservissement sous un maître, je n'ai pas su ce que c'était qu'une fantaisie. Hors le temps que je passais à lire ou écrire auprès de mon père, et celui où ma mie me menait promener, j'étais toujours avec ma tante, à la voir broder, à l'entendre chanter, assis ou debout à côté d'elle, et j'étais content. Son enjouement, sa douceur, sa figure agréable m'ont laissé de si fortes impressions, que je vois encore son air, son regard, son attitude : je me souviens de ses petits propos caressants; je dirais comment elle était vêtue et coiffée, sans oublier les deux crochets que ses cheveux noirs faisaient sur ses tempes, selon la mode de ce temps-là.

Je suis persuadé que je lui dois le goût ou plutôt la passion pour la musique, qui ne s'est bien développée en moi que longtemps après. Elle savait une quantité prodigieuse d'airs et de chansons qu'elle chantait avec un filet de voix fort douce. La sérénité d'âme de cette excellente fille éloignait d'elle et de tout ce qui l'environnait la rêverie et la tristesse. L'attrait que son chant avait pour moi fut tel que non seulement plusieurs de ses chansons me sont toujours restées dans la mémoire, mais qu'il m'en revient même, aujourd'hui que je l'ai perdue, qui, totalement oubliées depuis mon enfance, se retracent à mesure que je vieillis, avec un charme que je ne puis exprimer. Dirait-on que moi, vieux radoteur, rongé de soucis et de peines, je me sur-

prends quelquefois à pleurer comme un enfant en marmottant ces petits airs d'une voix déjà cassée et tremblante? Il y en a un surtout qui m'est bien revenu tout entier quant à l'air; mais la seconde moitié des paroles s'est constamment refusée à tous mes efforts pour me la rappeler, quoiqu'il m'en revienne confusément les rimes. Voici le commencement et ce que j'ai pu me rappeler du reste :

> Tircis, je n'ose
> Écouter ton chalumeau
> Sous l'ormeau;
> Car on en cause
> Déjà dans notre hameau.
> .
> un berger
> s'engager
> sans danger
> Et toujours l'épine est sous la rose.

Je cherche où est le charme attendrissant que mon cœur trouve à cette chanson : c'est un caprice auquel je ne comprends rien; mais il m'est de toute impossibilité de la chanter jusqu'à la fin sans être arrêté par mes larmes. J'ai cent fois projeté d'écrire à Paris pour faire chercher le reste des paroles, si tant est que quelqu'un les connaisse encore. Mais je suis presque sûr que le plaisir que je prends à me rappeler cet air s'évanouirait en partie, si j'avais la preuve que d'autres que ma pauvre tante Suson l'ont chanté.

Telles furent les premières affections de mon entrée à la vie : ainsi commençait à se former ou

à se montrer en moi ce cœur à la fois si fier et si tendre, ce caractère efféminé, mais pourtant indomptable, qui, flottant toujours entre la faiblesse et le courage, entre la mollesse et la vertu, m'a jusqu'au bout mis en contradiction avec moi-même, et a fait que l'abstinence et la jouissance, le plaisir et la sagesse, m'ont également échappé.

Ce train d'éducation fut interrompu par un accident dont les suites ont influé sur le reste de ma vie. Mon père eut un démêlé avec un M. Gautier, capitaine en France et apparenté dans le Conseil. Ce Gautier, homme insolent et lâche, saigna du nez, et, pour se venger, accusa mon père d'avoir mis l'épée à la main dans la ville. Mon père, qu'on voulut envoyer en prison, s'obstinait à vouloir que, selon la loi, l'accusateur y entrât aussi bien que lui : n'ayant pu l'obtenir, il aima mieux sortir de Genève, et s'expatrier pour le reste de sa vie, que de céder sur un point où l'honneur et la liberté lui paraissaient compromis.

Je restai sous la tutelle de mon oncle Bernard, alors employé aux fortifications de Genève. Sa fille aînée était morte, mais il avait un fils de même âge que moi. Nous fûmes mis ensemble à Bossey, en pension chez le ministre Lambercier, pour y apprendre avec le latin tout le menu fatras dont on l'accompagne sous le nom d'éducation.

Deux ans passés au village adoucirent un peu mon âpreté romaine, et me ramenèrent à l'état d'enfant. A Genève, où l'on ne m'imposait rien,

j'aimais l'application, la lecture; c'était presque mon seul amusement; à Bossey, le travail me fit aimer les jeux qui lui servaient de relâche. La campagne était pour moi si nouvelle, que je ne pouvais me lasser d'en jouir. Je pris pour elle un goût si vif, qu'il n'a jamais pu s'éteindre. Le souvenir des jours heureux que j'y ai passés m'a fait regretter son séjour et ses plaisirs dans tous les âges, jusqu'à celui qui m'y a ramené. M. Lambercier était un homme fort raisonnable, qui, sans négliger notre instruction, ne nous chargeait point de devoirs extrêmes. La preuve qu'il s'y prenait bien est que, malgré mon aversion pour la gêne, je ne me suis jamais rappelé avec dégoût mes heures d'étude, et que, si je n'appris pas de lui beaucoup de choses, ce que j'appris je l'appris sans peine et n'en ai rien oublié.

La simplicité de cette vie champêtre me fit un bien d'un prix inestimable en ouvrant mon cœur à l'amitié. Jusqu'alors je n'avais connu que des sentiments élevés, mais imaginaires. L'habitude de vivre ensemble dans un état paisible m'unit tendrement à mon cousin Bernard. En peu de temps j'eus pour lui des sentiments plus affectueux que ceux que j'avais eus pour mon frère, et qui ne se sont jamais effacés. C'était un grand garçon fort efflanqué, fort fluet, aussi doux d'esprit que faible de corps, et qui n'abusait pas trop de la prédilection qu'on avait pour lui dans la maison comme fils de mon tuteur. Nos travaux, nos amusements, nos goûts étaient les mêmes : nous étions seuls,

nous étions de même âge, chacun des deux avait besoin d'un camarade; nous séparer était, en quelque sorte, nous anéantir. Quoique nous eussions peu d'occasions de faire preuve de notre attachement l'un pour l'autre, il était extrême, et non seulement nous ne pouvions vivre un instant séparés, mais nous n'imaginions pas que nous pussions jamais l'être. Tous deux d'un esprit facile à céder aux caresses, complaisants quand on ne voulait pas nous contraindre, nous étions toujours d'accord sur tout. Si, par la faveur de ceux qui nous gouvernaient, il avait sur moi quelque ascendant sous leurs yeux, quand nous étions seuls j'en avais un sur lui qui rétablissait l'équilibre. Dans nos études, je lui soufflais sa leçon quand il hésitait; quand mon thème était fait, je lui aidais à faire le sien, et, dans nos amusements, mon goût plus actif lui servait toujours de guide. Enfin nos deux caractères s'accordaient si bien, et l'amitié qui nous unissait était si vraie, que, dans plus de cinq ans que nous fûmes presque inséparables, tant à Bossey qu'à Genève, nous nous battîmes souvent, je l'avoue, mais jamais on n'eut besoin de nous séparer, jamais une de nos querelles ne dura plus d'un quart d'heure, et jamais une seule fois nous ne portâmes l'un contre l'autre aucune accusation. Ces remarques sont, si l'on veut, puériles, mais il en résulte pourtant un exemple peut-être unique depuis qu'il existe des enfants.

La manière dont je vivais à Bossey me convenait si bien, qu'il ne lui a manqué que de durer plus

longtemps pour fixer absolument mon caractère. Les sentiments tendres, affectueux, paisibles, en faisaient le fond. Je crois que jamais individu de notre espèce n'eut naturellement moins de vanité que moi. Je m'élevais par élans à des mouvements sublimes, mais je retombais aussitôt dans ma langueur. Être aimé de tout ce qui m'approchait était le plus vif de mes désirs. J'étais doux; mon cousin l'était; ceux qui nous gouvernaient l'étaient eux-mêmes. Pendant deux ans entiers, je ne fus ni témoin ni victime d'un sentiment violent. Tout nourrissait dans mon cœur les dispositions qu'il reçut de la nature. Je ne connaissais rien d'aussi charmant que de voir tout le monde content de moi et de toute chose. Je me souviendrai toujours qu'au temple, répondant au catéchisme, rien ne me troublait plus, quand il m'arrivait d'hésiter, que de voir sur le visage de Mlle Lambercier des marques d'inquiétude et de peine. Cela seul m'affligeait plus que la honte de manquer en public, qui m'affectait pourtant extrêmement; car, quoique peu sensible aux louanges, je le fus toujours beaucoup à la honte, et je puis dire ici que l'attente des réprimandes de Mlle Lambercier me donnait moins d'alarmes que la crainte de la chagriner.

Cependant elle ne manquait pas au besoin de sévérité, non plus que son frère; mais comme cette sévérité, presque toujours juste, n'était jamais emportée, je m'en affligeais, et ne m'en mutinais point. J'étais plus fâché de déplaire que d'être puni, et le signe du mécontentement m'était plus cruel que la

peine afflictive. Il est embarrassant de s'expliquer
mieux, mais cependant il le faut. Qu'on changerait
de méthode avec la jeunesse, si l'on voyait mieux
les effets éloignés de celle qu'on emploie toujours
indistinctement, et souvent indiscrètement! La
grande leçon qu'on peut tirer d'un exemple aussi
commun que funeste me fait résoudre à le donner.

Comme Mlle Lambercier avait pour nous l'affec-
tion d'une mère, elle en avait aussi l'autorité, et la
portait quelquefois jusqu'à nous infliger la punition
des enfants quand nous l'avions méritée. Assez
longtemps elle s'en tint à la menace, et cette menace
d'un châtiment tout nouveau pour moi me semblait
très effrayante; mais après l'exécution, je la trouvai
moins terrible à l'épreuve que l'attente ne l'avait
été, et ce qu'il y a de plus bizarre est que ce
châtiment m'affectionna davantage encore à celle
qui me l'avait imposé. Il fallait même toute la
vérité de cette affection et toute ma douceur natu-
relle pour m'empêcher de chercher le retour du
même traitement en le méritant; car j'avais trouvé
dans la douleur, dans la honte même, un mélange
de sensualité qui m'avait laissé plus de désir que
de crainte de l'éprouver derechef par la même
main. Il est vrai que, comme il se mêlait sans doute
à cela quelque instinct précoce du sexe, le même
châtiment reçu de son frère ne m'eût point du tout
paru plaisant. Mais, de l'humeur dont il était, cette
substitution n'était guère à craindre, et si je
m'abstenais de mériter la correction, c'était unique-
ment de peur de fâcher Mlle Lambercier; car tel

est en moi l'empire de la bienveillance, et même de celle que les sens ont fait naître, qu'elle leur donna toujours la loi dans mon cœur.

Cette récidive, que j'éloignais sans la craindre, arriva sans qu'il y eût de ma faute, c'est-à-dire de ma volonté, et j'en profitai, je puis dire, en sûreté de conscience. Mais cette seconde fois fut aussi la dernière, car Mlle Lambercier, s'étant sans doute aperçue à quelque signe que ce châtiment n'allait pas à son but, déclara qu'elle y renonçait et qu'il la fatiguait trop. Nous avions jusque-là couché dans sa chambre, et même en hiver quelquefois dans son lit. Deux jours après on nous fit coucher dans une autre chambre, et j'eus désormais l'honneur, dont je me serais bien passé, d'être traité par elle en grand garçon.

Qui croirait que ce châtiment d'enfant, reçu à huit ans par la main d'une fille de trente, a décidé de mes goûts, de mes désirs, de mes passions, de moi pour le reste de ma vie, et cela précisément dans le sens contraire à ce qui devait s'ensuivre naturellement? En même temps que mes sens furent allumés, mes désirs prirent si bien le change, que, bornés à ce que j'avais éprouvé, ils ne s'avisèrent point de chercher autre chose. Avec un sang brûlant de sensualité presque dès ma naissance, je me conservai pur de toute souillure jusqu'à l'âge où les tempéraments les plus froids et les plus tardifs se développent. Tourmenté longtemps sans savoir de quoi, je dévorais d'un œil ardent les belles personnes; mon imagination me les rappelait sans

cesse, uniquement pour les mettre en œuvre à ma
mode, et en faire autant de demoiselles Lam-
bercier.

Même après l'âge nubile, ce goût bizarre, tou-
jours persistant et porté jusqu'à la dépravation,
jusqu'à la folie, m'a conservé les mœurs honnêtes
qu'il semblerait avoir dû m'ôter. Si jamais édu-
cation fut modeste et chaste, c'est assurément celle
que j'ai reçue. Mes trois tantes n'étaient pas seule-
ment des personnes d'une sagesse exemplaire, mais
d'une réserve que depuis longtemps les femmes ne
connaissent plus. Mon père, homme de plaisir, mais
galant à la vieille mode, n'a jamais tenu, près des
femmes qu'il aimait le plus, des propos dont une
vierge eût pu rougir, et jamais on n'a poussé plus
loin que dans ma famille et devant moi le respect
qu'on doit aux enfants; je ne trouvai pas moins
d'attention chez M. Lambercier sur le même article,
et une fort bonne servante y fut mise à la porte
pour un mot un peu gaillard qu'elle avait prononcé
devant nous. Non seulement je n'eus jusqu'à mon
adolescence aucune idée distincte de l'union des
sexes, mais jamais cette idée confuse ne s'offrit à
moi que sous une image odieuse et dégoûtante.
J'avais pour les filles publiques une horreur qui ne
s'est jamais effacée : je ne pouvais voir un débauché
sans dédain, sans effroi même, car mon aversion
pour la débauche allait jusque-là, depuis qu'allant
un jour au petit Sacconex par un chemin creux,
je vis des deux côtés des cavités dans la terre, où
l'on me dit que ces gens-là faisaient leurs accouple-

ments. Ce que j'avais vu de ceux des chiennes me revenait aussi toujours à l'esprit en pensant aux autres, et le cœur me soulevait à ce seul souvenir.

Ces préjugés de l'éducation, propres par eux-mêmes à retarder les premières explosions d'un tempérament combustible, furent aidés, comme j'ai dit, par la diversion que firent sur moi les premières pointes de la sensualité. N'imaginant que ce que j'avais senti, malgré des effervescences de sang très incommodes, je ne savais porter mes désirs que vers l'espèce de volupté qui m'était connue, sans aller jamais jusqu'à celle qu'on m'avait rendue haïssable et qui tenait de si près à l'autre sans que j'en eusse le moindre soupçon. Dans mes sottes fantaisies, dans mes érotiques fureurs, dans les actes extravagants auxquels elles me portaient quelquefois, j'empruntais imaginairement le secours de l'autre sexe, sans penser jamais qu'il fût propre à nul autre usage qu'à celui que je brûlais d'en tirer.

Non seulement donc c'est ainsi qu'avec un tempérament très ardent, très lascif, très précoce, je passai toutefois l'âge de puberté sans désirer, sans connaître d'autres plaisirs des sens que ceux dont Mlle Lambercier m'avait très innocemment donné l'idée; mais quand enfin le progrès des ans m'eut fait homme, c'est encore ainsi que ce qui devait me perdre me conserva. Mon ancien goût d'enfant, au lieu de s'évanouir, s'associa tellement à l'autre, que je ne pus jamais l'écarter des désirs allumés par mes sens, et cette folie, jointe à ma timidité naturelle, m'a toujours rendu très peu entreprenant

près des femmes, faute d'oser tout dire ou de pou-
voir tout faire, l'espèce de jouissance dont l'autre
n'était pour moi que le dernier terme ne pouvant
être usurpée par celui qui la désire, ni devinée par
celle qui peut l'accorder. J'ai ainsi passé ma vie à
convoiter et me taire auprès des personnes que
j'aimais le plus. N'osant jamais déclarer mon goût,
je l'amusais du moins par des rapports qui m'en
conservaient l'idée. Être aux genoux d'une maî-
tresse impérieuse, obéir à ses ordres, avoir des
pardons à lui demander, étaient pour moi de très
douces jouissances, et plus ma vive imagination
m'enflammait le sang, plus j'avais l'air d'un amant
transi. On conçoit que cette manière de faire
l'amour n'amène pas des progrès bien rapides, et n'est
pas fort dangereuse à la vertu de celles qui en sont
l'objet. J'ai donc fort peu possédé, mais je n'ai pas
laissé de jouir beaucoup à ma manière, c'est-à-dire
par l'imagination. Voilà comment mes sens, d'ac-
cord avec mon humeur timide et mon esprit
romanesque, m'ont conservé des sentiments purs et
des mœurs honnêtes, par les mêmes goûts qui
peut-être, avec un peu plus d'effronterie, m'auraient
plongé dans les plus brutales voluptés.

J'ai fait le premier pas et le plus pénible dans
le labyrinthe obscur et fangeux de mes confessions.
Ce n'est pas ce qui est criminel qui coûte le plus
à dire, c'est ce qui est ridicule et honteux. Dès
à présent je suis sûr de moi : après ce que je viens
d'oser dire, rien ne peut plus m'arrêter. On peut
juger de ce qu'ont pu me coûter de semblables

aveux, sur ce que, dans tout le cours de ma vie, emporté quelquefois près de celles que j'aimais par les fureurs d'une passion qui m'ôtait la faculté de voir, d'entendre, hors de sens et saisi d'un tremblement convulsif dans tout mon corps, jamais je n'ai pu prendre sur moi de leur déclarer ma folie, et d'implorer d'elles, dans la plus intime familiarité, la seule faveur qui manquait aux autres. Cela ne m'est jamais arrivé qu'une fois, dans l'enfance, avec une enfant de mon âge; encore fut-ce elle qui en fit la première proposition.

En remontant de cette sorte aux premières traces de mon être sensible, je trouve des éléments qui, semblant quelquefois incompatibles, n'ont pas laissé de s'unir pour produire avec force un effet uniforme et simple, et j'en trouve d'autres qui, les mêmes en apparence, ont formé, par le concours de certaines circonstances, de si différentes combinaisons, qu'on n'imaginerait jamais qu'ils eussent entre eux aucun rapport. Qui croirait, par exemple, qu'un des ressorts les plus vigoureux de mon âme fût trempé dans la même source d'où la luxure et la mollesse ont coulé dans mon sang? Sans quitter le sujet dont je viens de parler, on en va voir sortir une impression bien différente.

J'étudiais un jour seul ma leçon dans la chambre contiguë à la cuisine. La servante avait mis sécher à la plaque les peignes de Mlle Lambercier. Quand elle revint les prendre, il s'en trouva un dont tout un côté de dents était brisé. A qui s'en

prendre de ce dégât? personne autre que moi n'était entré dans la chambre. On m'interroge : je nie d'avoir touché le peigne. M. et Mlle Lambercier se réunissent, m'exhortent, me pressent, me menacent; je persiste avec opiniâtreté; mais la conviction était trop forte, elle l'emporta sur toutes mes protestations, quoique ce fût la première fois qu'on m'eût trouvé tant d'audace à mentir. La chose fut prise au sérieux; elle méritait de l'être. La méchanceté, le mensonge, l'obstination parurent également dignes de punition; mais pour le coup ce ne fut pas par Mlle Lambercier qu'elle me fut infligée. On écrivit à mon oncle Bernard; il vint. Mon pauvre cousin était chargé d'un autre délit, non moins grave : nous fûmes enveloppés dans la même exécution. Elle fut terrible. Quand, cherchant le remède dans le mal même, on eût voulu pour jamais amortir mes sens dépravés, on n'aurait pu mieux s'y prendre. Aussi me laissèrent-ils en repos pour longtemps.

On ne put m'arracher l'aveu qu'on exigeait. Repris à plusieurs fois et mis dans l'état le plus affreux, je fus inébranlable. J'aurais souffert la mort, et j'y étais résolu. Il fallut que la force même cédât au diabolique entêtement d'un enfant, car on n'appela pas autrement ma constance. Enfin je sortis de cette cruelle épreuve en pièces, mais triomphant.

Il y a maintenant près de cinquante ans de cette aventure, et je n'ai pas peur d'être aujourd'hui puni derechef pour le même fait; eh bien, je déclare à la face du Ciel que j'en étais innocent, que je

n'avais ni cassé, ni touché le peigne, que je n'avais pas approché de la plaque, et que je n'y avais pas même songé. Qu'on ne me demande pas comment ce dégât se fit : je l'ignore et ne puis le comprendre; ce que je sais très certainement, c'est que j'en étais innocent.

Qu'on se figure un caractère timide et docile dans la vie ordinaire, mais ardent, fier, indomptable dans les passions, un enfant toujours gouverné par la voix de la raison, toujours traité avec douceur, équité, complaisance, qui n'avait pas même l'idée de l'injustice, et qui, pour la première fois, en éprouve une si terrible de la part précisément des gens qu'il chérit et qu'il respecte le plus : quel renversement d'idées! quel désordre de sentiments! quel bouleversement dans son cœur, dans sa cervelle, dans tout son petit être intelligent et moral! Je dis qu'on s'imagine tout cela, s'il est possible, car pour moi, je ne me sens pas capable de démêler, de suivre la moindre trace de ce qui se passait alors en moi.

Je n'avais pas encore assez de raison pour sentir combien les apparences me condamnaient, et pour me mettre à la place des autres. Je me tenais à la mienne, et tout ce que je sentais, c'était la rigueur d'un châtiment effroyable pour un crime que je n'avais pas commis. La douleur du corps, quoique vive, m'était peu sensible; je ne sentais que l'indignation, la rage, le désespoir. Mon cousin, dans un cas à peu près semblable, et qu'on avait puni d'une faute involontaire comme d'un acte prémédité, se

mettait en fureur à mon exemple, et se montait, pour ainsi dire, à mon unisson. Tous deux dans le même lit nous nous embrassions avec des transports convulsifs, nous étouffions, et quand nos jeunes cœurs un peu soulagés pouvaient exhaler leur colère, nous nous levions sur notre séant, et nous nous mettions tous deux à crier cent fois de toute notre force : *Carnifex! carnifex! carnifex!*

Je sens en écrivant ceci que mon pouls s'élève encore; ces moments me seront toujours présents quand je vivrais cent mille ans. Ce premier sentiment de la violence et de l'injustice est resté si profondément gravé dans mon âme, que toutes les idées qui s'y rapportent me rendent ma première émotion, et ce sentiment relatif à moi dans son origine, a pris une telle consistance en lui-même, et s'est tellement détaché de tout intérêt personnel, que mon cœur s'enflamme au spectacle ou au récit de toute action injuste, quel qu'en soit l'objet et en quelque lieu qu'elle se commette, comme si l'effet en retombait sur moi. Quand je lis les cruautés d'un tyran féroce, les subtiles noirceurs d'un fourbe de prêtre, je partirais volontiers pour aller poignarder ces misérables, dussé-je cent fois y périr. Je me suis souvent mis en nage à poursuivre à la course ou à coups de pierre un coq, une vache, un chien, un animal que j'en voyais tourmenter un autre, uniquement parce qu'il se sentait le plus fort. Ce mouvement peut m'être naturel, et je crois qu'il l'est; mais le souvenir profond de la première injustice que j'ai soufferte y fut trop longtemps et

trop fortement lié pour ne l'avoir pas beaucoup renforcé.

Là fut le terme de la sérénité de ma vie enfantine. Dès ce moment je cessai de jouir d'un bonheur pur, et je sens aujourd'hui même que le souvenir des charmes de mon enfance s'arrête là. Nous restâmes encore à Bossey quelques mois. Nous y fûmes comme on nous représente le premier homme encore dans le paradis terrestre, mais ayant cessé d'en jouir : c'était en apparence la même situation, et en effet une tout autre manière d'être. L'attachement, le respect, l'intimité, la confiance, ne liaient plus les élèves à leurs guides; nous ne les regardions plus comme des dieux qui lisaient dans nos cœurs : nous étions moins honteux de mal faire et plus craintifs d'être accusés : nous commencions à nous cacher, à nous mutiner, à mentir. Tous les vices de notre âge corrompaient notre innocence et enlaidissaient nos jeux. La campagne même perdit à nos yeux cet attrait de douceur et de simplicité qui va au cœur : elle nous semblait déserte et sombre; elle s'était comme couverte d'un voile qui nous en cachait les beautés. Nous cessâmes de cultiver nos petits jardins, nos herbes, nos fleurs. Nous n'allions plus gratter légèrement la terre, et crier de joie en découvrant le germe du grain que nous avions semé. Nous nous dégoûtâmes de cette vie; on se dégoûta de nous; mon oncle nous retira, et nous nous séparâmes de M. et Mlle Lambercier, rassasiés les uns des autres, et regrettant peu de nous quitter.

Près de trente ans se sont passés depuis ma sortie
de Bossey sans que je m'en sois rappelé le séjour
d'une manière agréable par des souvenirs un peu
liés : mais depuis qu'ayant passé l'âge mûr je
décline vers la vieillesse, je sens que ces mêmes
souvenirs renaissent, tandis que les autres s'effacent,
et se gravent dans ma mémoire avec des traits dont
le charme et la force augmentent de jour en jour;
comme si, sentant déjà la vie qui s'échappe, je
cherchais à la ressaisir par ses commencements.
Les moindres faits de ce temps-là me plaisent, par
cela seul qu'ils sont de ce temps-là. Je me rappelle
toutes les circonstances des lieux, des personnes,
des heures. Je vois la servante ou le valet agissant
dans la chambre, une hirondelle entrant par la
fenêtre, une mouche se poser sur ma main tandis
que je récitais ma leçon : je vois tout l'arrangement
de la chambre où nous étions; le cabinet de
M. Lambercier à main droite, une estampe repré-
sentant tous les papes, un baromètre, un grand
calendrier, des framboisiers qui, d'un jardin fort
élevé dans lequel la maison s'enfonçait sur le der-
rière, venaient ombrager la fenêtre, et passaient
quelquefois jusqu'en dedans. Je sais bien que le
lecteur n'a pas grand besoin de savoir tout cela,
mais j'ai besoin, moi, de le lui dire. Que n'osé-je
lui raconter de même toutes les petites anecdotes
de cet heureux âge, qui me font encore tressaillir
d'aise quand je me les rappelle! Cinq ou six sur-
tout... Composons. Je vous fais grâce des cinq; mais
j'en veux une, une seule, pourvu qu'on me la laisse

conter le plus longuement qu'il me sera possible, pour prolonger mon plaisir.

Si je ne cherchais que le vôtre, je pourrais choisir celle du derrière de Mlle Lambercier, qui, par une malheureuse culbute au bas du pré, fut étalé tout en plein devant le roi de Sardaigne à son passage : mais celle du noyer de la terrasse est plus amusante pour moi qui fus acteur, au lieu que je ne fus que spectateur de la culbute; et j'avoue que je ne trouvai pas le moindre mot pour rire à un accident qui, bien que comique en lui-même, m'alarmait pour une personne que j'aimais comme une mère, et peut-être plus.

O vous, lecteurs curieux de la grande histoire du noyer de la terrasse, écoutez-en l'horrible tragédie et vous abstenez de frémir si vous pouvez!

Il y avait, hors la porte de la cour, une terrasse à gauche en entrant, sur laquelle on allait souvent s'asseoir l'après-midi, mais qui n'avait point d'ombre. Pour lui en donner, M. Lambercier y fit planter un noyer. La plantation de cet arbre se fit avec solennité : les deux pensionnaires en furent les parrains; et, tandis qu'on comblait le creux, nous tenions l'arbre chacun d'une main avec des chants de triomphe. On fit pour l'arroser une espèce de bassin tout autour du pied. Chaque jour, ardents spectateurs de cet arrosement, nous nous confirmions, mon cousin et moi, dans l'idée très naturelle qu'il était plus beau de planter un arbre sur la terrasse qu'un drapeau sur la brèche, et nous résolûmes de nous procurer

cette gloire sans la partager avec qui que ce fût.

Pour cela nous allâmes couper une bouture d'un jeune saule, et nous la plantâmes sur la terrasse, à huit ou dix pieds de l'auguste noyer. Nous n'oubliâmes pas de faire aussi un creux autour de notre arbre : la difficulté était d'avoir de quoi le remplir; car l'eau venait d'assez loin, et on ne nous laissait pas courir pour en aller prendre. Cependant il en fallait absolument pour notre saule. Nous employâmes toutes sortes de ruses pour lui en fournir durant quelques jours, et cela nous réussit si bien, que nous le vîmes bourgeonner et pousser de petites feuilles dont nous mesurions l'accroissement d'heure en heure, persuadés, quoiqu'il ne fût pas à un pied de terre, qu'il ne tarderait pas à nous ombrager.

Comme notre arbre, nous occupant tout entiers, nous rendait incapables de toute application, de toute étude, que nous étions comme en délire, et que, ne sachant à qui nous en avions, on nous tenait de plus court qu'auparavant, nous vîmes l'instant fatal où l'eau nous allait manquer, et nous nous désolions dans l'attente de voir notre arbre périr de sécheresse. Enfin la nécessité, mère de l'industrie, nous suggéra une invention pour garantir l'arbre et nous d'une mort certaine : ce fut de faire par-dessous terre une rigole qui conduisît secrètement au saule une partie de l'eau dont on arrosait le noyer. Cette entreprise, exécutée avec ardeur, ne réussit pourtant pas d'abord. Nous avions si mal pris la pente, que l'eau ne coulait point; la terre

s'éboulait et bouchait la rigole; l'entrée se rem-
plissait d'ordures; tout allait de travers. Rien ne
nous rebuta : *Omnia vincit labor improbus*. Nous
creusâmes davantage la terre et notre bassin, pour
donner à l'eau son écoulement; nous coupâmes
des fonds de boîtes en petites planches étroites,
dont les unes mises de plat à la file, et d'autres
posées en angle des deux côtés sur celles-là, nous
firent un canal triangulaire pour notre conduit.
Nous plantâmes à l'entrée de petits bouts de bois
minces et à claire-voie, qui, faisant une espèce
de grillage ou de crapaudine, retenaient le limon
et les pierres sans boucher le passage à l'eau. Nous
recouvrîmes soigneusement notre ouvrage de terre
bien foulée; et le jour où tout fut fait, nous
attendîmes dans des transes d'espérance et de crainte
l'heure de l'arrosement. Après des siècles d'attente,
cette heure vint enfin; M. Lambercier vint aussi à
son ordinaire assister à l'opération, durant laquelle
nous nous tenions tous deux derrière lui pour
cacher notre arbre, auquel très heureusement il
tournait le dos.

A peine achevait-on de verser le premier seau
d'eau que nous commençâmes d'en voir couler dans
notre bassin. A cet aspect la prudence nous aban-
donna; nous nous mîmes à pousser des cris de joie
qui firent retourner M. Lambercier, et ce fut dom-
mage, car il prenait grand plaisir à voir comment
la terre du noyer était bonne et buvait avidement
son eau. Frappé de la voir se partager entre deux
bassins, il s'écrie à son tour, regarde, aperçoit la

friponnerie, se fait brusquement apporter une pioche, donne un coup, fait voler deux ou trois éclats de nos planches, et criant à pleine tête : *Un aqueduc! un aqueduc!* il frappe de toutes parts des coups impitoyables, dont chacun portait au milieu de nos cœurs. En un moment, les planches, le conduit, le bassin, le saule, tout fut détruit, tout fut labouré, sans qu'il y eût, durant cette expédition terrible, nul autre mot prononcé, sinon l'exclamation qu'il répétait sans cesse. *Un aqueduc!* s'écriait-il en brisant tout, *un aqueduc! un aqueduc!*

On croira que l'aventure finit mal pour les petits architectes. On se trompera : tout fut fini. M. Lambercier ne nous dit pas un mot de reproche, ne nous fit pas plus mauvais visage, et ne nous en parla plus; nous l'entendîmes même un peu après rire auprès de sa sœur à gorge déployée, car le rire de M. Lambercier s'entendait de loin, et ce qu'il y eut de plus étonnant encore, c'est que, passé le premier saisissement, nous ne fûmes pas nous-mêmes fort affligés. Nous plantâmes ailleurs un autre arbre, et nous nous rappelions souvent la catastrophe du premier, en répétant entre nous avec emphase : *Un aqueduc! un aqueduc!* Jusque-là j'avais eu des accès d'orgueil par intervalles quand j'étais Aristide ou Brutus. Ce fut ici mon premier mouvement de vanité bien marquée. Avoir pu construire un aqueduc de nos mains, avoir mis une bouture en concurrence avec un grand arbre, me paraissait le suprême degré de la gloire. A dix ans j'en jugeais mieux que César à trente.

L'idée de ce noyer et la petite histoire qui s'y rapporte m'est si bien restée ou revenue, qu'un de mes plus agréables projets dans mon voyage de Genève, en 1754, était d'aller à Bossey revoir les monuments des jeux de mon enfance, et surtout le cher noyer, qui devait alors avoir déjà le tiers d'un siècle. Je fus si continuellement obsédé, si peu maître de moi-même, que je ne pus trouver le moment de me satisfaire. Il y a peu d'apparence que cette occasion renaisse jamais pour moi. Cependant je n'en ai pas perdu le désir avec l'espérance, et je suis presque sûr que si jamais, retournant dans ces lieux chéris, j'y retrouvais mon cher noyer encore en être, je l'arroserais de mes pleurs.

De retour à Genève, je passai deux ou trois ans chez mon oncle en attendant qu'on résolût ce que l'on ferait de moi. Comme il destinait son fils au génie, il lui fit apprendre un peu de dessin, et lui enseignait les éléments d'Euclide. J'apprenais tout cela par compagnie, et j'y pris goût, surtout au dessin. Cependant on délibérait si l'on me ferait horloger, procureur ou ministre. J'aimais mieux être ministre, car je trouvais bien beau de prêcher. Mais le petit revenu du bien de ma mère à partager entre mon frère et moi ne suffisait pas pour pousser mes études. Comme l'âge où j'étais ne rendait pas ce choix bien pressant encore, je restais en attendant chez mon oncle, perdant à peu près mon temps, et ne laissant pas de payer, comme il était juste, une assez forte pension.

Mon oncle, homme de plaisir ainsi que mon père,

ne savait pas comme lui se captiver par ses devoirs,
et prenait assez peu de soin de nous. Ma tante
était une dévote un peu piétiste, qui aimait mieux
chanter les psaumes que veiller à notre éducation.
On nous laissait presque une liberté entière dont
nous n'abusâmes jamais. Toujours inséparables,
nous nous suffisions l'un à l'autre, et n'étant point
tentés de fréquenter les polissons de notre âge, nous
ne prîmes aucune des habitudes libertines que
l'oisiveté nous pouvait inspirer. J'ai même tort de
nous supposer oisifs, car de la vie nous ne le fûmes
moins, et ce qu'il y avait d'heureux était que tous
les amusements dont nous nous passionnions suc-
cessivement nous tenaient ensemble occupés dans la
maison sans que nous . fussions même tentés de
descendre à la rue. Nous faisions des cages, des
flûtes, des volants, des tambours, des maisons, des
équiffles des arbalètes. Nous gâtions les outils
de mon bon vieux grand-père pour faire des
montres à son imitation. Nous avions surtout un
goût de préférence pour barbouiller du papier,
dessiner, laver, enluminer, faire un dégât de cou-
leurs. Il vint à Genève un charlatan italien,
appelé *Gamba-Corta;* nous allâmes le voir une fois,
et puis nous n'y voulûmes plus aller : mais il avait
des marionnettes, et nous nous mîmes à faire des
marionnettes; ses marionnettes jouaient des ma-
nières de comédies, et nous fîmes des comédies pour
les nôtres. Faute de pratique, nous contrefaisions du
gosier la voix de Polichinelle, pour jouer ces char-
mantes comédies que nos pauvres bons parents

avaient la patience de voir et d'entendre. Mais mon oncle Bernard ayant un jour lu dans la famille un très beau sermon de sa façon, nous quittâmes les comédies, et nous nous mîmes à composer des sermons. Ces détails ne sont pas fort intéressants, je l'avoue; mais ils montrent à quel point il fallait que notre première éducation eût été bien dirigée, pour que, maîtres presque de notre temps et de nous dans un âge si tendre, nous fussions si peu tentés d'en abuser. Nous avions si peu besoin de nous faire des camarades que nous en négligions même l'occasion. Quand nous allions nous promener, nous regardions en passant leurs jeux sans convoitise, sans songer même à y prendre part. L'amitié remplissait si bien nos cœurs, qu'il nous suffisait d'être ensemble pour que les plus simples goûts fissent nos délices.

A force de nous voir inséparables, on y prit garde; d'autant plus que, mon cousin étant très grand et moi très petit, cela faisait un couple assez plaisamment assorti. Sa longue figure effilée, son petit visage de pomme cuite, son air mou, sa démarche nonchalante excitaient les enfants à se moquer de lui. Dans le patois du pays on lui donna le surnom de *Barnà Bredanna,* et sitôt que nous sortions nous n'entendions que *Barnà Bredanna* tout autour de nous. Il endurait cela plus tranquillement que moi. Je me fâchai, je voulus me battre; c'était ce que les petits coquins demandaient. Je battis, je fus battu. Mon pauvre cousin me soutenait de son mieux; mais

il était faible, d'un coup de poing on le ren-
versait. Alors je devenais furieux. Cependant,
quoique j'attrapasse force horions, ce n'était pas à
moi qu'on en voulait, c'était à *Barnâ Bredanna;*
mais j'augmentai tellement le mal par ma mutine
colère que nous n'osions plus sortir qu'aux heures
où l'on était en classe, de peur d'être hués et suivis
par les écoliers.

Me voilà déjà redresseur des torts. Pour être un
paladin dans les formes, il ne me manquait que
d'avoir une dame; j'en eus deux. J'allais de temps
en temps voir mon père à Nyon, petite ville du
pays de Vaud, où il s'était établi. Mon père était
fort aimé, et son fils se sentait de cette bienveillance.
Pendant le peu de séjour que je faisais près de lui,
c'était à qui me fêterait. Une madame de Vulson,
surtout, me faisait mille caresses; et pour y mettre
le comble, sa fille me prit pour son galant. On
sent ce que c'est qu'un galant de onze ans pour une
fille de vingt-deux. Mais toutes ces friponnes sont
si aises de mettre ainsi de petites poupées en avant
pour cacher les grandes, ou pour les tenter par
l'image d'un jeu qu'elles savent rendre attirant!
Pour moi, qui ne voyais point entre elle et moi de
disconvenance, je pris la chose au sérieux; je me
livrai de tout mon cœur, ou plutôt de toute ma
tête, car je n'étais guère amoureux que par là,
quoique je le fusse à la folie, et que mes transports,
mes agitations, mes fureurs donnassent des scènes
à pâmer de rire.

Je connais deux sortes d'amours très distincts,

très réels, et qui n'ont presque rien de commun,
quoique très vifs l'un et l'autre, et tous deux diffé-
rents de la tendre amitié. Tout le cours de ma vie
s'est partagé entre ces deux amours de si diverses
natures, et je les ai même éprouvés tous deux à la
fois; car, par exemple, au moment dont je parle,
tandis que je m'emparais de Mlle de Vulson si
publiquement et si tyranniquement que je ne pou-
vais souffrir qu'aucun homme approchât d'elle,
j'avais avec une petite Mlle Goton des tête-à-tête
assez courts, mais assez vifs, dans lesquels elle
daignait faire la maîtresse d'école, et c'était tout;
mais ce tout, qui en effet était tout pour moi, me
paraissait le bonheur suprême, et, sentant déjà le
prix du mystère, quoique je n'en susse user qu'en
enfant, je rendais à Mlle de Vulson, qui ne s'en
doutait guère, le soin qu'elle prenait de m'em-
ployer à cacher d'autres amours. Mais à mon grand
regret mon secret fut découvert, ou moins bien
gardé de la part de ma petite maîtresse d'école
que de la mienne, car on ne tarda pas à nous
séparer, et quelque temps après, de retour à Genève,
j'entendis, en passant à Coutance, de petites filles
me crier à demi-voix : *Goton tic tac Rousseau.*

C'était, en vérité, une singulière personne que
cette petite Mlle Goton. Sans être belle, elle avait
une figure difficile à oublier, et que je me rappelle
encore, souvent beaucoup trop pour un vieux fou.
Ses yeux surtout n'étaient pas de son âge, ni sa
taille, ni son maintien. Elle avait un petit air im-
posant et fier, très propre à son rôle, et qui en avait

occasionné la première idée entre nous. Mais ce
qu'elle avait de plus bizarre était un mélange
d'audace et de réserve difficile à concevoir. Elle se
permettait avec moi les plus grandes privautés,
sans jamais m'en permettre aucune avec elle; elle
me traitait exactement en enfant : ce qui me fait
croire, ou qu'elle avait déjà cessé de l'être, ou qu'au
contraire elle l'était encore assez elle-même pour
ne voir qu'un jeu dans le péril auquel elle s'ex-
posait.

J'étais tout entier, pour ainsi dire, à chacune de
ces deux personnes, et si parfaitement, qu'avec
aucune des deux il ne m'arrivait jamais de songer
à l'autre. Mais, du reste, rien de semblable en ce
qu'elles me faisaient éprouver. J'aurais passé ma vie
entière avec Mlle de Vulson sans songer à la quitter;
mais en l'abordant ma joie était tranquille et
n'allait pas à l'émotion. Je l'aimais surtout en
grande compagnie; les plaisanteries, les agaceries,
les jalousies même, m'attachaient, m'intéressaient;
je triomphais avec orgueil de ses préférences près
des grands rivaux qu'elle paraissait maltraiter.
J'étais tourmenté, mais j'aimais ce tourment. Les
applaudissements, les encouragements, les ris
m'échauffaient, m'animaient. J'avais des empor-
tements, des saillies, j'étais transporté d'amour
dans un cercle; tête à tête j'aurais été contraint,
froid, peut-être ennuyé. Cependant je m'intéressais
tendrement à elle; je souffrais quand elle était
malade, j'aurais donné ma santé pour rétablir la
sienne, et notez que je savais très bien par expé-

rience ce que c'était que maladie, et ce que c'était que santé. Absent d'elle, j'y pensais, elle me manquait; présent, ses caresses m'étaient douces au cœur, non aux sens. J'étais impunément familier avec elle; mon imagination ne me demandait que ce qu'elle m'accordait; cependant je n'aurais pu supporter de lui en voir faire autant à d'autres. Je l'aimais en frère, mais j'en étais jaloux en amant.

Je l'eusse été de Mlle Goton en Turc, en furieux, en tigre, si j'avais seulement imaginé qu'elle pût faire à un autre le même traitement qu'elle m'accordait, car cela même était une grâce qu'il fallait demander à genoux. J'abordais Mlle de Vulson avec un plaisir très vif, mais sans trouble; au lieu qu'en voyant seulement Mlle Goton, je ne voyais plus rien; tous mes sens étaient bouleversés. J'étais familier avec la première sans avoir de familiarités; au contraire, j'étais aussi tremblant qu'agité devant la seconde, même au fort des plus grandes familiarités. Je crois que si j'étais resté trop longtemps avec elle, je n'aurais pu vivre; les palpitations m'auraient étouffé. Je craignais également de leur déplaire; mais j'étais plus complaisant pour l'une, et plus obéissant pour l'autre. Pour rien au monde, je n'aurais voulu fâcher Mlle de Vulson; mais si Mlle Goton m'eût ordonné de me jeter dans les flammes, je crois qu'à l'instant j'aurais obéi.

Mes amours ou plutôt mes rendez-vous avec celle-ci durèrent peu, très heureusement pour elle et pour moi. Quoique mes liaisons avec Mlle de

Vulson n'eussent pas le même danger, elles ne lais-
sèrent pas d'avoir aussi leur catastrophe, après avoir
un peu plus longtemps duré. Les fins de tout cela
devaient toujours avoir l'air un peu romanesque, et
donner prise aux exclamations. Quoique mon
commerce avec Mlle de Vulson fût moins vif, il
était plus attachant peut-être. Nos séparations ne se
faisaient jamais sans larmes, et il est singulier dans
quel vide accablant je me sentais plongé après
l'avoir quittée. Je ne pouvais parler que d'elle, ni
penser qu'à elle : mes regrets étaient vrais et vifs;
mais je crois qu'au fond ces héroïques regrets
n'étaient pas tous pour elle, et que, sans que je
m'en aperçusse, les amusements dont elle était le
centre y avaient leur bonne part. Pour tempérer
les douleurs de l'absence, nous nous écrivions des
lettres d'un pathétique à faire fendre les rochers.
Enfin j'eus la gloire qu'elle n'y put plus tenir, et
qu'elle vint me voir à Genève. Pour le coup, la
tête acheva de me tourner; je fus ivre et fou les
deux jours qu'elle y resta. Quand elle partit, je
voulais me jeter dans l'eau après elle, et je fis long-
temps retentir l'air de mes cris. Huit jours après,
elle m'envoya des bonbons et des gants; ce qui m'eût
paru fort galant, si je n'eusse appris en même temps
qu'elle était mariée, et que ce voyage, dont il lui
avait plu de me faire honneur, était pour acheter
ses habits de noces. Je ne décrirai pas ma fureur;
elle se conçoit. Je jurai dans mon noble courroux
de ne plus revoir la perfide, n'imaginant pas pour
elle de plus terrible punition. Elle n'en mourut

pas cependant; car vingt ans après, étant allé voir
mon père, et me promenant avec lui sur le lac,
je demandai qui étaient des dames que je voyais
dans un bateau peu loin du nôtre. « Comment! me
dit mon père en souriant, le cœur ne te le dit-il
pas? ce sont tes anciennes amours; c'est Mme Cris-
tin, c'est Mlle de Vulson. » Je tressaillis à ce nom
presque oublié : mais je dis aux bateliers de changer
de route, ne jugeant pas, quoique j'eusse assez beau
jeu pour prendre alors ma revanche, que ce fût la
peine d'être parjure, et de renouveler une querelle de
vingt ans avec une femme de quarante.

Ainsi se perdait en niaiseries le plus précieux
temps de mon enfance avant qu'on eût décidé de
ma destination. Après de longues délibérations pour
suivre mes dispositions naturelles, on prit enfin le
parti pour lequel j'en avais le moins, et l'on me
mit chez M. Masseron, greffier de la ville, pour
apprendre sous lui, comme disait M. Bernard,
l'utile métier de grapignan. Ce surnom me dé-
plaisait souverainement; l'espoir de gagner force
écus par une voie ignoble flattait peu mon humeur
hautaine; l'occupation me paraissait ennuyeuse,
insupportable; l'assiduité, l'assujettissement ache-
vèrent de m'en rebuter, et je n'entrais jamais
au greffe qu'avec une horreur qui croissait de jour
en jour. M. Masseron, de son côté, peu content
de moi, me traitait avec mépris, me reprochant
sans cesse mon engourdissement, ma bêtise, me répé-
tant tous les jours que mon oncle l'avait assuré
que je savais, que je savais, tandis que dans le vrai

je ne savais rien; qu'il lui avait promis un joli garçon, et qu'il ne lui avait donné qu'un âne. Enfin je fus renvoyé du greffe ignominieusement pour mon ineptie, et il fut prononcé par les clercs de M. Masseron que je n'étais bon qu'à mener la lime.

Ma vocation ainsi déterminée, je fus mis en apprentissage, non toutefois chez un horloger, mais chez un graveur. Les dédains du greffier m'avaient extrêmement humilié et j'obéis sans murmure. Mon maître, appelé M. Ducommun, était un jeune homme rustre et violent, qui vint à bout, en très peu de temps, de ternir tout l'éclat de mon enfance, d'abrutir mon caractère aimant et vif, et de me réduire, par l'esprit ainsi que par la fortune, à mon véritable état d'apprenti. Mon latin, mes antiquités, mon histoire, tout fut pour longtemps oublié; je ne me souvenais pas même qu'il y eut eu des Romains au monde. Mon père, quand je l'allais voir, ne trouvait plus en moi son idole, je n'étais plus pour les dames le galant Jean-Jacques, et je sentais si bien moi-même que M. et Mlle Lambercier n'auraient plus reconnu en moi leur élève, que j'eus honte de me représenter à eux, et ne les ai plus revus depuis lors. Les goûts les plus vils, la plus basse polissonnerie succédèrent à mes aimables amusements, sans m'en laisser même la moindre idée. Il faut que, malgré l'éducation la plus honnête, j'eusse un grand penchant à dégénérer; car cela se fit très rapidement, sans la moindre peine, et jamais

César si précoce ne devint si promptement Laridon.
 Le métier ne me déplaisait pas en lui-même :
j'avais un goût vif pour le dessin, le jeu du burin
m'amusait assez, et, comme le talent du graveur
pour l'horlogerie est très borné, j'avais l'espoir
d'en atteindre la perfection. J'y serais parvenu
peut-être si la brutalité de mon maître et la gêne
excessive ne m'avaient rebuté du travail. Je lui
dérobais mon temps pour l'employer en occupa-
tions du même genre, mais qui avaient pour moi
l'attrait de la liberté. Je gravais des espèces de
médailles pour nous servir, à moi et à mes cama-
rades, d'ordre de chevalerie. Mon maître me sur-
prit à ce travail de contrebande, et me roua de
coups, disant que je m'exerçais à faire de la fausse
monnaie, parce que nos médailles avaient les
armes de la République. Je puis bien jurer que
je n'avais nulle idée de la fausse monnaie, et très
peu de la véritable. Je savais mieux comment se
faisaient les as romains que nos pièces de trois
sols.
 La tyrannie de mon maître finit par me rendre
insupportable le travail que j'aurais aimé, et par
me donner des vices que j'aurais haïs, tels que le
mensonge, la fainéantise, le vol. Rien ne m'a mieux
appris la différence qu'il y a de la dépendance
filiale à l'esclavage servile, que le souvenir des
changements que produisit en moi cette époque.
Naturellement timide et honteux, je n'eus jamais
plus d'éloignement pour aucun défaut que pour
l'effronterie. Mais j'avais joui d'une liberté honnête,

qui seulement s'était restreinte jusque-là par
degrés, et s'évanouit enfin tout à fait. J'étais hardi
chez mon père, libre chez M. Lambercier, discret
chez mon oncle; je devins craintif chez mon
maître, et dès lors je fus un enfant perdu. Accou-
tumé à une égalité parfaite avec mes supérieurs
dans la manière de vivre, à ne pas connaître un
plaisir qui ne fût à ma portée, à ne pas voir un
mets dont je n'eusse ma part, à n'avoir pas un
désir que je ne témoignasse, à mettre enfin tous
les mouvements de mon cœur sur mes lèvres :
qu'on juge de ce que je dus devenir dans une mai-
son où je n'osais pas ouvrir la bouche, où il fallait
sortir de table au tiers du repas, et de la
chambre aussitôt que je n'y avais rien à faire, où,
sans cesse enchaîné à mon travail, je ne voyais
qu'objets de jouissances pour d'autres et de priva-
tions pour moi seul; où l'image de la liberté du
maître et des compagnons augmentait le poids de
mon assujettissement; où, dans les disputes sur ce
que je savais le mieux, je n'osais ouvrir la bouche;
où tout enfin ce que je voyais devenait pour mon
cœur un objet de convoitise, uniquement parce
que j'étais privé de tout. Adieu l'aisance, la gaieté,
les mots heureux qui jadis souvent dans mes fautes
m'avaient fait échapper au châtiment. Je ne puis
me rappeler sans rire qu'un soir, chez mon père,
étant condamné pour quelque espièglerie à m'aller
coucher sans souper, et passant par la cuisine avec
mon triste morceau de pain, je vis et flairai le rôti
tournant à la broche. On était autour du feu; il

fallut en passant saluer tout le monde. Quand la ronde fut faite, lorgnant du coin de l'œil ce rôti qui avait si bonne mine et qui sentait si bon, je ne pus m'abstenir de lui faire aussi la révérence, et de lui dire d'un ton piteux : *Adieu, rôti*. Cette saillie de naïveté parut si plaisante, qu'on me fit rester à souper. Peut-être eût-elle eu le même bonheur chez mon maître, mais il est sûr qu'elle ne m'y serait pas venue, ou que je n'aurais osé m'y livrer.

Voilà comment j'appris à convoiter en silence, à me cacher, à dissimuler, à mentir, et à dérober enfin, fantaisie qui jusqu'alors ne m'était pas venue, et dont je n'ai pu depuis lors bien me guérir. La convoitise et l'impuissance mènent toujours là. Voilà pourquoi tous les laquais sont fripons, et pourquoi tous les apprentis doivent l'être; mais dans un état égal et tranquille, où tout ce qu'ils voient est à leur portée, ces derniers perdent en grandissant ce honteux penchant. N'ayant pas eu le même avantage, je n'en ai pu tirer le même profit.

Ce sont presque toujours de bons sentiments mal dirigés qui font faire aux enfants le premier pas vers le mal. Malgré les privations et les tentations continuelles, j'avais demeuré plus d'un an chez mon maître sans pouvoir me résoudre à rien prendre, pas même des choses à manger. Mon premier vol fut une affaire de complaisance; mais il ouvrit la porte à d'autres qui n'avaient pas une si louable fin.

Il y avait chez mon maître un compagnon appelé M. Verrat, dont la maison, dans le voisinage, avait un jardin assez éloigné qui produisait de très belles asperges. Il prit envie à M. Verrat, qui n'avait pas beaucoup d'argent, de voler à sa mère des asperges dans leur primeur, et de les vendre pour faire quelques bons déjeuners. Comme il ne voulait pas s'exposer lui-même et qu'il n'était pas fort ingambe, il me choisit pour cette expédition. Après quelques cajoleries préliminaires, qui me gagnèrent d'autant mieux que je n'en voyais pas le but, il me la proposa comme une idée qui lui venait sur-le-champ. Je disputai beaucoup; il insista. Je n'ai jamais pu résister aux caresses; je me rendis. J'allais tous les matins moissonner les plus belles asperges; je les portais au Molard, où quelque bonne femme, qui voyait que je venais de les voler, me le disait pour les avoir à meilleur compte. Dans ma frayeur je prenais ce qu'elle voulait bien me donner; je le portais à M. Verrat. Cela se changeait promptement en un déjeuner dont j'étais le pourvoyeur, et qu'il partageait avec un autre camarade; car pour moi, très content d'en avoir quelque bribe, je ne touchais pas même à leur vin.

Ce petit manège dura plusieurs jours sans qu'il me vînt même à l'esprit de voler le voleur, et de dîmer sur M. Verrat le produit de ses asperges. J'exécutais ma friponnerie avec la plus grande fidélité; mon seul motif était de complaire à celui qui me la faisait faire. Cependant, si j'eusse été

surpris, que de coups, que d'injures, quels traite-
ments cruels n'eussé-je point essuyés, tandis que le
misérable, en me démentant, eût été cru sur sa
parole, et moi doublement puni pour avoir osé le
charger, attendu qu'il était compagnon et que je
n'étais qu'apprenti! Voilà comment en tout état le
fort coupable se sauve aux dépens du faible inno-
cent.

J'appris ainsi qu'il n'était pas si terrible de voler
que je l'avais cru, et tirai bientôt si bon parti
de ma science que rien de ce que je convoitais
n'était à ma portée en sûreté. Je n'étais pas abso-
lument mal nourri chez mon maître et la sobriété
ne m'était pénible qu'en la lui voyant si mal gar-
der. L'usage de faire sortir de table les jeunes
gens quand on y sert ce qui les tente le plus, me
paraît très bien entendu pour les rendre aussi
friands que fripons. Je devins en peu de temps
l'un et l'autre; et je m'en trouvais fort bien pour
l'ordinaire, quelquefois fort mal quand j'étais
surpris.

Un souvenir qui me fait frémir encore et rire
tout à la fois est celui d'une chasse aux pommes
qui me coûta cher. Ces pommes étaient au fond
d'une dépense qui, par une jalousie élevée, rece-
vait du jour de la cuisine. Un jour que j'étais seul
dans la maison, je montai sur la may pour regar-
der dans le jardin des Hespérides ce précieux fruit
dont je ne pouvais approcher. J'allai chercher la
broche pour voir si elle y pourrait atteindre : elle
était trop courte. Je l'allongeai par une autre petite

broche qui servait pour le menu gibier; car mon
maître aimait la chasse. Je piquai plusieurs fois sans
succès; enfin je sentis avec transport que j'amenais
une pomme. Je tirai très doucement : déjà la
pomme touchait à la jalousie : j'étais prêt à la
saisir. Qui dira ma douleur? La pomme était trop
grosse, elle ne put passer par le trou. Que d'inven-
tions ne mis-je point en usage pour la tirer! Il
fallut trouver des supports pour tenir la broche
en état, un couteau assez long pour fendre la
pomme, une latte pour la soutenir. A force d'adresse
et de temps je parvins à la partager, espérant tirer
ensuite les pièces l'une après l'autre; mais à peine
furent-elles séparées, qu'elles tombèrent toutes deux
dans la dépense. Lecteur pitoyable, partagez mon
affliction.

Je ne perdis point courage; mais j'avais perdu
beaucoup de temps. Je craignais d'être surpris; je
renvoie au lendemain une tentative plus heureuse,
et je me remets à l'ouvrage tout aussi tranquille-
ment que si je n'avais rien fait, sans songer aux
deux témoins indiscrets qui déposaient contre moi
dans la dépense.

Le lendemain, retrouvant l'occasion belle, je
tente un nouvel essai. Je monte sur mes tréteaux,
j'allonge la broche, je l'ajuste; j'étais prêt à piquer...
Malheureusement le dragon ne dormait pas;
tout à coup la porte de la dépense s'ouvre : mon
maître en sort, croise les bras, me regarde et
me dit : « Courage!... » La plume me tombe des
mains.

Bientôt, à force d'essuyer de mauvais traitements, j'y devins moins sensible; ils me parurent enfin une sorte de compensation du vol, qui me mettait en droit de le continuer. Au lieu de retourner les yeux en arrière et de regarder la punition, je les portais en avant et je regardais la vengeance. Je jugeais que me battre comme fripon, c'était m'autoriser à l'être. Je trouvais que voler et être battu allaient ensemble, et constituaient en quelque sorte un état, et qu'en remplissant la partie de cet état qui dépendait de moi, je pouvais laisser le soin de l'autre à mon maître. Sur cette idée je me mis à voler plus tranquillement qu'auparavant. Je me disais : « Qu'en arrivera-t-il enfin? Je serai battu. Soit : je suis fait pour l'être. »

J'aime à manger, sans être avide : je suis sensuel, et non pas gourmand. Trop d'autres goûts me distraient de celui-là. Je ne me suis jamais occupé de ma bouche que quand mon cœur était oisif; et cela m'est si rarement arrivé dans ma vie, que je n'ai guère eu le temps de songer aux bons morceaux. Voilà pourquoi je ne bornai pas longtemps ma friponnerie au comestible, je l'étendis bientôt à tout ce qui me tentait; et si je ne devins pas un voleur en forme, c'est que je n'ai jamais été beaucoup tenté d'argent. Dans le cabinet commun, mon maître avait un autre cabinet à part qui fermait à clef; je trouvai le moyen d'en ouvrir la porte et de la refermer sans qu'il y parût. Là je mettais à contribution ses bons outils, ses meilleurs dessins, ses empreintes, tout ce qui

me faisait envie et qu'il affectait d'éloigner de moi.
Dans le fond, ces vols étaient bien innocents,
puisqu'ils n'étaient faits que pour être employés à
son service : mais j'étais transporté de joie d'avoir
ces bagatelles en mon pouvoir; je croyais voler le
talent avec ses productions. Du reste, il y avait dans
des boîtes des recoupes d'or et d'argent, de petits
bijoux, des pièces de prix, de la monnaie. Quand
j'avais quatre au cinq sols dans ma poche, c'était
beaucoup : cependant, loin de toucher à rien de
tout cela, je ne me souviens pas même d'y avoir
jeté de ma vie un regard de convoitise. Je le
voyais avec plus d'effroi que de plaisir. Je crois
bien que cette horreur du vol de l'argent et de ce
qui en produit me venait en grande partie de
l'éducation. Il se mêlait à cela des idées secrètes
d'infamie, de prison, de châtiment, de potence qui
m'auraient fait frémir si j'avais été tenté; au lieu
que mes tours ne me semblaient que des espiègle-
ries, et n'étaient pas autre chose en effet. Tout
cela ne pouvait valoir que d'être bien étrillé
par mon maître, et d'avance je m'arrangeais là-
dessus.

Mais, encore une fois, je ne convoitais pas même
assez pour avoir à m'abstenir; je ne sentais rien à
combattre. Une seule feuille de beau papier à des-
siner me tentait plus que l'argent pour en payer
une rame. Cette bizarrerie tient à une des singu-
larités de mon caractère; elle a eu tant d'influence
sur ma conduite qu'il importe de l'expliquer.

J'ai des passions très ardentes, et tandis qu'elles

m'agitent, rien n'égale mon impétuosité : je ne
connais plus ni ménagement, ni respect, ni crainte,
ni bienséance; je suis cynique, effronté, violent,
intrépide; il n'y a ni honte qui m'arrête, ni danger
qui m'effraye : hors le seul objet qui m'occupe,
l'univers n'est plus rien pour moi. Mais tout cela
ne dure qu'un moment, et le moment qui suit me
jette dans l'anéantissement.

Prenez-moi dans le calme, je suis l'indolence et
la timidité même : tout m'effarouche, tout me
rebute; une mouche en volant me fait peur; un
mot à dire, un geste à faire épouvante ma paresse;
la crainte et la honte me subjuguent à tel point
que je voudrais m'éclipser aux yeux de tous les
mortels. S'il faut agir, je ne sais que faire; s'il
faut parler, je ne sais que dire; si l'on me regarde,
je suis décontenancé. Quand je me passionne, je
sais trouver quelquefois ce que j'ai à dire; mais
dans les entretiens ordinaires, je ne trouve rien,
rien du tout; ils me sont insupportables par cela
seul que je suis obligé de parler.

Ajoutez qu'aucun de mes goûts dominants ne
consiste en choses qui s'achètent. Il ne me faut
que des plaisirs purs, et l'argent les empoisonne
tous. J'aime par exemple ceux de la table; mais,
ne pouvant souffrir ni la gêne de la bonne compa-
gnie, ni la crapule du cabaret, je ne puis les goû-
ter qu'avec un ami; car seul, cela ne m'est pas
possible; mon imagination s'occupe alors d'autre
chose, et je n'ai pas le plaisir de manger. Si mon
sang allumé me demande des femmes, mon cœur

ému me demande encore plus de l'amour. Des femmes à prix d'argent perdraient pour moi tous leurs charmes; je doute même s'il serait en moi d'en profiter. Il en est ainsi de tous les plaisirs à ma portée; s'ils ne sont gratuits, je les trouve insipides. J'aime les seuls biens qui ne sont à personne qu'au premier qui sait les goûter.

Jamais l'argent ne me parut une chose aussi précieuse qu'on la trouve. Bien plus, il ne m'a même jamais paru fort commode; il n'est bon à rien par lui-même, il faut le transformer pour en jouir; il faut acheter, marchander, souvent être dupe, bien payer, être mal servi. Je voudrais une chose bonne dans sa qualité; avec mon argent je suis sûr de l'avoir mauvaise. J'achète cher un œuf frais, il est vieux, un beau fruit, il est vert; une fille, elle est gâtée. J'aime le bon vin, mais où en prendre? Chez un marchand de vin? Comme que je fasse, il m'empoisonnera. Veux-je absolument être bien servi? que de soins, que d'embarras! avoir des amis, des correspondants, donner des commissions, écrire, aller, venir, attendre; et souvent au bout être encore trompé. Que de peine avec mon argent! Je la crains plus que je n'aime le bon vin.

Mille fois, durant mon apprentissage et depuis, je suis sorti dans le dessein d'acheter quelque friandise. J'approche de la boutique d'un pâtissier, j'aperçois des femmes au comptoir; je crois déjà les voir rire et se moquer entre elles du petit gourmand. Je passe devant une fruitière, je lorgne du coin de l'œil de belles poires, leur parfum me

tente; deux ou trois jeunes gens tout près de là me regardent; un homme qui me connaît est devant sa boutique; je vois de loin venir une fille; n'est-ce point la servante de la maison? Ma vue courte me fait mille illusions. Je prends tous ceux qui passent pour des gens de connaissance; par tout je suis intimidé, retenu par quelque obstacle; mon désir croît avec ma honte, et je rentre enfin comme un sot, dévoré de convoitise, ayant dans ma poche de quoi la satisfaire, et n'ayant osé rien acheter.

J'entrerais dans les plus insipides détails, si je suivais dans l'emploi de mon argent, soit par moi, soit par d'autres, l'embarras, la honte, la répugnance, les inconvénients, les dégoûts de toute espèce que j'ai toujours éprouvés. A mesure qu'avançant dans ma vie le lecteur prendra connaissance de mon humeur, il sentira tout cela sans que je m'appesantisse à le lui dire.

Cela compris, on comprendra sans peine une de mes prétendues contradictions : celle d'allier une avarice presque sordide avec le plus grand mépris pour l'argent. C'est un meuble pour moi si peu commode, que je ne m'avise pas même de désirer celui que je n'ai pas; et que quand j'en ai je le garde longtemps sans le dépenser, faute de savoir l'employer à ma fantaisie; mais l'occasion commode et agréable se présente-t-elle, j'en profite si bien que ma bourse se vide avant que je m'en sois aperçu. Du reste, ne cherchez pas en moi le tic des avares, celui de dépenser pour l'ostentation;

argent, chose même et jouissance

tout au contraire, je dépense en secret et pour le plaisir : loin de me faire gloire de dépenser, je m'en cache. Je sens si bien que l'argent n'est pas à mon usage, que je suis presque honteux d'en avoir, encore plus de m'en servir. Si j'avais eu jamais un revenu suffisant pour vivre commodément, je n'aurais point été tenté d'être avare, j'en suis très sûr. Je dépenserais tout mon revenu sans chercher à l'augmenter : mais ma situation précaire me tient en crainte. J'adore la liberté; j'abhorre la gêne, la peine, l'assujettissement. Tant que dure l'argent que j'ai dans ma bourse, il assure mon indépendance; il me dispense de m'intriguer pour en trouver d'autre; nécessité que j'eus toujours en horreur : mais de peur de le voir finir, je le choie. L'argent qu'on possède est l'instrument de la liberté; celui qu'on pourchasse est celui de la servitude. Voilà pourquoi je serre bien et ne convoite rien.

Mon désintéressement n'est donc que paresse; le plaisir d'avoir ne vaut pas la peine d'acquérir : et ma dissipation n'est encore que paresse; quand l'occasion de dépenser agréablement se présente, on ne peut trop la mettre à profit. Je suis moins tenté de l'argent que des choses, parce qu'entre l'argent et la possession désirée il y a toujours un intermédiaire; au lieu qu'entre la chose même et sa jouissance il n'y en a point. Je vois la chose, elle me tente; si je ne vois que le moyen de l'acquérir, il ne me tente pas. J'ai donc été fripon et quelquefois je le suis encore de bagatelles qui me

tentent et que j'aime mieux prendre que deman-
der : mais, petit ou grand, je ne me souviens pas
d'avoir pris de ma vie un liard à personne; hors
une seule fois, il n'y a pas quinze ans, que je
volai sept livres dix sols. L'aventure vaut la
peine d'être contée, car il s'y trouve un concours
impayable d'effronterie et de bêtise, que j'aurais
peine moi-même à croire s'il regardait un autre
que moi.

C'était à Paris. Je me promenais avec M. de Fran-
cueil au Palais-Royal, sur les cinq heures. Il tire
sa montre, la regarde, et me dit : « Allons à
l'Opéra »; je le veux bien; nous allons. Il prend
deux billets d'amphithéâtre, m'en donne un, et
passe le premier avec l'autre; je le suis, il entre.
En entrant après lui, je trouve la porte embar-
rassée. Je regarde, je vois tout le monde debout;
je juge que je pourrai bien me perdre dans cette
foule, ou du moins laisser supposer à M. de Fran-
cueil que j'y suis perdu. Je sors, je reprends ma
contremarque, puis mon argent, et je m'en vais
sans songer qu'à peine avais-je atteint la porte
que tout le monde était assis, et qu'alors M. de
Francueil voyait clairement que je n'y étais plus.

Comme jamais rien ne fut plus éloigné de mon
humeur que ce trait-là, je le note, pour montrer
qu'il y a des moments d'une espèce de délire où il
ne faut point juger des hommes par leurs actions.
Ce n'était pas précisément voler cet argent; c'était
en voler l'emploi : moins c'était un vol, plus c'était
une infamie.

Je ne finirais pas ces détails si je voulais suivre toutes les routes par lesquelles, durant mon apprentissage, je passai de la sublimité de l'héroïsme à la bassesse d'un vaurien. Cependant, en prenant les vices de mon état, il me fut impossible d'en prendre tout à fait les goûts. Je m'ennuyais des amusements de mes camarades; et quand la trop grande gêne m'eut aussi rebuté du travail, je m'ennuyai de tout. Cela me rendit le goût de la lecture que j'avais perdu depuis longtemps. Ces lectures, prises sur mon travail, devinrent un nouveau crime qui m'attira de nouveaux châtiments. Ce goût irrité par la contrainte devint passion, bientôt fureur. La Tribu, fameuse loueuse de livres, m'en fournissait de toute espèce. Bons et mauvais, tout passait; je ne choisissais point : je lisais tout avec une égale avidité. Je lisais à l'établi, je lisais en allant faire mes messages, je lisais à la garde-robe, et m'y oubliais des heures entières; la tête me tournait de la lecture, je ne faisais plus que lire. Mon maître m'épiait, me surprenait, me battait, me prenait mes livres. Que de volumes furent déchirés, brûlés, jetés par les fenêtres! que d'ouvrages restèrent dépareillés chez la Tribu! Quand je n'avais plus de quoi la payer, je lui donnais mes chemises, mes cravates, mes hardes; mes trois sous d'étrennes tous les dimanches lui étaient régulièrement portés.

Voilà donc, me dira-t-on, l'argent devenu nécessaire. Il est vrai, mais ce fut quand la lecture m'eut ôté toute activité. Livré tout entier à mon nouveau

goût, je ne faisais plus que lire, je ne volais plus.
C'est encore ici une de mes différences caracté-
ristiques. Au fort d'une certaine habitude d'être,
un rien me distrait, me change, m'attache, enfin
me passionne; et alors tout est oublié, je ne songe
plus qu'au nouvel objet qui m'occupe. Le cœur me
battait d'impatience de feuilleter le nouveau livre
que j'avais dans la poche; je le tirais aussitôt que
j'étais seul, et ne songeais plus à fouiller le cabi-
net de mon maître. J'ai même peine à croire que
j'eusse volé quand même j'aurais eu des passions
plus coûteuses. Borné au moment présent, il n'était
pas dans mon tour d'esprit de m'arranger ainsi
pour l'avenir. La Tribu me faisait crédit : les
avances étaient petites; et quand j'avais empoché
mon livre, je ne songeais plus à rien. L'argent qui
me venait naturellement passait de même à cette
femme, et quand elle devenait pressante, rien
n'était plus tôt sous ma main que mes propres effets.
Voler par avance était trop de prévoyance, et voler
pour payer n'était pas même une tentation.

A force de querelles, de coups, de lectures déro-
bées et mal choisies, mon humeur devint taciturne,
sauvage; ma tête commençait à s'altérer, et je vivais
en vrai loup-garou. Cependant si mon goût ne me
préserva pas des livres plats et fades, mon bonheur
me préserva des livres obscènes et licencieux : non
que la Tribu, femme à tous égards très accommo-
dante, se fît un scrupule de m'en prêter. Mais,
pour les faire valoir, elle me les nommait avec un
air de mystère qui me forçait précisément à les

refuser, tant par dégoût que par honte; et le
hasard seconda si bien mon humeur pudique, que
j'avais plus de trente ans avant que j'eusse jeté les
yeux sur aucun de ces dangereux livres qu'une
belle dame de par le monde trouve incommodes,
en ce qu'on ne peut, dit-elle, les lire que d'une
main.

En moins d'un an j'épuisai la mince boutique
de la Tribu, et alors je me trouvai dans mes loisirs
cruellement désœuvré. Guéri de mes goûts d'en-
fant et de polisson par celui de la lecture, et même
par mes lectures, qui, bien que sans choix et sou-
vent mauvaises, ramenaient pourtant mon cœur à
des sentiments plus nobles que ceux que m'avait
donnés mon état; dégoûté de tout ce qui était à
ma portée, et sentant trop loin de moi tout ce qui
m'aurait tenté, je ne voyais rien de possible qui
pût flatter mon cœur. Mes sens émus depuis long-
temps me demandaient une jouissance dont je ne
savais pas même imaginer l'objet. J'étais aussi loin
du véritable que si je n'avais point eu de sexe;
et, déjà pubère et sensible, je pensais quelquefois
à mes folies, mais je ne voyais rien au-delà. Dans
cette étrange situation, mon inquiète imagination
prit un parti qui me sauva de moi-même et calma
ma naissante sensualité; ce fut de se nourrir des
situations qui m'avaient intéressé dans mes lectures,
de les rappeler, de les varier, de les combiner, de
me les approprier tellement que je devinsse un des
personnages que j'imaginais, que je me visse tou-
jours dans les positions les plus agréables selon

mon goût, enfin que l'état fictif où je venais à
bout de me mettre me fît oublier mon état réel
dont j'étais si mécontent. Cet amour des objets
imaginaires et cette facilité de m'en occuper ache-
vèrent de me dégoûter de tout ce qui m'entourait,
et déterminèrent ce goût pour la solitude qui m'est
toujours resté depuis ce temps-là. On verra plus
d'une fois dans la suite les bizarres effets de cette
disposition si misanthrophe et si sombre en appa-
rence, mais qui vient en effet d'un cœur trop
affectueux, trop aimant, trop tendre, qui, faute
d'en trouver d'existants qui lui ressemblent, est
forcé de s'alimenter de fictions. Il me suffit, quant
à présent, d'avoir marqué l'origine et la première
cause d'un penchant qui a modifié toutes mes pas-
sions, et qui, les contenant par elles-mêmes, m'a
toujours rendu paresseux à faire, par trop d'ar-
deur à désirer.

J'atteignis ainsi ma seizième année, inquiet,
mécontent de tout et de moi, sans goûts de mon
état, sans plaisirs de mon âge, dévoré de désirs dont
j'ignorais l'objet, pleurant sans sujets de larmes,
soupirant sans savoir de quoi; enfin caressant ten-
drement mes chimères, faute de rien voir autour
de moi qui les valût. Les dimanches, mes cama-
rades venaient me chercher après le prêche pour
aller m'ébattre avec eux. Je leur aurais volontiers
échappé si j'avais pu; mais une fois en train dans
leurs jeux, j'étais plus ardent et j'allais plus loin
qu'aucun autre; difficile à ébranler et à retenir.
Ce fut là de tout temps ma disposition constante.

Dans nos promenades hors de la ville, j'allais tou-
jours en avant sans songer au retour, à moins que
d'autres n'y songeassent pour moi. J'y fus pris
deux fois; les portes furent fermées avant que je
pusse arriver. Le lendemain je fus traité comme on
s'imagine, et la seconde fois il me fut promis un
tel accueil pour la troisième, que je résolus de ne
m'y pas exposer. Cette troisième fois si redoutée
arriva pourtant. Ma vigilance fut mise en défaut
par un maudit capitaine appelé M. Minutoli, qui
fermait toujours la porte où il était de garde une
demi-heure avant les autres. Je revenais avec deux
camarades. A demi-lieue de la ville, j'entends son-
ner la retraite; je double le pas; j'entends battre
la caisse, je cours à toutes jambes : j'arrive essoufflé,
tout en nage; le cœur me bat; je vois de loin les
soldats à leur poste, j'accours, je crie d'une voix
étouffée. Il était trop tard. A vingt pas de l'avancée
je vois lever le premier pont. Je frémis en voyant
en l'air ces cornes terribles, sinistre et fatal augure
du sort inévitable que ce moment commençait pour
moi.

Dans le premier transport de ma douleur, je me
jetai sur le glacis et mordis la terre. Mes camarades,
riant de leur malheur, prirent à l'instant leur
parti. Je pris aussi le mien; mais ce fut d'une
autre manière. Sur ce lieu même je jurai de ne
retourner jamais chez mon maître; et le lende-
main, quand, à l'heure de la découverte, ils ren-
trèrent en ville, je leur dis adieu pour jamais, les
priant seulement d'avertir en secret mon cousin

Bernard de la résolution que j'avais prise, et du
lieu où il pourrait me voir encore une fois.

A mon entrée en apprentissage, étant plus séparé
de lui, je le vis moins : toutefois, durant quelque
temps nous nous rassemblions les dimanches; mais
insensiblement chacun prit d'autres habitudes, et
nous nous vîmes plus rarement; je suis persuadé
que sa mère contribua beaucoup à ce changement.
Il était, lui, un garçon du haut; moi, chétif
apprenti, je n'étais plus qu'un enfant de Saint-
Gervais, il n'y avait plus entre nous d'égalité mal-
gré la naissance; c'était déroger que de me fréquen-
ter. Cependant les liaisons ne cessèrent point tout
à fait entre nous, et comme c'était un garçon d'un
bon naturel, il suivait quelquefois son cœur malgré
les leçons de sa mère. Instruit de ma résolution, il
accourut, non pour m'en dissuader ou la partager,
mais pour jeter, par de petits présents, quelque
agrément dans ma fuite; car mes propres ressources
ne pouvaient me mener fort loin. Il me donna
entre autres une petite épée, dont j'étais fort épris,
et que j'ai portée jusqu'à Turin, où le besoin m'en
fit défaire, et où je me la passai, comme on dit,
au travers du corps. Plus j'ai réfléchi depuis à la
manière dont il se conduisit avec moi dans ce
moment critique, plus je me suis persuadé qu'il
suivit les instructions de sa mère, et peut-être de
son père; car il n'est pas possible que de lui-même
il n'eût fait quelque effort pour me retenir, ou
qu'il n'eût été tenté de me suivre : mais point. Il
m'encouragea dans mon dessein plutôt qu'il ne

m'en détourna; puis, quand il me vit bien résolu, il me quitta sans beaucoup de larmes. Nous ne nous sommes jamais écrit ni revus. C'est dommage : il était d'un caractère essentiellement bon : nous étions faits pour nous aimer.

Avant de m'abandonner à la fatalité de ma destinée, qu'on me permette de tourner un moment les yeux sur celle qui m'attendait naturellement si j'étais tombé dans les mains d'un meilleur maître. Rien n'était plus convenable à mon humeur, ni plus propre à me rendre heureux, que l'état tranquille et obscur d'un bon artisan, dans certaines classes surtout, telle qu'est à Genève celle des graveurs. Cet état, assez lucratif pour donner une subsistance aisée, et pas assez pour mener à la fortune, eût borné mon ambition pour le reste de mes jours, et, me laissant un loisir honnête pour cultiver des goûts modérés, il m'eût contenu dans ma sphère sans m'offrir aucun moyen d'en sortir. Ayant une imagination assez riche pour orner de ses chimères tous les états, assez puissante pour me transporter, pour ainsi dire, à mon gré de l'un à l'autre, il m'importait peu dans lequel je fusse en effet. Il ne pouvait y avoir si loin du lieu où j'étais au premier château en Espagne, qu'il ne me fût aisé de m'y établir. De cela seul il suivait que l'état le plus simple, celui qui donnait le moins de tracas et de soins, celui qui laissait l'esprit le plus libre, était celui qui me convenait le mieux; et c'était précisément le mien. J'aurais passé dans le sein de ma religion, de ma patrie,

de ma famille et de mes amis, une vie paisible et douce, telle qu'il la fallait à mon caractère, dans l'uniformité d'un travail de mon goût et d'une société selon mon cœur. J'aurais été bon chrétien, bon citoyen, bon père de famille, bon ami, bon ouvrier, bon homme en toute chose. J'aurais aimé mon état, je l'aurais honoré peut-être, et après avoir passé une vie obscure et simple, mais égale et douce, je serais mort paisiblement dans le sein des miens. Bientôt oublié, sans doute, j'aurais été regretté du moins aussi longtemps qu'on se serait souvenu de moi.

Au lieu de cela... quel tableau vais-je faire? Ah! n'anticipons point sur les misères de ma vie; je n'occuperai que trop mes lecteurs de ce triste sujet.

LIVRE DEUXIÈME

1728

Autant le moment où l'effroi me suggéra le projet
de fuir m'avait paru triste, autant celui où je
l'exécutai me parut charmant. Encore enfant,
quitter mon pays, mes parents, mes appuis, mes
ressources; laisser un apprentissage à moitié fait,
sans savoir mon métier assez pour en vivre; me
livrer aux horreurs de la misère sans voir aucun moyen
d'en sortir; dans l'âge de la faiblesse et de l'in-
nocence, m'exposer à toutes les tentations du
vice et du désespoir; chercher au loin les maux,
les erreurs, les pièges, l'esclavage et la mort, sous
un joug bien plus inflexible que celui que je
n'avais pu souffrir : c'était là ce que j'allais faire;
c'était la perspective que j'aurais dû envisager.
Que celle que je me peignais était différente! L'in-
dépendance que je croyais avoir acquise était le
seul sentiment qui m'affectait. Libre et maître de
moi-même, je croyais pouvoir tout faire, atteindre

à tout : je n'avais qu'à m'élancer pour m'élever et voler dans les airs. J'entrais avec sécurité dans le vaste espace du monde; mon mérite allait le remplir; à chaque pas j'allais trouver des festins, des trésors, des aventures, des amis prêts à me servir, des maîtresses empressées à me plaire; en me montrant j'allais occuper de moi l'univers, non pas pourtant l'univers tout entier, je l'en dispensais en quelque sorte, il ne m'en fallait pas tant. Une société charmante me suffisait sans m'embarrasser du reste. Ma modération m'inscrivait dans une sphère étroite, mais délicieusement choisie, où j'étais assuré de régner. Un seul château bornait mon ambition. Favori du seigneur et de la dame, amant de la demoiselle, ami du frère et protecteur des voisins, j'étais content; il ne m'en fallait pas davantage.

En attendant ce modeste avenir, j'errai quelques jours autour de la ville, logeant chez des paysans de ma connaissance, qui tous me reçurent avec plus de bonté que n'auraient fait des urbains. Ils m'accueillaient, me logeaient, me nourrissaient trop bonnement pour en avoir le mérite. Cela ne pouvait pas s'appeler faire l'aumône; ils n'y mettaient pas assez l'air de la supériorité.

A force de voyager et de parcourir le monde, j'allai jusqu'à Confignon, terres de Savoie à deux lieues de Genève. Le curé s'appelait M. de Pont-verre. Ce nom fameux dans l'histoire de la République me frappa beaucoup. J'étais curieux de voir comment étaient faits les descendants des gentils-

hommes de la Cuiller. J'allai voir M. de Pont-
verre : il me reçut bien, me parla de l'hérésie de
Genève, de l'autorité de la sainte mère Église,
et me donna à dîner. Je trouvai peu de chose à
répondre à des arguments qui finissaient ainsi, et
je jugeai que des curés chez qui l'on dînait si bien
valaient tout au moins nos ministres. J'étais cer-
tainement plus savant que M. de Pontverre, tout
gentilhomme qu'il était; mais j'étais trop bon
convive pour être si bon théologien, et son vin de
Frangy, qui me parut excellent, argumentait si
victorieusement pour lui, que j'aurais rougi de
fermer la bouche à un si bon hôte. Je cédais donc,
ou du moins je ne résistais pas en face. A voir les
ménagements dont j'usais, on m'aurait cru faux. On
se fût trompé; je n'étais qu'honnête, cela est certain.
La flatterie, ou plutôt la condescendance, n'est
pas toujours un vice, elle est plus souvent une
vertu, surtout dans les jeunes gens. La bonté avec
laquelle un homme nous traite nous attache à lui :
ce n'est pas pour l'abuser qu'on lui cède, c'est pour
ne pas l'attrister, pour ne pas lui rendre le mal
pour le bien. Quel intérêt avait M. de Pontverre
à m'accueillir, à me bien traiter, à vouloir me
convaincre? Nul autre que le mien propre. Mon
jeune cœur se disait cela. J'étais touché de re-
connaissance et de respect pour le bon prêtre. Je
sentais ma supériorité; je ne voulais pas l'en
accabler pour prix de son hospitalité. Il n'y avait
point de motif hypocrite à cette conduite : je ne
songeais point à changer de religion; et, bien loin

de me familiariser si vite avec cette idée, je ne
l'envisageais qu'avec une horreur qui devait
l'écarter de moi pour longtemps : je voulais seule-
ment ne point fâcher ceux qui me caressaient dans
cette vue; je voulais cultiver leur bienveillance, et
leur laisser l'espoir du succès en paraissant moins
armé que je ne l'étais en effet. Ma faute en cela
ressemblait à la coquetterie des honnêtes femmes
qui, quelquefois, pour parvenir à leurs fins, savent,
sans rien permettre ni rien promettre, faire espérer
plus qu'elles ne veulent tenir.

La raison, la pitié, l'amour de l'ordre exigeaient
assurément que, loin de se prêter à ma folie, on
m'éloignât de ma perte où je courais, en me ren-
voyant dans ma famille. C'est là ce qu'aurait fait
ou tâché de faire tout homme vraiment vertueux.
Mais quoique M. de Pontverre fût un bon homme,
ce n'était assurément pas un homme vertueux; au
contraire, c'était un dévot qui ne connaissait
d'autre vertu que d'adorer les images et de dire
le rosaire; une espèce de missionnaire qui n'ima-
ginait rien de mieux, pour le bien de la foi, que
de faire des libelles contre les ministres de Genève.
Loin de penser à me renvoyer chez moi, il profita
du désir que j'avais de m'en éloigner, pour me
mettre hors d'état d'y retourner quand même il
m'en prendrait envie. Il y avait tout à parier qu'il
m'envoyait périr de misère ou devenir un vaurien.
Ce n'était point là ce qu'il voyait : il voyait une
âme ôtée à l'hérésie et rendue à l'Église. Honnête
homme ou vaurien, qu'importait cela pourvu que

j'allasse à la messe? Il ne faut pas croire, au reste,
que cette façon de penser soit particulière aux
catholiques; elle est celle de toute religion dogma-
tique où l'on fait l'essentiel non de faire, mais de
croire.

« Dieu vous appelle, me dit M. de Pontverre :
allez à Annecy; vous y trouverez une bonne dame
bien charitable, que les bienfaits du roi mettent en
état de retirer d'autres âmes de l'erreur dont elle est
sortie elle-même. » Il s'agissait de Mme de Warens,
nouvelle convertie, que les prêtres forçaient, en
effet, de partager, avec la canaille qui venait vendre
sa foi, une pension de deux mille francs que lui
donnait le roi de Sardaigne. Je me sentais fort
humilié d'avoir besoin d'une bonne dame bien
charitable. J'aimais fort qu'on me donnât mon
nécessaire, mais non pas qu'on me fît la charité; et
une dévote n'était pas pour moi fort attirante.
Toutefois, pressé par M. de Pontverre, par la faim
qui me talonnait, bien aise aussi de faire un voyage
et d'avoir un but, je prends mon parti, quoique
avec peine, et je pars pour Annecy. J'y pouvais être
aisément en un jour; mais je ne me pressais pas,
j'en mis trois. Je ne voyais pas un château à droite
ou à gauche sans aller chercher l'aventure que
j'étais sûr qui m'y attendait. Je n'osais entrer dans
le château ni heurter, car j'étais fort timide, mais
je chantais sous la fenêtre qui avait le plus d'appa-
rence, fort surpris, après m'être longtemps épou-
moné, de ne voir paraître ni dames ni demoiselles
qu'attirât la beauté de ma voix ou le sel de mes

chansons, vu que j'en savais d'admirables que mes
camarades m'avaient apprises, et que je chantais
admirablement.

J'arrive enfin; je vois Mme de Warens. Cette
époque de ma vie a décidé de mon caractère; je ne
puis me résoudre à la passer légèrement. J'étais au
milieu de ma seizième année. Sans être ce qu'on
appelle un beau garçon, j'étais bien pris dans ma
petite taille; j'avais un joli pied, la jambe fine,
l'air dégagé, la physionomie animée, la bouche
mignonne, les sourcils et les cheveux noirs, les yeux
petits et même enfoncés, mais qui lançaient avec
force le feu dont mon sang était embrasé. Mal-
heureusement, je ne savais rien de tout cela, et de
ma vie il ne m'est arrivé de songer à ma figure que
lorsqu'il n'était plus temps d'en tirer parti. Ainsi
j'avais avec la timidité de mon âge celle d'un na-
turel très aimant, toujours troublé par la crainte
de déplaire. D'ailleurs, quoique j'eusse l'esprit assez
orné, n'ayant jamais vu le monde, je manquais
totalement de manières, et mes connaissances,
loin d'y suppléer, ne servaient qu'à m'intimider
davantage, en me faisant sentir combien j'en
manquais.

Craignant donc que mon abord ne prévînt pas en
ma faveur, je pris autrement mes avantages, et je
fis une belle lettre en style d'orateur, où, cousant
des phrases des livres avec des locutions d'apprenti,
je déployais toute mon éloquence pour capter la
bienveillance de Mme de Warens. J'enfermai la
lettre de M. de Pontverre dans la mienne, et je

partis pour cette terrible audience. Je ne trouvai
point Mme de Warens; on me dit qu'elle venait
de sortir pour aller à l'église. C'était le jour des
Rameaux de l'année 1728. Je cours pour la suivre :
je la vois, je l'atteins, je lui parle... Je dois me
souvenir du lieu; je l'ai souvent depuis mouillé de
mes larmes et couvert de mes baisers. Que ne puis-je
entourer d'un balustre d'or cette heureuse place!
que n'y puis-je attirer les hommages de toute la
terre! Quiconque aime à honorer les monuments
du salut des hommes n'en devrait approcher qu'à
genoux.

C'était un passage derrière sa maison, entre un
ruisseau à main droite qui la séparait du jardin,
et le mur de la cour à gauche, conduisant par une
fausse porte à l'église des cordeliers. Prête à entrer
dans cette porte, Mme de Warens se retourne à ma
voix. Que devins-je à cette vue! Je m'étais figuré
une vieille dévote bien rechignée : la bonne dame
de M. de Pontverre ne pouvait être autre chose à
mon avis. Je vois un visage pétri de grâces, de
beaux yeux bleus pleins de douceur, un teint
éblouissant, le contour d'une gorge enchanteresse.
Rien n'échappa au rapide coup d'œil du jeune
prosélyte; car je devins à l'instant le sien, sûr
qu'une religion prêchée par de tels missionnaires
ne pouvait manquer de mener en paradis. Elle
prend en souriant la lettre que je lui présente d'une
main tremblante, l'ouvre, jette un coup d'œil sur
celle de M. de Pontverre, revient à la mienne,
qu'elle lit tout entière, et qu'elle eût relue encore

si son laquais ne l'eût avertie qu'il était temps d'entrer. « Eh! mon enfant, me dit-elle d'un ton qui me fit tressaillir, vous voilà courant le pays bien jeune; c'est dommage en vérité. » Puis, sans attendre ma réponse, elle ajouta : « Allez chez moi m'attendre; dites qu'on vous donne à déjeuner; après la messe j'irai causer avec vous. »

Louise-Éléonore de Warens était une demoiselle de la Tour de Pil, noble et ancienne famille de Vevay, ville du pays de Vaud. Elle avait épousé fort jeune M. de Warens de la maison de Loys, fils aîné de M. de Villardin, de Lausanne. Ce mariage, qui ne produisit point d'enfants, n'ayant pas trop réussi, Mme de Warens, poussée par quelque chagrin domestique, prit le temps que le roi Victor-Amédée était à Évian, pour passer le lac et venir se jeter aux pieds de ce prince, abandonnant ainsi son mari, sa famille et son pays, par une étourderie assez semblable à la mienne, et qu'elle a eu tout le temps de pleurer aussi. Le roi, qui aimait à faire le zélé catholique, la prit sous sa protection, lui donna une pension de quinze cents livres de Piémont, ce qui était beaucoup pour un prince aussi peu prodigue, et voyant que sur cet accueil on l'en croyait amoureux, il l'envoya à Annecy, escortée par un détachement de ses gardes, où, sous la direction de Michel-Gabriel de Bernex, évêque titulaire de Genève, elle fit abjuration au couvent de la Visitation.

Il y avait six ans qu'elle y était quand j'y vins, et elle en avait alors vingt-huit, étant née avec le

siècle. Elle avait de ces beautés qui se conservent, parce qu'elles sont plus dans la physionomie que dans les traits; aussi la sienne était-elle encore dans tout son premier éclat. Elle avait un air caressant et tendre, un regard très doux, un sourire angé-lique, une bouche à la mesure de la mienne, des cheveux cendrés d'une beauté peu commune, et auxquels elle donnait un tour négligé qui la rendait très piquante. Elle était petite de stature, courte même, et ramassée un peu dans sa taille, quoique sans difformité; mais il était impossible de voir une plus belle tête, un plus beau sein, de plus belles mains et de plus beaux bras.

Son éducation avait été fort mêlée : elle avait, ainsi que moi, perdu sa mère dès sa naissance, et, recevant indifféremment des instructions comme elles s'étaient présentées, elle avait appris un peu de sa gouvernante, un peu de son père, un peu de ses maîtres, et beaucoup de ses amants, surtout d'un M. de Tavel, qui, ayant du goût et des connais-sances, en orna la personne qu'il aimait. Mais tant de genres différents se nuisirent les uns aux autres, et le peu d'ordre qu'elle y mit empêcha que ses diverses études n'étendissent la justesse naturelle de son esprit. Ainsi, quoiqu'elle eût quelques prin-cipes de philosophie et de physique, elle ne laissa pas de prendre le goût que son père avait pour la médecine empirique et pour l'alchimie : elle faisait des élixirs, des teintures, des baumes, des magistères, elle prétendait avoir des secrets. Les charlatans, profitant de sa faiblesse, s'emparèrent

d'elle, l'obsédèrent, la ruinèrent, et consumèrent, au milieu des fourneaux et des drogues, son esprit, ses talents et ses charmes, dont elle eût pu faire les délices des meilleures sociétés.

Mais si de vils fripons abusèrent de son éducation mal dirigée pour obscurcir les lumières de sa raison, son excellent cœur fut à l'épreuve et demeura toujours le même : son caractère aimant et doux, sa sensibilité pour les malheureux, son inépuisable bonté, son humeur gaie, ouverte et franche ne s'altérèrent jamais; et même aux approches de la vieillesse, dans le sein de l'indigence, des maux, des calamités diverses, la sérénité de sa belle âme lui conserva jusqu'à la fin de sa vie toute la gaieté de ses plus beaux jours.

Ses erreurs lui vinrent d'un fonds d'activité inépuisable qui voulait sans cesse de l'occupation. Ce n'étaient pas des intrigues de femmes qu'il lui fallait, c'étaient des entreprises à faire et à diriger. Elle était née pour les grandes affaires. A sa place Mme de Longueville n'eût été qu'une tracassière; à la place de Mme de Longueville elle eût gouverné l'État. Ses talents ont été déplacés; et ce qui eût fait sa gloire dans une situation plus élevée a fait sa perte dans celle où elle a vécu. Dans les choses qui étaient à sa portée, elle étendait toujours son plan dans sa tête et voyait toujours son objet en grand. Cela faisait qu'employant des moyens proportionnés à ses vues plus qu'à ses forces, elle échouait par la faute des autres, et son projet venant à manquer, elle était ruinée où d'autres

n'auraient presque rien perdu. Ce goût des affaires, qui lui fit tant de maux, lui fit du moins un grand bien dans son asile monastique, en l'empêchant de s'y fixer pour le reste de ses jours comme elle en était tentée. La vie uniforme et simple des religieuses, leur petit cailletage de parloir, tout cela ne pouvait flatter un esprit toujours en mouvement, qui, formant chaque jour de nouveaux systèmes, avait besoin de liberté pour s'y livrer. Le bon évêque de Bernex, avec moins d'esprit que François de Sales, lui ressemblait sur bien des points; et Mme de Warens, qu'il appelait sa fille, et qui ressemblait à Mme de Chantal sur beaucoup d'autres, eût pu lui ressembler encore dans sa retraite, si son goût ne l'eût détournée de l'oisiveté d'un couvent. Ce ne fut point manque de zèle si cette aimable femme ne se livra pas aux menues pratiques de dévotion qui semblaient convenir à une nouvelle convertie vivant sous la direction d'un prélat. Quel qu'eût été le motif de son changement de religion, elle fut sincère dans celle qu'elle avait embrassée. Elle a pu se repentir d'avoir commis la faute, mais non pas désirer d'en revenir. Elle n'est pas seulement morte bonne catholique, elle a vécu telle de bonne foi, et j'ose affirmer, moi qui pense avoir lu dans le fond de son âme, que c'était uniquement par aversion pour les simagrées qu'elle ne faisait point en public la dévote : elle avait une piété trop solide pour affecter de la dévotion. Mais ce n'est pas ici le lieu de m'étendre sur ses principes; j'aurai d'autres occasions d'en parler.

Que ceux qui nient la sympathie des âmes expliquent, s'ils peuvent, comment, de la première entrevue, du premier mot, du premier regard, Mme de Warens m'inspira non seulement le plus vif attachement, mais une confiance parfaite et qui ne s'est jamais démentie. Supposons que ce que j'ai senti pour elle fût véritablement de l'amour, ce qui paraîtra tout au moins douteux à qui suivra l'histoire de nos liaisons, comment cette passion fut-elle accompagnée, dès sa naissance, des sentiments qu'elle inspire le moins : la paix du cœur, le calme, la sérénité, la sécurité, l'assurance? Comment, en approchant pour la première fois d'une femme aimable, polie, éblouissante, d'une dame d'un état supérieur au mien, dont je n'avais jamais abordé la pareille, de celle dont dépendait mon sort en quelque sorte par l'intérêt plus ou moins grand qu'elle y prendrait, comment, dis-je, avec tout cela me trouvai-je à l'instant aussi libre, aussi à mon aise que si j'eusse été parfaitement sûr de lui plaire? Comment n'eus-je pas un moment d'embarras, de timidité, de gêne? Naturellement honteux, décontenancé, n'ayant jamais vu le monde, comment pris-je avec elle, du premier jour, du premier instant, les manières faciles, le langage tendre, le ton familier que j'avais dix ans après, lorsque la plus grande intimité l'eut rendu naturel? A-t-on de l'amour, je ne dis pas sans désirs, j'en avais, mais sans inquiétude, sans jalousie? Ne veut-on pas au moins apprendre de l'objet qu'on aime si l'on est aimé? C'est une question qu'il ne m'est

singulier

pas plus venu dans l'esprit de lui faire une fois en
ma vie que de me demander à moi-même si je
m'aimais, et jamais elle n'a été plus curieuse avec
moi. Il y eut certainement quelque chose de sin-
gulier dans mes sentiments pour cette charmante
femme, et l'on y trouvera dans la suite des bizar-
reries auxquelles on ne s'attend pas.

Il fut question de ce que je deviendrais, et pour
en causer plus à loisir, elle me retint à dîner. Ce
fut le premier repas de ma vie où j'eusse manqué
d'appétit, et sa femme de chambre, qui nous servait,
dit aussi que j'étais le premier voyageur de mon
âge et de mon étoffe qu'elle en eût vu manquer.
Cette remarque, qui ne me nuisit pas dans l'esprit
de sa maîtresse, tombait un peu à plomb sur un
gros manant qui dînait avec nous et qui dévora, lui
tout seul, un repas honnête pour six personnes.
Pour moi, j'étais dans un ravissement qui ne me
permettait pas de manger. Mon cœur se nourrissait
d'un sentiment tout nouveau dont il occupait tout
mon être; il ne me laissait des esprits pour nulle
autre fonction.

Mme de Warens voulut savoir les détails de ma
petite histoire; je retrouvai pour la lui conter tout
le feu que j'avais perdu chez mon maître. Plus
j'intéressais cette excellente âme en ma faveur, plus
elle plaignait le sort auquel j'allais m'exposer. Sa
tendre compassion se marquait dans son air, dans
son regard, dans ses gestes. Elle n'osait m'exhorter
à retourner à Genève. Dans sa position c'eût été un
crime de lèse-catholicité, et elle n'ignorait pas

combien elle était surveillée et combien ses discours étaient pesés. Mais elle me parlait d'un ton si touchant de l'affliction de mon père, qu'on voyait bien qu'elle eût approuvé que j'allasse le consoler. Elle ne savait pas combien, sans y songer, elle plaidait contre elle-même. Outre que ma résolution était prise, comme je crois l'avoir dit, plus je la trouvais éloquente, persuasive, plus ses discours m'allaient au cœur, et moins je pouvais me résoudre à me détacher d'elle. Je sentais que retourner à Genève était mettre entre elle et moi une barrière presque insurmontable, à moins de revenir à la démarche que j'avais faite, et à laquelle mieux valait me tenir tout d'un coup. Je m'y tins donc. Mme de Warens, voyant ses efforts inutiles, ne les poussa pas jusqu'à se compromettre; mais elle me dit avec un regard de commisération : « Pauvre petit, tu dois aller où Dieu t'appelle; mais quand tu seras grand, tu te souviendras de moi. » Je crois qu'elle ne pensait pas elle-même que cette prédiction s'accomplirait si cruellement.

La difficulté restait tout entière. Comment subsister si jeune hors de mon pays? A peine à la moitié de mon apprentissage, j'étais bien loin de savoir mon métier. Quand je l'aurai su, je n'en aurais pu vivre en Savoie, pays trop pauvre pour avoir des arts. Le manant qui dînait pour nous, forcé de faire une pause pour reposer sa mâchoire, ouvrit un avis qu'il disait venir du Ciel, et qui, à juger par les suites, venait bien plutôt du côté contraire; c'était que j'allasse à Turin, où, dans

un hospice établi pour l'instruction des caté-
chumènes, j'aurais, dit-il, la vie temporelle et spiri-
tuelle, jusqu'à ce qu'entré dans le sein de l'Église
je trouvasse, par la charité des bonnes âmes, une
place qui me convînt. A l'égard des frais du voyage,
continua mon homme, Sa Grandeur Mgr l'évêque
ne manquera pas, si madame lui propose cette
sainte œuvre, de vouloir charitablement y pour-
voir, et madame la baronne, qui est si charitable,
dit-il en s'inclinant sur son assiette, s'empressera
sûrement d'y contribuer aussi.

Je trouvai toutes ces charités bien dures : j'avais
le cœur serré, je ne disais rien, et Mme de Warens,
sans saisir ce projet avec autant d'ardeur qu'il était
offert, se contenta de répondre que chacun devait
contribuer au bien selon son pouvoir, et qu'elle en
parlerait à Monseigneur : mais mon diable d'homme,
qui craignit qu'elle n'en parlât pas à son gré, et
qui avait son petit intérêt dans cette affaire, courut
prévenir les aumôniers, et emboucha si bien les
bons prêtres, que quand Mme de Warens, qui crai-
gnait pour moi ce voyage, en voulut parler à l'évêque,
elle trouva que c'était une affaire arrangée, et il
lui remit à l'instant l'argent destiné pour mon
petit viatique. Elle n'osa insister pour me faire
rester : j'approchais d'un âge où une femme du
sien ne pouvait décemment vouloir retenir un jeune
homme auprès d'elle.

Mon voyage étant ainsi réglé par ceux qui
prenaient soin de moi, il fallut bien me soumettre
et c'est même ce que je fis sans beaucoup de

répugnance. Quoique Turin fût plus loin que
Genève, je jugeai qu'étant la capitale, elle avait
avec Annecy des relations plus étroites qu'une ville
étrangère d'État et de Religion; et puis, partant
pour obéir à Mme de Warens, je me regardais
comme vivant toujours sous sa direction; c'était
plus que de vivre à son voisinage. Enfin l'idée
d'un grand voyage flattait ma manie ambulante,
qui déjà commençait à se déclarer. Il me paraissait
beau de passer les monts à mon âge, et de m'élever
au-dessus de mes camarades de toute la hauteur
des Alpes. Voir du pays est un appât auquel un
Genevois ne résiste guère. Je donnai donc mon
consentement. Mon manant devait partir dans deux
jours avec sa femme. Je leur fus confié et recom-
mandé. Ma bourse leur fut remise, renforcée par
Mme de Warens qui de plus me donna secrètement
un petit pécule, auquel elle joignit d'amples
instructions, et nous partîmes le mercredi saint.

Le lendemain de mon départ d'Annecy, mon
père y arriva courant à ma piste avec un M. Rival,
son ami, horloger comme lui, homme d'esprit, bel
esprit même, qui faisait des vers mieux que La
Motte et parlait presque aussi bien que lui; de
plus, parfaitement honnête homme, mais dont la
littérature déplacée n'aboutit qu'à faire un de ses
fils comédien.

Ces messieurs virent Mme de Warens et se conten-
tèrent de pleurer mon sort avec elle, au lieu de
me suivre et de m'atteindre, comme ils l'auraient
pu facilement, étant à cheval et moi à pied. La

même chose était arrivée à mon oncle Bernard. Il était venu à Confignon, et de là, sachant que j'étais à Annecy, il s'en retourna à Genève. Il semblait que mes proches conspirassent avec mon étoile pour me livrer au destin qui m'attendait. Mon frère s'était perdu par une semblable négligence, et si bien perdu qu'on n'a jamais su ce qu'il était devenu.

Mon père n'était pas seulement un homme d'honneur, c'était un homme d'une probité sûre, et il avait une de ces âmes fortes qui font les grandes vertus; de plus, il était bon père, surtout pour moi. Il m'aimait très tendrement; mais il aimait aussi ses plaisirs, et d'autres goûts avaient un peu attiédi l'affection paternelle depuis que je vivais loin de lui. Il s'était remarié à Nyon, et quoique sa femme ne fût plus en âge de me donner des frères, elle avait des parents; cela faisait une autre famille, d'autres objets, un nouveau ménage, qui ne rappelait plus si souvent mon souvenir. Mon père vieillissait et n'avait aucun bien pour soutenir sa vieillesse. Nous avions, mon frère et moi, quelque bien de ma mère, dont le revenu devait appartenir à mon père durant notre éloignement. Cette idée ne s'offrait pas à lui directement, et ne l'empêchait pas de faire son devoir; mais elle agissait sourdement sans qu'il s'en aperçût lui-même, et ralentissait quelquefois son zèle qu'il eût poussé plus loin sans cela. Voilà, je crois, pourquoi, venu d'abord à Annecy sur mes traces, il ne me suivit pas jusqu'à Chambéry, où il était mora-

lement sûr de m'atteindre. Voilà pourquoi encore
l'étant allé voir souvent depuis ma fuite, je reçus
toujours de lui des caresses de père, mais sans
grands efforts pour me retenir.

Cette conduite d'un père dont j'ai si bien connu
la tendresse et la vertu m'a fait faire des réflexions
sur moi-même qui n'ont pas peu contribué à me
maintenir le cœur sain. J'en ai tiré cette grande
maxime de morale, la seule peut-être d'usage dans
la pratique, d'éviter les situations qui mettent nos
devoirs en opposition avec nos intérêts, et qui
nous montrent notre bien dans le mal d'autrui, sûr
que, dans de telles situations, quelque sincère amour
de la vertu qu'on y porte, on faiblit tôt ou tard
sans s'en apercevoir, et l'on devient injuste et mé-
chant dans le fait, sans avoir cessé d'être juste et
bon dans l'âme.

Cette maxime fortement imprimée au fond de
mon cœur, et mise en pratique, quoiqu'un peu
tard, dans toute ma conduite, est une de celles qui
m'ont donné l'air le plus bizarre et le plus fou
dans le public, et surtout parmi mes connaissances.
On m'a imputé de vouloir être original et faire
autrement que les autres. En vérité, je ne songeais
guère à faire ni comme les autres ni autrement
qu'eux. Je désirais sincèrement de faire ce qui était
bien. Je me dérobais de toute ma force à des
situations qui me donnassent un intérêt contraire
à l'intérêt d'un autre homme, et par conséquent un
désir secret, quoique involontaire, du mal de cet
homme-là.

Il y a deux ans (1763) que Mylord Maréchal me
voulut mettre dans son testament. Je m'y opposai
de toute ma force. Je lui marquai que je ne voudrais
pour rien au monde me savoir dans le testament
de qui que ce fût, et beaucoup moins dans le sien.
Il se rendit : maintenant il veut me faire une
pension viagère, et je ne m'y oppose pas. On dira
que je trouve mon compte à ce changement, cela
peut être. Mais, ô mon bienfaiteur et mon père,
si j'ai le malheur de vous survivre, je sais qu'en
vous perdant j'ai tout à perdre, et que je n'ai
rien à gagner.

C'est là, selon moi, la bonne philosophie, la seule
vraiment assortie au cœur humain. Je me pénètre
chaque jour davantage de sa profonde solidité, et
je l'ai retournée de différentes manières dans tous
mes derniers écrits; mais le public, qui est frivole,
ne l'y a pas su remarquer. Si je survis assez à cette
entreprise consommée pour en reprendre une autre,
je me propose de donner dans la suite de l'*Émile*
un exemple si charmant et si frappant de cette
même maxime, que mon lecteur soit forcé d'y faire
attention. Mais c'est assez de réflexions pour un
voyageur; il est temps de reprendre ma route.

Je la fis plus agréablement que je n'aurais dû m'y
attendre, et mon manant ne fut pas si bourru qu'il
en avait l'air. C'était un homme entre deux âges,
portant en queue ses cheveux noirs grisonnants,
l'air grenadier, la voix forte, assez gai, marchant
bien, mangeant mieux, et qui faisait toute sorte de
métiers, faute d'en savoir aucun. Il avait proposé,

je crois, d'établir à Annecy je ne sais quelle manu-
facture. Mme de Warens n'avait pas manqué de
donner dans le projet, et c'était pour tâcher de le
faire agréer au ministre qu'il faisait, bien défrayé,
le voyage de Turin. Notre homme avait le talent
d'intriguer en se fourrant toujours avec les prêtres,
et faisant l'empressé pour les servir; il avait pris à
leur école un certain jargon dévot dont il usait
sans cesse, se piquant d'être un grand prédicateur.
Il savait même un passage latin de la Bible, et
c'était comme s'il en avait su mille, parce qu'il le
répétait mille fois le jour; du reste, manquant
rarement d'argent quand il en savait dans la bourse
des autres; plus adroit pourtant que fripon, et qui,
débitant d'un ton de racoleur ses capucinades,
ressemblait à l'ermite Pierre prêchant la croisade
le sabre au côté.

Pour Mme Sabran, son épouse, c'était une assez
bonne femme, plus tranquille le jour que la nuit.
Comme je couchais toujours dans leur chambre, ses
bruyantes insomnies m'éveillaient souvent et m'au-
raient éveillé bien davantage si j'en avais compris
le sujet. Mais je ne m'en doutais pas même, et j'étais
sur ce chapitre d'une bêtise qui a laissé à la seule
nature tout le soin de mon instruction.

Je m'acheminais gaiement avec mon dévot guide
et sa sémillante compagne. Nul accident ne troubla
mon voyage; j'étais dans la plus heureuse situation
de corps et d'esprit où j'aie été de mes jours. Jeune,
vigoureux, plein de santé, de sécurité, de confiance
en moi et aux autres, j'étais dans ce court, mais

précieux moment de la vie, où sa plénitude expan-
sive étend pour ainsi dire notre être par toutes
nos sensations, et embellit à nos yeux la nature
entière du charme de notre existence. Ma douce
inquiétude avait un objet qui la rendait moins
errante et fixait mon imagination. Je me regardais
comme l'ouvrage, l'élève, l'ami, presque l'amant de
Mme de Warrens. Les choses obligeantes qu'elle
m'avait dites, les petites caresses qu'elle m'avait
faites, l'intérêt si tendre qu'elle avait paru prendre
à moi, ses regards charmants, qui me semblaient
pleins d'amour parce qu'ils m'en inspiraient, tout
cela nourrissait mes idées durant la marche, et me
faisait rêver délicieusement. Nulle crainte, nul
doute sur mon sort ne troublait ces rêveries. M'en-
voyer à Turin, c'était, selon moi, s'engager à m'y
faire vivre, à m'y placer convenablement. Je n'avais
plus de souci sur moi-même; d'autres s'étaient
chargés de ce soin. Ainsi je marchais légèrement,
allégé de ce poids; les jeunes désirs, l'espoir en-
chanteur, les brillants projets remplissaient mon
âme. Tous les objets que je voyais me semblaient les
garants de ma prochaine félicité. Dans les maisons
j'imaginais des festins rustiques; dans les prés, de
folâtres jeux; le long des eaux, les bains, des prome-
nades, la pêche; sur les arbres, des fruits délicieux;
sous leurs ombres, de voluptueux tête-à-tête; sur les
montagnes, des cuves de lait et de crème, une
oisiveté charmante, la paix, la simplicité, le plaisir
d'aller sans savoir où. Enfin rien ne frappait mes
yeux sans porter à mon cœur quelque attrait de

jouissance. La grandeur, la variété, la beauté réelle
du spectacle rendait cet attrait digne de la rai-
son; la vanité même y mêlait sa pointe. Si jeune,
aller en Italie, avoir déjà vu tant de pays, suivre
Annibal à travers les monts me paraissait une
gloire au-dessus de mon âge. Joignez à tout cela
des stations fréquentes et bonnes, un grand appétit
et de quoi le contenter; car en vérité ce n'était pas
la peine de m'en faire faute, et sur le dîner de
M. Sabran, le mien ne paraissait pas.

Je ne me souviens pas d'avoir eu, dans tout le
cours de ma vie, d'intervalle plus parfaitement
exempt de soucis et de peine que celui des sept ou
huit jours que nous mîmes à ce voyage; car le pas
de Mme Sabran, sur lequel il fallait régler le nôtre,
n'en fit qu'une longue promenade. Ce souvenir
m'a laissé le goût le plus vif pour tout ce qui s'y
rapporte, surtout pour les montagnes et pour les
voyages pédestres. Je n'ai voyagé à pied que dans
mes beaux jours, et toujours avec délices. Bientôt
les devoirs, les affaires, un bagage à porter m'ont
forcé de faire le monsieur et de prendre des voi-
tures; les soucis rongeants, les embarras, la gêne y
sont montés avec moi, et dès lors, au lieu qu'au-
paravant dans mes voyages je ne sentais que le
plaisir d'aller, je n'ai plus senti que le besoin
d'arriver. J'ai cherché longtemps, à Paris, deux
camarades du même goût que moi qui voulussent
consacrer chacun cinquante louis de sa bourse et un
an de son temps à faire ensemble, à pied, le tour
de l'Italie, sans autre équipage qu'un garçon qui

portât avec nous un sac de nuit. Beaucoup de gens
se sont présentés, enchantés de ce projet en appa-
rence, mais au fond le prenant tous pour un pur
château en Espagne, dont on cause en conversation
sans vouloir l'exécuter en effet. Je me souviens que,
parlant avec passion de ce projet avec Diderot et
Grimm, je leur en donnai enfin la fantaisie. Je crus
une fois l'affaire faite; mais le tout se réduisit à
vouloir faire un voyage par écrit, dans lequel
Grimm ne trouvait rien de si plaisant que de faire
faire à Diderot beaucoup d'impiétés, et de me faire
fourrer à l'Inquisition à sa place.

Mon regret d'arriver si vite à Turin fut tempéré
par le plaisir de voir une grande ville, et par l'espoir
d'y faire bientôt une figure digne de moi, car déjà
les fumées de l'ambition me montaient à la tête;
déjà je me regardais comme infiniment au-dessus
de mon ancien état d'apprenti; j'étais bien loin de
prévoir que dans peu j'allais être fort au-dessous.

Avant que d'aller plus loin, je dois au lecteur
mon excuse ou ma justification, tant sur les menus
détails où je viens d'entrer que sur ceux où j'en-
trerai dans la suite, et qui n'ont rien d'intéressant
à ses yeux. Dans l'entreprise que j'ai faite de me
montrer tout entier au public, il faut que rien de
moi ne lui reste obscur ou caché; il faut que je me
tienne incessamment sous ses yeux; qu'il me suive
dans tous les égarements de mon cœur, dans tous les
recoins de ma vie; qu'il ne me perde pas de vue un
seul instant, de peur que, trouvant dans mon récit
la moindre lacune, le moindre vide, et se deman-

dant : Qu'a-t-il fait durant ce temps-là? il ne m'accuse de n'avoir pas voulu tout dire. Je donne assez de prise à la malignité des hommes par mes récits, sans lui en donner encore par mon silence.

Mon petit pécule était parti : j'avais jasé, et mon indiscrétion ne fut pas pour mes conducteurs à pure perte. Mme Sabran trouva le moyen de m'arracher jusqu'à un petit ruban glacé d'argent que Mme de Warens m'avait donné pour ma petite épée, et que je regrettai plus que tout le reste; l'épée même eût resté dans leurs mains si je m'étais moins obstiné. Ils m'avaient fidèlement défrayé dans la route, mais ils ne m'avaient rien laissé. J'arrive à Turin sans habits, sans argent, sans linge, et laissant très exactement à mon seul mérite tout l'honneur de la fortune que j'allais faire.

J'avais des lettres, je les portai; et tout de suite je fus mené à l'Hospice des catéchumènes, pour y être instruit dans la religion pour laquelle on me vendait ma subsistance. En entrant je vis une grosse porte à barreaux de fer, qui dès que je fus passé fut fermée à double tour sur mes talons. Ce début me parut plus imposant qu'agréable, et commençait à me donner à penser, quand on me fit entrer dans une assez grande pièce. J'y vis pour tout meuble un autel de bois surmonté d'un grand crucifix au fond de la chambre, et autour quatre ou cinq chaises aussi de bois, qui paraissaient avoir été cirées, mais qui seulement étaient luisantes à force de s'en servir et de les frotter. Dans cette salle d'assemblée étaient quatre ou cinq affreux bandits,

mes camarades d'instruction, et qui semblaient plu-
tôt des archers du diable que des aspirants à se
faire enfants de Dieu. Deux de ces coquins étaient
des Esclavons, qui se disaient Juifs et Maures, et
qui, comme ils me l'avouèrent, passaient leur vie
à courir l'Espagne et l'Italie, embrassant le chris-
tianisme et se faisant baptiser partout où le pro-
duit en valait la peine. On ouvrit une autre porte
de fer qui partageait en deux un grand balcon
régnant sur la cour. Par cette porte entrèrent nos
sœurs les catéchumènes, qui comme moi s'allaient
régénérer, non par le baptême, mais par une solen-
nelle abjuration. C'étaient bien les plus grandes
salopes et les plus vilaines coureuses qui jamais
aient empuanti le bercail du Seigneur. Une seule
me parut jolie et assez intéressante. Elle était à peu
près de mon âge, peut-être un an ou deux de plus.
Elle avait des yeux fripons qui rencontraient quel-
quefois les miens. Cela m'inspira quelque désir de
faire connaissance avec elle; mais, pendant près de
deux mois qu'elle demeura encore dans cette
maison, où elle était depuis trois, il me fut abso-
lument impossible de l'accoster, tant elle était
recommandée à notre vieille geôlière, et obsédée par
le saint missionnaire, qui travaillait à sa conversion
avec plus de zèle que de diligence. Il fallait qu'elle
fût extrêmement stupide, quoiqu'elle n'en eût pas
l'air, car jamais instruction ne fut plus longue. Le
saint homme ne la trouvait toujours point en état
d'abjurer. Mais elle s'ennuya de sa clôture, et dit
qu'elle voulait sortir, chrétienne ou non. Il fallut

la prendre au mot, tandis qu'elle consentait encore
à l'être, de peur qu'elle ne se mutinât et qu'elle ne
le voulût plus.

La petite communauté fut assemblée en l'hon-
neur du nouveau venu. On nous fit une courte
exhortation; à moi, pour m'engager à répondre à la
grâce que Dieu me faisait; aux autres, pour les in-
viter à m'accorder leurs prières et à m'édifier par leurs
exemples. Après quoi, nos vierges étant rentrées
dans leur clôture, j'eus le temps de m'étonner
tout à mon aise de celle où je me trouvais.

Le lendemain matin on nous assembla de nou-
veau pour l'instruction, et ce fut alors que je com-
mençai à réfléchir pour la première fois sur le pas
que j'allais faire et sur les démarches qui m'y avaient
entraîné.

J'ai dit, je répète et je répéterai peut-être une
chose dont je suis tous les jours plus pénétré;
c'est que si jamais enfant reçut une éducation
raisonnable et saine, ç'a été moi. Né dans une
famille que ses mœurs distinguaient du peuple, je
n'avais reçu que des leçons de sagesse et des
exemples d'honneur de tous mes parents. Mon
père, quoique homme de plaisir, avait non seu-
lement une probité sûre, mais beaucoup de reli-
gion. Galant homme dans le monde et chrétien
dans l'intérieur, il m'avait inspiré de bonne heure
les sentiments dont il était pénétré. De mes trois
tantes, toutes sages et vertueuses, les deux aînées
étaient dévotes, et la troisième, fille à la fois pleine
de grâces, d'esprit et de sens, l'était peut-être encore

plus qu'elles, quoique avec moins d'ostentation.
Du sein de cette estimable famille, je passai chez
M. Lambercier, qui, bien qu'homme d'Église et
prédicateur, était croyant en dedans et faisait pres-
que aussi bien qu'il disait. Sa sœur et lui culti-
vèrent, par des instructions douces et judicieuses,
les principes de piété qu'ils trouvèrent dans mon
cœur. Ces dignes gens employèrent pour cela des
moyens si vrais, si discrets, si raisonnables, que,
loin de m'ennuyer au sermon, je n'en sortais jamais
sans être intérieurement touché et sans faire des
résolutions de bien vivre, auxquelles je manquais
rarement en y pensant. Chez ma tante Bernard la
dévotion m'ennuyait un peu plus, parce qu'elle en
faisait un métier. Chez mon maître je n'y pensais
plus guère, sans pourtant penser différemment. Je
ne trouvai point de jeunes gens qui me perver-
tissent. Je devins polisson, mais non libertin.

J'avais donc de la religion tout ce qu'un enfant
à l'âge où j'étais en pouvait avoir. J'en avais même
davantage, car pourquoi déguiser ici ma pensée?
Mon enfance ne fut point d'un enfant; je sentis, je
pensai toujours en homme. Ce n'est qu'en grandis-
sant que je suis rentré dans la classe ordinaire; en
naissant, j'en étais sorti. L'on rira de me voir me
donner modestement pour un prodige. Soit : mais
quand on aura bien ri, qu'on trouve un enfant
qu'à six ans les romans attachent, intéressent,
transportent au point d'en pleurer à chaudes larmes;
alors je sentirai ma vanité ridicule, et je conviendrai
que j'ai tort.

Ainsi, quand j'ai dit qu'il ne fallait point parler
aux enfants de religion si l'on voulait qu'un jour
ils en eussent, et qu'ils étaient incapables de
connaître Dieu, même à notre manière, j'ai tiré
mon sentiment de mes observations, non de ma
propre expérience : je savais qu'elle ne concluait
rien pour les autres. Trouvez des J.-J. Rousseau
à six ans, et parlez-leur de Dieu à sept, je vous
réponds que vous ne courez aucun risque.

On sent, je crois, qu'avoir de la religion, pour
un enfant, et même pour un homme, c'est suivre
celle où il est né. Quelquefois on en ôte; rare-
ment on y ajoute; la foi dogmatique est un fruit
de l'éducation. Outre ce principe commun qui
m'attachait au culte de mes pères, j'avais l'aver-
sion particulière à notre ville pour le catholi-
cisme, qu'on nous donnait pour une affreuse ido-
lâtrie, et dont on nous peignait le clergé sous les
plus noires couleurs. Ce sentiment allait si loin
chez moi, qu'au commencement je n'entrevoyais
jamais le dedans d'une église, je ne rencontrais
jamais un prêtre en surplis, je n'entendais jamais
la sonnette d'une procession sans un frémissement
de terreur et d'effroi, qui me quitta bientôt dans
les villes, mais qui souvent m'a repris dans les pa-
roisses de campagne, plus semblables à celles où
je l'avais d'abord éprouvé. Il est vrai que cette
impression était singulièrement contrastée par le
souvenir des caresses que les curés des environs de
Genève font volontiers aux enfants de la ville. En
même temps que la sonnette du viatique me fai-

sait peur, la cloche de la messe ou de vêpres me
rappelait un déjeuner, un goûter, du beurre frais,
des fruits, du laitage. Le bon dîner de M. de Pont-
verre avait produit encore un grand effet. Ainsi
je m'étais aisément étourdi sur tout cela. N'envi-
sageant le papisme que par ses liaisons avec les
amusements et la gourmandise, je m'étais appri-
voisé sans peine avec l'idée d'y vivre; mais celle
d'y entrer solennellement ne s'était présentée à
moi qu'en fuyant, et dans un avenir éloigné. Dans
ce moment il n'y eut plus moyen de prendre le
change : je vis avec l'horreur la plus vive l'espèce
d'engagement que j'avais pris et sa suite inévitable.
Les futurs néophytes que j'avais autour de moi
n'étaient pas propres à soutenir mon courage par
leur exemple, et je ne pus me dissimuler que la
sainte œuvre que j'allais faire n'était au fond que
l'action d'un bandit. Tout jeune encore, je sen-
tis que, quelque religion qui fût la vraie, j'allais
vendre la mienne, et que, quand même je choisi-
rais bien, j'allais au fond de mon cœur mentir au
Saint-Esprit et mériter le mépris des hommes. Plus
j'y pensais, plus je m'indignais contre moi-même;
et je gémissais du sort qui m'avait amené là,
comme si ce sort n'eût pas été mon ouvrage. Il y
eut des moments où ces réflexions devinrent si
fortes, que si j'avais un instant trouvé la porte
ouverte, je me serais certainement évadé; mais il
ne me fut pas possible, et cette résolution ne tint
pas non plus bien fortement.

Trop de désirs secrets la combattaient pour ne la

pas vaincre. D'ailleurs, l'obstination du dessein formé de ne pas retourner à Genève, la honte, la difficulté même de repasser les monts, l'embarras de me voir loin de mon pays, sans amis, sans ressources, tout cela concourait à me faire regarder comme un repentir tardif les remords de ma conscience; j'affectais de me reprocher ce que j'avais fait, pour excuser ce que j'allais faire. En aggravant les torts du passé, j'en regardais l'avenir comme une suite nécessaire. Je ne me disais pas : rien n'est fait encore, et tu peux être innocent si tu veux; mais je me disais : gémis du crime dont tu t'es rendu coupable et que tu t'es mis dans la nécessité d'achever.

En effet, quelle rare force d'âme ne me fallait-il point à mon âge pour révoquer tout ce que jusque-là j'avais pu promettre ou laisser espérer, pour rompre les chaînes que je m'étais données, pour déclarer avec intrépidité que je voulais rester dans la religion de mes pères, au risque de tout ce qui en pouvait arriver? Cette vigueur n'était pas de mon âge, et il est peu probable qu'elle eût eu un heureux succès. Les choses étaient trop avancées pour qu'on voulût en avoir le démenti, et plus ma résistance eût été grande, plus, de manière ou d'autre, on se fût fait une loi de la surmonter.

Le sophisme qui me perdit est celui de la plupart des hommes, qui se plaignent de manquer de force quand il est déjà trop tard pour en user. La vertu ne nous coûte que par notre faute, et si nous voulions être toujours sages, rarement aurions-

nous besoin d'être vertueux. Mais des penchants faciles à surmonter nous entraînent sans résistance; nous cédons à des tentations légères dont nous méprisons le danger. Insensiblement nous tombons dans des situations périlleuses, dont nous pouvions aisément nous garantir, mais dont nous ne pouvons plus nous tirer sans des efforts héroïques qui nous effraient, et nous tombons enfin dans l'abîme en disant à Dieu : « Pourquoi m'as-tu fait si faible? » Mais malgré nous il répond à nos consciences : « Je t'ai fait trop faible pour sortir du gouffre, parce que je t'ai fait assez fort pour n'y pas tomber. »

Je ne pris pas précisément la résolution de me faire catholique; mais, voyant le terme encore éloigné, je pris le temps de m'apprivoiser à cette idée, et en attendant je me figurais quelque événement imprévu qui me tirerait d'embarras. Je résolus, pour gagner du temps, de faire la plus belle défense qu'il me serait possible. Bientôt ma vanité me dispensa de songer à ma résolution, et dès que je m'aperçus que j'embarrassais quelquefois ceux qui voulaient m'instruire, il ne m'en fallut pas davantage pour chercher à les terrasser tout à fait. Je mis même à cette entreprise un zèle bien ridicule; car tandis qu'ils travaillaient sur moi, je voulus travailler sur eux. Je croyais bonnement qu'il ne fallait que les convaincre pour les engager à se faire protestants.

Ils ne trouvèrent donc pas en moi tout à fait autant de facilité qu'ils en attendaient, ni du côté

des lumières ni du côté de la volonté. Les protes-
tants sont généralement mieux instruits que les
catholiques. Cela doit être : la doctrine des uns
exige la discussion, celle des autres la soumission.
Le catholique doit adopter la décision qu'on lui
donne; le protestant doit apprendre à se décider.
On savait cela; mais on n'attendait ni de mon état
ni de mon âge de grandes difficultés pour des gens
exercés. D'ailleurs je n'avais point fait encore ma
première communion ni reçu les instructions qui
s'y rapportent : on le savait encore, mais on ne
savait pas qu'en revanche j'avais été bien instruit
chez M. Lambercier, et que de plus j'avais par-
devers moi un petit magasin fort incommode à
ces messieurs, dans l'*Histoire de l'Église et de l'Em-
pire,* que j'avais apprise presque par cœur chez
mon père, et depuis à peu près oubliée, mais
qui me revint à mesure que la dispute s'échauf-
fait.

Un vieux prêtre, petit, mais assez vénérable,
nous fit en commun la première conférence. Cette
conférence était pour mes camarades un caté-
chisme plutôt qu'une controverse, et il avait plus
à faire à les instruire qu'à résoudre leurs objec-
tions. Il n'en fut pas de même avec moi. Quand mon
tour vint, je l'arrêtai sur tout; je ne lui sauvai
pas une des difficultés que je pus lui faire. Cela
rendit la conférence fort longue et fort ennuyeuse
pour les assistants. Mon vieux prêtre parlait beau-
coup, s'échauffait, battait la campagne, et se tirait
d'affaire en disant qu'il n'entendait pas bien le

français. Le lendemain, de peur que mes indis-
crètes objections ne scandalisassent mes camarades,
on me mit à part dans une autre chambre avec un
autre prêtre, plus jeune, beau parleur, c'est-à-dire
faiseur de longues phrases, et content de lui si
jamais docteur le fut. Je ne me laissai pourtant
pas trop subjuguer à sa mine imposante, et, sen-
tant qu'après tout je faisais ma tâche, je me mis
à lui répondre avec assez d'assurance et à le bourrer
par-ci par-là du mieux que je pus. Il croyait m'as-
sommer avec saint Augustin, saint Grégoire et les
autres Pères, et il trouvait, avec une surprise
incroyable, que je maniais tous ces Pères-là
presque aussi légèrement que lui : ce n'était pas
que je les eusse jamais lus, ni lui peut-être; mais
j'en avais retenu beaucoup de passages tirés de
mon Le Sueur; et sitôt qu'il m'en citait un, sans
disputer sur sa citation, je lui ripostais par une
autre du même Père, et qui souvent l'embarras-
sait beaucoup. Il l'emportait pourtant à la fin par
deux raisons : l'une, qu'il était le plus fort, et que,
me sentant pour ainsi dire à sa merci, je jugeais
très bien, quelque jeune que je fusse, qu'il ne fal-
lait pas le pousser à bout; car je voyais assez que
le vieux petit prêtre n'avait pris en amitié ni mon
érudition ni moi; l'autre raison était que le jeune
avait de l'étude, et que je n'en avais point. Cela
faisait qu'il mettait dans sa manière d'argumenter
une méthode que je ne pouvais pas suivre, et que,
sitôt qu'il se sentait pressé d'une objection im-
prévue, il la remettait au lendemain, disant que

je sortais du sujet présent. Il rejetait même quelquefois toutes mes citations, soutenant qu'elles étaient fausses, et, s'offrant à m'aller chercher le livre, me défiait de les y trouver. Il sentait qu'il ne risquait pas grand-chose, et qu'avec toute mon érudition d'emprunt j'étais trop peu exercé à manier les livres, et trop peu latiniste pour trouver un passage dans un gros volume, quand même je serais assuré qu'il y est. Je le soupçonne même d'avoir usé de l'infidélité dont il accusait les ministres, et d'avoir fabriqué quelquefois des passages pour se tirer d'une objection qui l'incommodait.

Tandis que duraient ces petites ergoteries, et que les jours se passaient à disputer, à marmotter des prières et à faire le vaurien, il m'arriva une petite vilaine aventure assez dégoûtante, et qui faillit même à finir fort mal pour moi.

Il n'y a point d'âme si vile et de cœur si barbare qui ne soit susceptible de quelque sorte d'attachement. L'un de ces deux bandits qui se disaient Maures me prit en affection. Il m'accostait volontiers, causait avec moi dans son baragouin franc, me rendait de petits services, me faisait part quelquefois de sa portion à table, et me donnait surtout de fréquents baisers avec une ardeur qui m'était fort incommode. Quelque effroi que j'eusse naturellement de ce visage de pain d'épice, orné d'une longue balafre, et de ce regard allumé qui semblait plutôt furieux que tendre, j'endurais ces baisers en me disant en moi-même : le pauvre

homme a conçu pour moi une amitié bien vive;
j'aurais tort de le rebuter. Il passait par degrés à
des manières plus libres, et me tenait de si singu-
liers propos, que je croyais quelquefois que la tête
lui avait tourné. Un soir, il voulut venir coucher
avec moi; je m'y opposai, disant que mon lit était
trop petit. Il me pressa d'aller dans le sien; je le
refusai encore; car ce misérable était si malpropre
et puait si fort le tabac mâché, qu'il me faisait mal
au cœur.

Le lendemain, d'assez bon matin, nous étions
tous deux seuls dans la salle d'assemblée : il recom-
mença ses caresses, mais avec des mouvements si
violents qu'il en était effrayant. Enfin, il voulut pas-
ser par degrés aux privautés les plus malpropres et
me forcer, en disposant de ma main, d'en faire
autant. Je me dégageai impétueusement en pous-
sant un cri et faisant un saut en arrière, et, sans
marquer ni indignation ni colère, car je n'avais pas
la moindre idée de ce dont il s'agissait, j'exprimai
ma surprise et mon dégoût avec tant d'énergie, qu'il
me laissa là : mais tandis qu'il achevait de se déme-
ner, je vis partir vers la cheminée et tomber à
terre je ne sais quoi de gluant et de blanchâtre qui
me fit soulever le cœur. Je m'élançai sur le balcon,
plus ému, plus troublé, plus effrayé même que
je ne l'avais été de ma vie, et prêt à me trouver
mal.

Je ne pouvais comprendre ce qu'avait ce malheu-
reux; je le crus saisi du haut mal, ou de quelque
frénésie encore plus terrible, et véritablement je

ne sache rien de plus hideux à voir pour quelqu'un de sang-froid que cet obscène et sale maintien, et ce visage affreux enflammé de la plus brutale concupiscence. Je n'ai jamais vu d'autre homme en pareil état; mais si nous sommes ainsi dans nos transports près des femmes, il faut qu'elles aient les yeux bien fascinés pour ne pas nous prendre en horreur.

Je n'eus rien de plus pressé que d'aller conter à tout le monde ce qui venait de m'arriver. Notre vieille intendante me dit de me taire, mais je vis que cette histoire l'avait fort affectée, et je l'entendais grommeler entre ses dents : *Can maledet! brutta bestia!* Comme je ne comprenais pas pourquoi je devais me taire, j'allai toujours mon train, malgré la défense, et je bavardai si bien que le lendemain un des administrateurs vint de bon matin m'adresser une assez vive mercuriale, m'accusant de faire beaucoup de bruit pour peu de mal et de commettre l'honneur d'une maison sainte.

Il prolongea sa censure en m'expliquant beaucoup de choses que j'ignorais, mais qu'il ne croyait pas m'apprendre, persuadé que je m'étais défendu sachant ce qu'on me voulait, et n'y voulant pas consentir. Il me dit gravement que c'était une œuvre défendue, ainsi que la paillardise, mais dont au reste l'intention n'était pas plus offensante pour la personne qui en était l'objet, et qu'il n'y avait pas de quoi s'irriter si fort pour avoir été trouvé aimable. Il me dit sans détour que lui-même, dans sa jeunesse, avait eu le même honneur, et qu'ayant

été surpris hors d'état de faire résistance, il
n'avait rien trouvé là de si cruel. Il poussa l'im-
pudence jusqu'à se servir des propres termes, et
s'imaginant que la cause de ma résistance était
la crainte de la douleur, il m'assura que cette
crainte était vaine, et qu'il ne fallait pas s'alarmer
de rien.

J'écoutais cet infâme avec un étonnement d'au-
tant plus grand qu'il ne parlait point pour lui-
même; il semblait ne m'instruire que pour mon
bien. Son discours lui paraissait si simple, qu'il
n'avait pas même cherché le secret du tête-à-tête;
et nous avions en tiers un ecclésiastique que tout
cela n'effarouchait pas plus que lui. Cet air natu-
rel m'en imposa tellement, que j'en vins à croire
que c'était sans doute un usage admis dans le monde,
et dont je n'avais pas eu plus tôt occasion d'être
instruit. Cela fit que je l'écoutai sans colère, mais
non sans dégoût. L'image de ce qui m'était arrivé,
mais surtout de ce que j'avais vu, restait si fortement
empreinte dans ma mémoire, qu'en y pensant, le
cœur me soulevait encore. Sans que j'en susse davan-
tage, l'aversion de la chose s'étendit à l'apologiste,
et je ne pus me contraindre assez pour qu'il ne vît
pas le mauvais effet de ses leçons. Il me lança un
regard peu caressant, et dès lors il n'épargna rien
pour me rendre le séjour de l'hospice désagréable.
Il y parvint si bien que, n'apercevant pour en sor-
tir qu'une seule voie, je m'empressai de la prendre,
autant que jusque-là je m'étais efforcé de l'éloi-
gner.

Cette aventure me mit pour l'avenir à couvert des entreprises des chevaliers de la manchette, et la vue des gens qui passaient pour en être, me rappelant l'air et les gestes de mon effroyable Maure, m'a toujours inspiré tant d'horreur que j'avais peine à la cacher. Au contraire, les femmes gagnèrent beaucoup dans mon esprit à cette comparaison : il me semblait que je leur devais en tendresse de sentiments, en hommage de ma personne, la réparation des offenses de mon sexe, et la plus laide guenon devenait à mes yeux un objet adorable, par le souvenir de ce faux Africain.

Pour lui, je ne sais ce qu'on put lui dire; il ne me parut pas que, excepté la dame Lorenza, personne le vît de plus mauvais œil qu'auparavant. Cependant il ne m'accosta ni ne me parla plus. Huit jours après, il fut baptisé en grande cérémonie, et habillé de blanc de la tête aux pieds, pour représenter la candeur de son âme régénérée. Le lendemain il sortit de l'hospice et je ne l'ai jamais revu.

Mon tour vint un mois après; car il fallut tout ce temps-là pour donner à mes directeurs l'honneur d'une conversion difficile, et l'on me fit passer en revue tous les dogmes pour triompher de ma nouvelle docilité.

Enfin, suffisamment instruit et suffisamment disposé au gré de mes maîtres, je fus mené processionnellement à l'église métropolitaine de Saint-Jean pour y faire une abjuration solennelle, et recevoir les accessoires du baptême, quoiqu'on ne me

baptisât pas réellement : mais comme ce sont à peu près les mêmes cérémonies, cela sert à persuader au peuple que les protestants ne sont pas chrétiens. J'étais revêtu d'une certaine robe grise, garnie de brandebourgs blancs, et destinée pour ces sortes d'occasions. Deux hommes portaient, devant et derrière moi, des bassins de cuivre, sur lesquels ils frappaient avec une clef, et où chacun mettait son aumône, au gré de sa dévotion ou de l'intérêt qu'il prenait au nouveau converti. Enfin, rien du faste catholique ne fut omis pour rendre la solennité plus édifiante pour le public, et plus humiliante pour moi. Il n'y eut que l'habit blanc, qui m'eût été fort utile, et qu'on ne me donna pas comme au Maure, attendu que je n'avais pas l'honneur d'être Juif.

Ce ne fut pas tout. Il fallut ensuite aller à l'Inquisition recevoir l'absolution du crime d'hérésie, et rentrer dans le sein de l'Église avec la même cérémonie à laquelle Henri IV fut soumis par son ambassadeur. L'air et les manières du très révérend père inquisiteur n'étaient pas propres à dissiper la terreur secrète qui m'avait saisi en entrant dans cette maison. Après plusieurs questions sur ma foi, sur mon état, sur ma famille, il me demanda brusquement si ma mère était damnée. L'effroi me fit réprimer le premier mouvement de mon indignation; je me contentai de répondre que je voulais espérer qu'elle ne l'était pas, et que Dieu avait pu l'éclairer à sa dernière heure. Le moine se tut, mais il fit une grimace qui ne

me parut point du tout un signe d'approbation.

Tout cela fait, au moment où je pensais, être enfin placé selon mes espérances, on me mit à la porte avec un peu plus de vingt francs en petite monnaie qu'avait produits ma quête. On me recommanda de vivre en bon chrétien, d'être fidèle à la grâce; on me souhaita bonne fortune, on ferma sur moi la porte, et tout disparut.

Ainsi s'éclipsèrent en un instant toutes mes grandes espérances, et il ne me resta de la démarche intéressée que je venais de faire que le souvenir d'avoir été apostat et dupe tout à la fois. Il est aisé de juger quelle brusque révolution dut se faire dans mes idées, lorsque de mes brillants projets de fortune je me vis tomber dans la plus complète misère, et qu'après avoir délibéré le matin sur le choix du palais que j'habiterais, je me vis le soir réduit à coucher dans la rue. On croira que je commençai par me livrer à un désespoir d'autant plus cruel que le regret de mes fautes devait s'irriter, en me reprochant que tout mon malheur était mon ouvrage. Rien de tout cela. Je venais pour la première fois de ma vie d'être enfermé pendant plus de deux mois; le premier sentiment que je goûtai fut celui de la liberté que j'avais recouvrée. Après un long esclavage, redevenu maître de moi-même et de mes actions, je me voyais au milieu d'une grande ville abondante en ressources, pleine de gens de condition dont mes talents et mon mérite ne pouvaient manquer de me faire accueillir sitôt que j'en serais connu. J'avais de plus tout le temps

d'attendre, et vingt francs que j'avais dans ma poche me semblaient un trésor qui ne pouvait s'épuiser. J'en pouvais disposer à mon gré sans rendre compte à personne. C'était la première fois que je m'étais vu si riche. Loin de me livrer au découragement et aux larmes, je ne fis que changer d'espérances, et l'amour-propre n'y perdit rien. Jamais je ne me sentis tant de confiance et de sécurité; je croyais déjà ma fortune faite, et je trouvais beau de n'en avoir l'obligation qu'à moi seul.

La première chose que je fis fut de satisfaire ma curiosité en parcourant toute la ville, quand ce n'eût été que pour faire un acte de ma liberté. J'allai voir monter la garde; les instruments militaires me plaisaient beaucoup. Je suivis des processions; j'aimais le faux-bourdon des prêtres; j'allai voir le palais du roi; j'en approchais avec crainte; mais voyant d'autres gens entrer, je fis comme eux; on me laissa faire. Peut-être dus-je cette grâce au petit paquet que j'avais sous le bras. Quoi qu'il en soit, je conçus une grande opinion de moi-même en me trouvant dans ce palais; déjà je m'en regardais presque comme un habitant. Enfin, à force d'aller et venir, je me lassai; j'avais faim, il faisait chaud : j'entrai chez une marchande de laitage; on me donna de la giunca, du lait caillé, et avec deux grisses de cet excellent pain de Piémont, que j'aime plus qu'aucun autre, je fis pour mes cinq ou six sols un des bons dîners que j'aie faits de mes jours.

Il fallut chercher un gîte. Comme je savais déjà
assez de piémontais pour me faire entendre, il ne
me fut pas difficile à trouver, et j'eus la prudence
de le choisir plus selon ma bourse que selon mon
goût. On m'enseigna dans la rue du Pô la femme
d'un soldat qui retirait à un sol par nuit des do-
mestiques hors de service. Je trouvai chez elle un
grabat vide, et je m'y établis. Elle était jeune et
nouvellement mariée, quoiqu'elle eût déjà cinq ou
six enfants. Nous couchâmes tous dans la même
chambre, la mère, les enfants, les hôtes; et cela
dura de cette façon tant que je restai chez elle. Au
demeurant c'était une bonne femme, jurant comme
un charretier, toujours débraillée et décoiffée, mais
douce de cœur, officieuse, qui me prit en amitié,
et qui même me fut utile.

Je passai plusieurs jours à me livrer uniquement
au plaisir de l'indépendance et de la curiosité.
J'allais errant dedans et dehors la ville, furetant,
visitant tout ce qui me paraissait curieux et nou-
veau; et tout l'était pour un jeune homme sortant
de sa niche, qui n'avait jamais vu de capitale.
J'étais surtout fort exact à faire ma cour, et j'assis-
tais régulièrement tous les matins à la messe du
roi. Je trouvais beau de me voir dans la même
chapelle avec ce prince et sa suite : mais ma pas-
sion pour la musique, qui commençait à se décla-
rer, avait plus de part à mon assiduité que la
pompe de la cour, qui, bientôt vue et toujours
la même, ne frappe pas longtemps. Le roi de Sar-
daigne avait alors la meilleure symphonie de l'Eu-

rope. Somis, Desjardins, les Bezuzzi y brillaient
alternativement. Il n'en fallait pas tant pour atti-
rer un jeune homme que le jeu du moindre instru-
ment, pourvu qu'il fût juste, transportait d'aise.
Du reste, je n'avais pour la magnificence qui frap-
pait mes yeux qu'une admiration stupide et sans
convoitise. La seule chose qui m'intéressât, dans
tout l'éclat de la cour était de voir s'il n'y aurait
point là quelque jeune princesse qui méritât mon
hommage, et avec laquelle je pusse faire un
roman.

Je faillis en commencer un dans un état moins
brillant, mais où, si je l'eusse mis à fin, j'aurais
trouvé des plaisirs mille fois plus délicieux.

Quoique je vécusse avec beaucoup d'économie,
ma bourse insensiblement s'épuisait. Cette écono-
mie, au reste, était moins l'effet de la prudence
que d'une simplicité de goût que même aujour-
d'hui l'usage des grandes tables n'a point altéré.
Je ne connaissais pas et je ne connais pas encore
de meilleure chère que celle d'un repas rustique.
Avec du laitage, des œufs, des herbes, du fromage,
du pain bis et du vin passable, on est toujours sûr
de me bien régaler; mon bon appétit fera le reste,
quand un maître d'hôtel et des laquais autour
de moi ne me rassasieront pas de leur importun
aspect. Je faisais alors de beaucoup meilleurs repas,
avec six ou sept sols de dépense, que je ne les
ai faits depuis à six ou sept francs. J'étais donc
sobre, faute d'être tenté de ne pas l'être : encore
ai-je tort d'appeler tout cela sobriété, car j'y met-

tais toute la sensualité possible. Mes poires, ma
giunca, mon fromage, mes grisses, et quelques
verres d'un gros vin de Montferrat à couper par
tranches, me rendaient le plus heureux des gour-
mands. Mais encore avec tout cela pouvait-on voir
la fin de vingt livres. C'était ce que j'apercevais
plus sensiblement de jour en jour, et, malgré
l'étourderie de mon âge, mon inquiétude sur l'ave-
nir alla bientôt jusqu'à l'effroi. De tous mes châ-
teaux en Espagne, il ne me resta que celui de
chercher une occupation qui me fît vivre, encore
n'était-il pas facile à réaliser. Je songeai à mon
ancien métier; mais je ne le savais pas assez pour
aller travailler chez un maître, et les maîtres
même n'abondaient pas à Turin. Je pris donc, en
attendant mieux, le parti d'aller m'offrir de bou-
tique en boutique pour graver un chiffre ou des
armes sur de la vaisselle, espérant tenter les gens
par le bon marché en me mettant à leur discré-
tion. Cet expédient ne fut pas fort heureux. Je
fus presque partout éconduit, et ce que je trouvais
à faire était si peu de chose, qu'à peine y gagnai-je
quelques repas. Un jour, cependant, passant d'assez
bon matin dans la Contra nova, je vis, à travers
les vitres d'un comptoir, une jeune marchande de
si bonne grâce et d'un air si attirant, que, malgré
ma timidité près des dames, je n'hésitai pas d'en-
trer et de lui offrir mon petit talent. Elle ne me
rebuta point, me fit asseoir, conter ma petite
histoire, me plaignit, me dit d'avoir bon courage,
et que les bons chrétiens ne m'abandonneraient

pas; puis, tandis qu'elle envoyait chercher, chez un
orfèvre du voisinage, les outils dont j'avais dit
avoir besoin, elle monta dans sa cuisine et m'ap-
porta elle-même à déjeuner. Ce début me parut
de bon augure; la suite ne le démentit pas. Elle
parut contente de mon petit travail, encore plus
de mon petit babil quand je me fus un peu ras-
suré; car elle était brillante et parée, et, malgré
son air gracieux, cet éclat m'en avait imposé. Mais
son accueil plein de bonté, son ton compatissant,
ses manières douces et caressantes me mirent bien-
tôt à mon aise. Je vis que je réussissais, et cela me
fit réussir davantage. Mais quoique Italienne, et
trop jolie pour n'être pas un peu coquette, elle
était pourtant si modeste, et moi si timide, qu'il
était difficile que cela vînt sitôt à bien. On ne
nous laissa pas le temps d'achever l'aventure. Je ne
m'en rappelle qu'avec plus de charmes les courts
moments que j'ai passés auprès d'elle, et je puis
dire y avoir goûté dans leurs prémices les plus
doux ainsi que les plus purs plaisirs de l'amour.

C'était une brune extrêmement piquante, mais
dont le bon naturel peint sur son joli visage ren-
dait la vivacité touchante. Elle s'appelait Mme Ba-
sile. Son mari, plus âgé qu'elle et passablement
jaloux, la laissait, durant ses voyages, sous la garde
d'un commis trop maussade pour être séduisant,
et qui ne laissait pas d'avoir des prétentions pour
son compte, qu'il ne montrait guère que par sa
mauvaise humeur. Il en prit beaucoup contre moi,
quoique j'aimasse à l'entendre jouer de la flûte,

dont il jouait assez bien. Ce nouvel Égiste gro-
gnait toujours quand il me voyait entrer chez sa
dame : il me traitait avec un dédain qu'elle lui
rendait bien. Il semblait même qu'elle se plût,
pour le tourmenter, à me caresser en sa présence,
et cette sorte de vengeance, quoique fort de mon
goût, l'eût été bien plus dans le tête-à-tête. Mais
elle ne la poussait pas jusque-là, ou du moins ce
n'était pas de la même manière. Soit qu'elle me
trouvât trop jeune, soit qu'elle ne sût point faire
les avances, soit qu'elle voulût sérieusement être
sage, elle avait alors une sorte de réserve qui n'était
pas repoussante, mais qui m'intimidait sans que
je susse pourquoi. Quoique je ne me sentisse pas
pour elle ce respect aussi vrai que tendre que
j'avais pour Mme de Warens, je me sentais plus de
crainte et bien moins de familiarité. J'étais embar-
rassé, tremblant; je n'osais la regarder, je n'osais
respirer auprès d'elle; cependant je craignais plus
que la mort de m'en éloigner. Je dévorais d'un œil
avide tout ce que je pouvais regarder sans être
aperçu : les fleurs de sa robe, le bout de son joli
pied, l'intervalle d'un bras ferme et blanc qui pa-
raissait entre son gant et sa manchette, et celui
qui se faisait quelquefois entre son tour de gorge
et son mouchoir. Chaque objet ajoutait à l'im-
pression des autres. A force de regarder ce que
je pouvais voir, et même au-delà, mes yeux se
troublaient, ma poitrine s'oppressait, ma respira-
tion, d'instant en instant plus embarrassée, me
donnait beaucoup de peine à gouverner, et tout

ce que je pouvais faire était de filer sans bruit des soupirs fort incommodes dans le silence où nous étions assez souvent. Heureusement, Mme Basile, occupée à son ouvrage, ne s'en apercevait pas, à ce qu'il me semblait. Cependant je voyais quelquefois, par une sorte de sympathie, son fichu se renfler assez fréquemment. Ce dangereux spectacle achevait de me perdre, et quand j'étais prêt à céder à mon transport, elle m'adressait quelque mot d'un ton tranquille qui me faisait rentrer en moi-même à l'instant.

Je la vis plusieurs fois seule de cette manière, sans que jamais un mot, un geste, un regard, même trop expressif, marquât entre nous la moindre intelligence. Cet état, très tourmentant pour moi, faisait cependant mes délices, et à peine dans la simplicité de mon cœur pouvais-je imaginer pourquoi j'étais si tourmenté. Il paraissait que ces petits tête-à-tête ne lui déplaisaient pas non plus, du moins elle en rendait les occasions assez fréquentes; soin bien gratuit assurément de sa part pour l'usage qu'elle en faisait et qu'elle m'en laissait faire.

Un jour qu'ennuyée des sots colloques du commis, elle avait monté dans sa chambre, je me hâtai, dans l'arrière-boutique où j'étais, d'achever ma petite tâche et je la suivis. Sa chambre était entrouverte; j'y entrai sans être aperçu. Elle brodait près d'une fenêtre, ayant, en face, le côté de la chambre opposé à la porte. Elle ne pouvait me voir entrer, ni m'entendre, à cause du bruit que des chariots faisaient dans la rue. Elle se mettait

toujours bien : ce jour-là sa parure approchait de
la coquetterie. Son attitude était gracieuse, sa tête
un peu baissée laissait voir la blancheur de son
cou; ses cheveux relevés avec élégance étaient ornés
de fleurs. Il régnait dans toute sa figure un charme
que j'eus le temps de considérer, et qui me mit
hors de moi. Je me jetai à genoux à l'entrée de la
chambre, en tendant les bras vers elle d'un mou-
vement passionné, bien sûr qu'elle ne pouvait
m'entendre, et ne pensant pas qu'elle pût me
voir : mais il y avait à la cheminée une glace qui
me trahit. Je ne sais quel effet ce transport fit
sur elle; elle ne me regarda point, ne me parla
point; mais, tournant à demi la tête, d'un simple
mouvement de doigt, elle me montra la natte à
ses pieds. Tressaillir, pousser un cri, m'élancer à
la place qu'elle m'avait marquée, ne fut pour moi
qu'une même chose : mais ce qu'on aurait peine à
croire est que dans cet état je n'osai rien entre-
prendre au-delà, ni dire un seul mot, ni lever
les yeux sur elle, ni la toucher même, dans une
attitude aussi contrainte, pour m'appuyer un ins-
tant sur ses genoux. J'étais muet, immobile, mais
non pas tranquille assurément : tout marquait en
moi l'agitation, la joie, la reconnaissance, les
ardents désirs incertains dans leur objet et conte-
nus par la frayeur de déplaire sur laquelle mon
jeune cœur ne pouvait se rassurer.

Elle ne paraissait ni plus tranquille ni moins
timide que moi. Troublée de me voir là, interdite de
m'y avoir attiré, et commençant à sentir toute la

conséquence d'un signe parti sans doute avant la
réflexion, elle ne m'accueillait ni ne me repoussait,
elle n'ôtait pas les yeux de dessus son ouvrage, elle
tâchait de faire comme si elle ne m'eût pas vu à
ses pieds : mais toute ma bêtise ne m'empêchait
pas de juger qu'elle partageait mon embarras, peut-
être mes désirs, et qu'elle était retenue par une
honte semblable à la mienne, sans que cela me
donnât la force de la surmonter. Cinq ou six ans
qu'elle avait de plus que moi devaient, selon moi,
mettre de son côté toute la hardiesse, et je me
disais que, puisqu'elle ne faisait rien pour exciter
la mienne, elle ne voulait pas que j'en eusse. Même
encore aujourd'hui je trouve que je pensais juste
et sûrement elle avait trop d'esprit pour ne pas
voir qu'un novice tel que moi avait besoin non
seulement d'être encouragé, mais d'être instruit.

Je ne sais comment eût fini cette scène vive et
muette, ni combien de temps j'aurais demeuré
immobile dans cet état ridicule et délicieux, si nous
n'eussions été interrompus. Au plus fort de mes
agitations, j'entendis ouvrir la porte de la cuisine,
qui touchait la chambre où nous étions, et Mme Basile
alarmée me dit vivement de la voix et du geste :
« Levez-vous, voici Rosina. » En me levant en hâte,
je saisis une main qu'elle me tendait, et j'y appli-
quai deux baisers brûlants, au second desquels je
sentis cette charmante main se presser un peu contre
mes lèvres. De mes jours je n'eus un si doux moment :
mais l'occasion que j'avais perdue ne revint plus, et
nos jeunes amours en restèrent là.

C'est peut-être pour cela même que l'image de cette aimable femme est restée empreinte au fond de mon cœur en traits si charmants. Elle s'y est même embellie à mesure que j'ai mieux connu le monde et les femmes. Pour peu qu'elle eût eu d'expérience, elle s'y fût prise autrement pour animer un petit garçon : mais si son cœur était faible, il était honnête; elle cédait involontairement au penchant qui l'entraînait : c'était, selon toute apparence, sa première infidélité, et j'aurais peut-être eu plus à faire à vaincre sa honte que la mienne. Sans en être venu là, j'ai goûté près d'elle des douceurs inexprimables. Rien de tout ce que m'a fait sentir la possession des femmes ne vaut les deux minutes que j'ai passées à ses pieds sans même oser toucher à sa robe. Non, il n'y a point de jouissances pareilles à celles que peut donner une honnête femme qu'on aime; tout est faveur auprès d'elle. Un petit signe du doigt, une main légèrement pressée contre ma bouche sont les seules faveurs que je reçus jamais de Mme Basile, et le souvenir de ces faveurs si légères me transporte encore en y pensant.

Les deux jours suivants, j'eus beau guetter un nouveau tête-à-tête, il me fut impossible d'en trouver le moment, et je n'aperçus de sa part aucun soin pour le ménager. Elle eut même le maintien non plus froid, mais plus retenu qu'à l'ordinaire, et je crois qu'elle évitait mes regards, de peur de ne pouvoir assez gouverner les siens. Son maudit commis fut plus désolant que jamais : il devint

même railleur, goguenard; il me dit que je ferais
mon chemin près des dames. Je tremblais d'avoir
commis quelque indiscrétion, et, me regardant déjà
comme d'intelligence avec elle, je voulus couvrir du
mystère un goût qui jusqu'alors n'en avait pas grand
besoin. Cela me rendit plus circonspect à saisir les
occasions de le satisfaire, et, à force de les vouloir
sûres, je n'en trouvai plus du tout.

Voici encore une autre folie romanesque dont
jamais je n'ai pu me guérir, et qui, jointe à ma
timidité naturelle, a beaucoup démenti les prédic-
tions du commis. J'aimais trop sincèrement, trop
parfaitement, j'ose dire, pour pouvoir aisément être
heureux. Jamais passions ne furent en même temps
plus vives et plus pures que les miennes, jamais
amour ne fut plus tendre, plus vrai, plus désinté-
ressé. J'aurais mille fois sacrifié mon bonheur à
celui de la personne que j'aimais; sa réputation
m'était plus chère que ma vie, et jamais pour tous
les plaisirs de la jouissance je n'aurais voulu com-
promettre un moment son repos. Cela m'a fait
apporter tant de soins, tant de secret, tant de pré-
caution dans mes entreprises, que jamais aucune
n'a pu réussir. Mon peu de succès près des femmes
est toujours venu de les trop aimer.

Pour revenir au flûteur Égiste, ce qu'il y avait
de singulier était qu'en devenant plus insuppor-
table, le traître semblait devenir plus complaisant.
Dès le premier jour que sa dame m'avait pris en
affection, elle avait songé à me rendre utile dans
le magasin. Je savais passablement l'arithmétique;

elle lui avait proposé de m'apprendre à tenir les livres; mais mon bourru reçut très mal la proposition, craignant peut-être d'être supplanté. Ainsi tout mon travail après mon burin était de transcrire quelques comptes et mémoires, de mettre au net quelques livres, et de traduire quelques lettres de commerce d'italien en français. Tout d'un coup mon homme s'avisa de revenir à la proposition faite et rejetée, et dit qu'il m'apprendrait les comptes à parties doubles, et qu'il voulait me mettre en état d'offrir mes services à M. Basile quand il serait de retour. Il y avait dans son ton, dans son air, je ne sais quoi de faux, de malin, d'ironique, qui ne me donnait pas de la confiance. Mme Basile, sans attendre ma réponse, lui dit sèchement que je lui étais obligé de ses offres, qu'elle espérait que la fortune favoriserait enfin mon mérite, et que ce serait grand dommage qu'avec tant d'esprit je ne fusse qu'un commis.

Elle m'avait dit plusieurs fois qu'elle voulait me faire faire une connaissance qui pourrait m'être utile. Elle pensait assez sagement pour sentir qu'il était temps de me détacher d'elle. Nos muettes déclarations s'étaient faites le jeudi. Le dimanche elle donna un dîner, où je me trouvai et où se trouva aussi un jacobin de bonne mine auquel elle me présenta. Le moine me traita très affectueusement, me félicita sur ma conversion, et me dit plusieurs choses sur mon histoire qui m'apprirent qu'elle la lui avait détaillée; puis, me donnant deux petits coups d'un revers de main sur la joue, il me dit

d'être sage, d'avoir bon courage, et de l'aller voir, que nous causerions plus à loisir ensemble. Je jugeai, par les égards que tout le monde avait pour lui, que c'était un homme de considération, et par le ton paternel qu'il prenait avec Mme Basile, qu'il était son confesseur. Je me rappelle bien aussi que sa décente familiarité était mêlée de marques d'estime et même de respect pour sa pénitente, qui me firent alors moins d'impression qu'elles ne m'en font aujourd'hui. Si j'avais eu plus d'intelligence, combien j'eusse été touché d'avoir pu rendre sensible une jeune femme respectée par son confesseur!

La table ne se trouva pas assez grande pour le nombre que nous étions; il en fallut une petite, où j'eus l'agréable tête-à-tête de M. le commis. Je n'y perdis rien du côté des attentions et de la bonne chère; il y eut bien des assiettes envoyées à la petite table dont l'intention n'était sûrement pas pour lui. Tout allait très bien jusque-là : les femmes étaient fort gaies, les hommes fort galants; Mme Basile faisait ses honneurs avec une grâce charmante. Au milieu du dîner, l'on entend arrêter une chaise à la porte; quelqu'un monte, c'est M. Basile. Je le vois comme s'il entrait actuellement, en habit d'écarlate à boutons d'or, couleur que j'ai prise en aversion depuis ce jour-là. M. Basile était un grand et bel homme qui se présentait très bien. Il entre avec fracas, et de l'air de quelqu'un qui surprend son monde, quoiqu'il n'y eût là que de ses amis. Sa femme lui saute au

cou, lui prend les mains, lui fait mille caresses
qu'il reçoit sans les lui rendre. Il salue la compa-
gnie, on lui donne un couvert, il mange. A peine
avait-on commencé de parler de son voyage, que,
jetant les yeux sur la petite table, il demande d'un
ton sévère ce que c'est que ce petit garçon qu'il
aperçoit là. Mme Basile le lui dit tout naïvement.
Il demande si je loge dans la maison. On lui dit
que non. « Pourquoi non? reprend-il grossièrement :
puisqu'il s'y tient le jour, il peut bien y rester la
nuit. » Le moine prit la parole, et après un éloge
grave et vrai de Mme Basile, il fit le mien en peu
de mots, ajoutant que, loin de blâmer la pieuse
charité de sa femme, il devait s'empresser d'y
prendre part, puisque rien n'y passait les bornes
de la discrétion. Le mari répliqua d'un ton d'humeur,
dont il cachait la moitié, contenu par la présence
du moine, mais qui suffit pour me faire sentir qu'il
avait des instructions sur mon compte, et que le
commis m'avait servi à sa façon.

A peine était-on hors de table, que celui-ci, dépê-
ché par son bourgeois, vint en triomphe me
signifier de sa part de sortir à l'instant de chez
lui, et de n'y remettre les pieds de ma vie. Il
assaisonna sa commission de tout ce qui pouvait
la rendre insultante et cruelle. Je partis sans rien
dire, mais le cœur navré, moins de quitter cette
aimable femme que de la laisser en proie à la bru-
talité de son mari. Il avait raison, sans doute, de
ne vouloir pas qu'elle fût infidèle; mais, quoique
sage et bien née, elle était Italienne, c'est-à-dire

sensible et vindicative, et il avait tort, ce me semble,
de prendre avec elle les moyens les plus propres à
s'attirer le malheur qu'il craignait.

Tel fut le succès de ma première aventure. Je
voulus essayer de repasser deux ou trois fois dans
la rue, pour revoir au moins celle que mon cœur
regrettait sans cesse; mais au lieu d'elle je ne vis
que son mari et le vigilant commis, qui, m'ayant
aperçu, me fit, avec l'aune de la boutique, un
geste plus expressif qu'attirant. Me voyant si bien
guetté, je perdis courage et n'y passai plus. Je
voulus aller voir au moins le patron qu'elle
m'avait ménagé. Malheureusement je ne savais pas
son nom. Je rôdai plusieurs fois inutilement au-
tour du couvent, pour tâcher de le rencontrer.
Enfin d'autres événements m'ôtèrent les charmants
souvenirs de Mme Basile, et dans peu je l'oubliai
si bien, qu'aussi simple et aussi novice qu'aupara-
vant je ne restai pas même affriandé de jolies
femmes.

Cependant ses libéralités avaient un peu remonté
mon petit équipage, très modestement toutefois, et
avec la précaution d'une femme prudente, qui regar-
dait plus à la propreté qu'à la parure, et qui vou-
lait m'empêcher de souffrir, et non pas me faire
briller. Mon habit, que j'avais apporté de Genève,
était bon et portable encore; elle y ajouta seule-
ment un chapeau et quelque linge. Je n'avais point
de manchettes; elle ne voulut point m'en donner,
quoique j'en eusse bonne envie. Elle se contenta
de me mettre en état de me tenir propre, et c'est

un soin qu'il ne fallut pas me recommander tant que je parus devant elle.

Peu de jours après ma catastrophe, mon hôtesse, qui, comme je l'ai dit, m'avait pris en amitié, me dit qu'elle m'avait peut-être trouvé une place, et qu'une dame de condition voulait me voir. A ce mot, je me crus tout de bon dans les hautes aventures : car j'en revenais toujours là. Celle-ci ne se trouva pas aussi brillante que je me l'étais figurée. Je fus chez cette dame avec le domestique qui lui avait parlé de moi. Elle m'interrogea, m'examina : je ne lui déplus pas; et tout de suite j'entrai à son service, non pas tout à fait en qualité de favori, mais en qualité de laquais. Je fus vêtu de la couleur de ses gens; la seule distinction fut qu'ils portaient l'aiguillette, et qu'on ne me la donna pas : comme il n'y avait point de galons à sa livrée, cela faisait à peu près un habit bourgeois. Voilà le terme inattendu auquel aboutirent enfin toutes mes grandes espérances.

Mme la comtesse de Vercellis, chez qui j'entrai, était veuve et sans enfants : son mari était Piémontais; pour elle, je l'ai toujours crue Savoyarde, ne pouvant imaginer qu'une Piémontaise parlât si bien français et eût un accent si pur. Elle était entre deux âges, d'une figure fort noble, d'un esprit orné, aimant la littérature française, et s'y connaissant. Elle écrivait beaucoup et toujours en français. Ses lettres avaient le tour et presque la grâce de celles de Mme de Sévigné; on aurait pu s'y tromper à quelques-unes. Mon principal emploi, et

qui ne me déplaisait pas, était de les écrire sous sa dictée, un cancer au sein, qui la faisait beaucoup souffrir, ne lui permettant plus d'écrire elle-même.

Mme de Vercellis avait non seulement beaucoup d'esprit, mais une âme élevée et forte. J'ai suivi sa dernière maladie; je l'ai vue souffrir et mourir sans jamais marquer un instant de faiblesse, sans faire le moindre effort pour se contraindre, sans sortir de son rôle de femme, et sans se douter qu'il y eût à cela de la philosophie, mot qui n'était pas encore à la mode, et qu'elle ne connaissait même pas dans le sens qu'il porte aujourd'hui. Cette force de caractère allait quelquefois jusqu'à la sécheresse. Elle m'a toujours paru aussi peu sensible pour autrui que pour elle-même, et quand elle faisait du bien aux malheureux, c'était pour faire ce qui était bien en soi, plutôt que par une véritable commisération. J'ai un peu éprouvé de cette insensibilité pendant les trois mois que j'ai passés auprès d'elle. Il était naturel qu'elle prît en affection un jeune homme de quelque espérance, qu'elle avait incessamment sous les yeux, et qu'elle songeât, se sentant mourir, qu'après elle il aurait besoin de secours et d'appui : cependant, soit qu'elle ne me jugeât pas digne d'une attention particulière, soit que les gens qui l'obsédaient ne lui aient permis de songer qu'à eux, elle ne fit rien pour moi.

Je me rappelle pourtant fort bien qu'elle avait marqué quelque curiosité de me connaître. Elle

m'interrogeait quelquefois : elle était bien aise que je lui montrasse les lettres que j'écrivais à Mme de Warens, que je lui rendisse compte de mes sentiments. Mais elle ne s'y prenait assurément pas bien pour les connaître, en ne me montrant jamais les siens. Mon cœur aimait à s'épancher, pourvu qu'il sentît que c'était dans un autre. Des interrogations sèches et froides, sans aucun signe d'approbation ni de blâme sur mes réponses, ne me donnaient aucune confiance. Quand rien ne m'apprenait si mon babil plaisait ou déplaisait, j'étais toujours en crainte, et je cherchais moins à montrer ce que je pensais qu'à ne rien dire qui pût me nuire. J'ai remarqué depuis que cette manière sèche d'interroger les gens pour les connaître est un tic assez commun chez les femmes qui se piquent d'esprit. Elles s'imaginent qu'en ne laissant point paraître leur sentiment, elles parviendront à mieux pénétrer le vôtre : mais elles ne voient pas qu'elles ôtent par là le courage de le montrer. Un homme qu'on interroge commence par cela seul à se mettre en garde, et s'il croit que, sans prendre à lui un véritable intérêt, on ne veut que le faire jaser, il ment, ou se tait, ou redouble d'attention sur lui-même, et aime encore mieux passer pour un sot que d'être dupe de votre curiosité. Enfin c'est toujours un mauvais moyen de lire dans le cœur des autres que d'affecter de cacher le sien.

Mme de Vercellis ne m'a jamais dit un mot qui sentît l'affection, la pitié, la bienveillance. Elle m'interrogeait froidement; je répondais avec réserve.

Mes réponses étaient si timides qu'elle dut les trouver basses et s'en ennuya. Sur la fin elle ne me questionnait plus, ne me parlait plus que pour son service. Elle me jugea moins sur ce que j'étais que sur ce qu'elle m'avait fait, et à force de ne voir en moi qu'un laquais, elle m'empêcha de lui paraître autre chose.

Je crois que j'éprouvai dès lors ce jeu malin des intérêts cachés qui m'a traversé toute ma vie, et qui m'a donné une aversion bien naturelle pour l'ordre apparent qui les produit. Mme de Vercellis, n'ayant point d'enfants, avait pour héritier son neveu le comte de la Roque, qui lui faisait assidûment sa cour. Outre cela, ses principaux domestiques, qui la voyaient tirer à sa fin, ne s'oubliaient pas, et il y avait tant d'empressés autour d'elle, qu'il était difficile qu'elle eût du temps pour penser à moi. A la tête de sa maison était un nommé M. Lorenzi, homme adroit, dont la femme, encore plus adroite, s'était tellement insinuée dans les bonnes grâces de sa maîtresse, qu'elle était plutôt chez elle sur le pied d'une amie que d'une femme à ses gages. Elle lui avait donné pour femme de chambre une nièce à elle appelée Mlle Pontal, fine mouche, qui se donnait des airs de demoiselle suivante, et aidait sa tante à obséder si bien leur maîtresse, qu'elle ne voyait que par leurs yeux et n'agissait que par leurs mains. Je n'eus pas le bonheur d'agréer à ces trois personnes : je leur obéissais, mais je ne les servais pas; je n'imaginais pas qu'outre le service de notre commune maî-

tresse, je dusse être encore le valet de ses valets.
J'étais d'ailleurs une espèce de personnage inquié-
tant pour eux. Ils voyaient bien que je n'étais pas
à ma place; ils craignaient que madame ne le vît
aussi, et que ce qu'elle ferait pour m'y mettre ne
diminuât leurs portions : car ces sortes de gens,
trop avides pour être justes, regardent tous les legs
qui sont pour d'autres comme pris sur leur propre
bien. Ils se réunirent donc pour m'écarter de ses
yeux. Elle aimait à écrire des lettres; c'était un
amusement pour elle dans son état : ils l'en dégoû-
tèrent et l'en firent détourner par le médecin, en
la persuadant que cela la fatiguait. Sous prétexte
que je n'entendais pas le service, on employait au
lieu de moi deux gros manants de porteurs de
chaise autour d'elle; enfin l'on fit si bien, que,
quand elle fit son testament, il y avait huit jours
que je n'étais entré dans sa chambre. Il est vrai
qu'après cela j'y entrai comme auparavant, et j'y
fus même plus assidu que personne, car les dou-
leurs de cette pauvre femme me déchiraient; la
constance avec laquelle elle les souffrait me la
rendait extrêmement respectable et chère, et j'ai
bien versé dans sa chambre des larmes sincères,
sans qu'elle ni personne s'en aperçût.

Nous la perdîmes enfin. Je la vis expirer. Sa vie
avait été celle d'une femme d'esprit et de sens; sa
mort fut celle d'un sage. Je puis dire qu'elle me
rendit la religion catholique aimable par la séré-
nité d'âme avec laquelle elle en remplit les devoirs,
sans négligence et sans affectation. Elle était natu-

rellement sérieuse. Sur la fin de sa maladie, elle prit
une sorte de gaieté trop égale pour être jouée, et
qui n'était qu'un contrepoids donné par la raison
même contre la tristesse de son état. Elle ne garda
le lit que les deux derniers jours, et ne cessa de
s'entretenir paisiblement avec tout le monde. Enfin,
ne parlant plus, et déjà dans les combats de l'ago-
nie, elle fit un gros pet. « Bon! dit-elle en se retour-
nant, femme qui pète n'est pas morte. » Ce furent
les derniers mots qu'elle prononça.

Elle avait légué un an de leurs gages à ses bas
domestiques; mais n'étant point couché sur l'état
de sa maison, je n'eus rien. Cependant le comte
de la Roque me fit donner trente livres, et me
laissa l'habit neuf que j'avais sur le corps, et que
M. Lorenzi voulait m'ôter. Il promit même de
chercher à me placer et me permit de l'aller voir.
J'y fus deux ou trois fois sans pouvoir lui parler.
J'étais facile à rebuter, je n'y retournai plus. On
verra bientôt que j'eus tort.

Que n'ai-je achevé tout ce que j'avais à dire de
mon séjour chez Mme de Vercellis! Mais, bien que
mon apparente situation demeurât la même, je ne
sortis pas de sa maison comme j'y étais entré. J'en
emportai les longs souvenirs du crime et l'insup-
portable poids des remords dont au bout de qua-
rante ans ma conscience est encore chargée, et dont
l'amer sentiment, loin de s'affaiblir, s'irrite à me-
sure que je vieillis. Qui croirait que la faute d'un
enfant pût avoir des suites aussi cruelles? C'est de
ces suites plus que probables que mon cœur ne

saurait se consoler. J'ai peut-être fait périr dans
l'opprobre et dans la misère une fille aimable, hon-
nête, estimable, et qui sûrement valait beaucoup
mieux que moi.

Il est bien difficile que la dissolution d'un mé-
nage n'entraîne un peu de confusion dans la mai-
son, et qu'il ne s'égare bien des choses : cependant,
telle était la fidélité des domestiques et la vigilance
de M. et Mme Lorenzi, que rien ne se trouva de
manque sur l'inventaire. La seule Mlle Pontal per-
dit un petit ruban couleur de rose et argent, déjà
vieux. Beaucoup d'autres meilleures choses étaient
à ma portée; ce ruban seul me tenta, je le volai,
et comme je ne le cachais guère, on me le trouva
bientôt. On voulut savoir où je l'avais pris. Je me
trouble, je balbutie, et enfin je dis, en rougissant,
que c'est Marion qui me l'a donné. Marion était
une jeune Mauriennoise dont Mme de Vercellis
avait fait sa cuisinière, quand, cessant de donner à
manger, elle avait renvoyé la sienne, ayant plus
besoin de bons bouillons que de ragoûts fins. Non
seulement Marion était jolie, mais elle avait une
fraîcheur de coloris qu'on ne trouve que dans les
montagnes, et surtout un air de modestie et de
douceur qui faisait qu'on ne pouvait la voir sans
l'aimer; d'ailleurs bonne fille, sage et d'une fidé-
lité à toute épreuve. C'est ce qui surprit quand
je la nommai. L'on n'avait guère moins de
confiance en moi qu'en elle, et l'on jugea qu'il
importait de vérifier lequel était le fripon des
deux. On la fit venir; l'assemblée était nombreuse,

le comte de la Roque y était. Elle arrive, on lui montre le ruban, je la charge effrontément; elle reste interdite, se tait, me jette un regard qui aurait désarmé les démons, et auquel mon barbare cœur résiste. Elle nie enfin avec assurance, mais sans emportement, m'apostrophe, m'exhorte à rentrer en moi-même, à ne pas déshonorer une fille innocente qui ne m'a jamais fait de mal; et moi, avec une impudence infernale, je confirme ma déclaration, et lui soutiens en face qu'elle m'a donné le ruban. La pauvre fille se mit à pleurer, et ne me dit que ces mots : « Ah! Rousseau, je vous croyais un bon caractère. Vous me rendez bien malheureuse; mais je ne voudrais pas être à votre place. » Voilà tout. Elle continua de se défendre avec autant de simplicité que de fermeté, mais sans se permettre jamais contre moi la moindre invective. Cette modération, comparée à mon ton décidé, lui fit tort. Il ne semblait pas naturel de supposer d'un côté une audace aussi diabolique, et de l'autre une aussi angélique douceur. On ne parut pas se décider absolument, mais les préjugés étaient pour moi. Dans le tracas où l'on était, on ne se donna pas le temps d'approfondir la chose; et le comte de la Roque, en nous renvoyant tous deux, se contenta de dire que la conscience du coupable vengerait assez l'innocent. Sa prédiction n'a pas été vaine; elle ne cesse pas un seul jour de s'accomplir.

J'ignore ce que devint cette victime de ma calomnie mais il n'y a pas d'apparence qu'elle ait après cela trouvé facilement à se bien placer. Elle

emportait une imputation cruelle à son honneur de toutes manières. Le vol n'était qu'une bagatelle, mais enfin c'était un vol, et, qui pis est, employé à séduire un jeune garçon : enfin le mensonge et l'obstination ne laissaient rien à espérer de celle en qui tant de vices étaient réunis. Je ne regarde pas même la misère et l'abandon comme le plus grand danger auquel je l'aie exposée. Qui sait, à son âge, où le découragement de l'innocence avilie a pu la porter? Eh! si le remords d'avoir pu la rendre malheureuse est insupportable, qu'on juge de celui d'avoir pu la rendre pire que moi!

Ce souvenir cruel me trouble quelquefois, et me bouleverse au point de voir dans mes insomnies cette pauvre fille venir me reprocher mon crime, comme s'il n'était commis que d'hier. Tant que j'ai vécu tranquille, il m'a moins tourmenté; mais au milieu d'une vie orageuse il m'ôte la plus douce consolation des innocents persécutés : il me fait bien sentir ce que je crois avoir dit dans quelque ouvrage, que le remords s'endort durant un destin prospère, et s'aigrit dans l'adversité. Cependant je n'ai jamais pu prendre sur moi de décharger mon cœur de cet aveu dans le sein d'un ami. La plus étroite intimité ne me l'a jamais fait faire à personne, pas même à Mme de Warens. Tout ce que j'ai pu faire a été d'avouer que j'avais à me reprocher une action atroce, mais jamais je n'ai dit en quoi elle consistait. Ce poids est donc resté jusqu'à ce jour sans allégement sur ma conscience, et je puis dire que le désir de m'en délivrer en quelque

sorte a beaucoup contribué à la résolution que j'ai prise d'écrire mes confessions.

J'ai procédé rondement dans celle que je viens de faire, et l'on ne trouvera sûrement pas que j'aie ici pallié la noirceur de mon forfait. Mais je ne remplirais pas le but de ce livre, si je n'exposais en même temps mes dispositions intérieures, et que je craignisse de m'excuser en ce qui est conforme à la vérité. Jamais la méchanceté ne fut plus loin de moi que dans ce cruel moment, et lorsque je chargeai cette malheureuse fille, il est bizarre, mais il est vrai que mon amitié pour elle en fut la cause. Elle était présente à ma pensée, je m'excusai sur le premier objet qui s'offrit. Je l'accusai d'avoir fait ce que je voulais faire, et de m'avoir donné le ruban, parce que mon intention était de le lui donner. Quand je la vis paraître ensuite, mon cœur fut déchiré, mais la présence de tant de monde fut plus forte que mon repentir. Je craignais peu la punition, je ne craignais que la honte; mais je la craignais plus que la mort, plus que le crime, plus que tout au monde. J'aurais voulu m'enfoncer, m'étouffer dans le centre de la terre; l'invincible honte l'emporta sur tout, la honte seule fit mon impudence; et plus je devenais criminel, plus l'effroi d'en convenir me rendait intrépide. Je ne voyais que l'horreur d'être reconnu, déclaré publiquement, moi présent, voleur, menteur, calomniateur. Un trouble universel m'ôtait tout autre sentiment. Si l'on m'eût laissé revenir à moi-même, j'aurais infailliblement tout déclaré. Si

M. de la Roque m'eût pris à part, qu'il m'eût dit :
« Ne perdez pas cette pauvre fille; si vous êtes cou-
pable, avouez-le-moi », je me serais jeté à ses pieds
dans l'instant, j'en suis parfaitement sûr. Mais on
ne fit que m'intimider quand il fallait me donner
du courage. L'âge est encore une attention qu'il est
juste de faire; à peine étais-je sorti de l'enfance, ou
plutôt j'y étais encore. Dans la jeunesse, les véri-
tables noirceurs sont plus criminelles encore que
dans l'âge mûr : mais ce qui n'est que faiblesse
l'est beaucoup moins, et ma faute au fond n'était
guère autre chose. Aussi son souvenir m'afflige-t-il
moins à cause du mal en lui-même qu'à cause de
celui qu'il a dû causer. Il m'a même fait ce bien
de me garantir pour le reste de ma vie de tout
acte tendant au crime, par l'impression terrible
qui m'est restée du seul que j'aie jamais commis;
et je crois sentir que mon aversion pour le men-
songe me vient en grande partie du regret d'en
avoir pu faire un aussi noir. Si c'est un crime qui
puisse être expié, comme j'ose le croire, il doit
l'être par tant de malheurs dont la fin de ma vie
est accablée, par quarante ans de droiture et d'hon-
neur dans des occasions difficiles, et la pauvre
Marion trouve tant de vengeurs en ce monde, que,
quelque grande qu'ait été mon offense envers elle,
je crains peu d'en emporter la coulpe avec moi.
Voilà ce que j'avais à dire sur cet article. Qu'il me
soit permis de n'en reparler jamais.

LIVRE TROISIÈME

1728-1730

SORTI de chez Mme de Vercellis à peu près comme
j'y étais entré, je retournai chez mon ancienne
hôtesse, et j'y restai cinq ou six semaines, durant
lesquelles la santé, la jeunesse et l'oisiveté me ren-
dirent souvent mon tempérament importun. J'étais
inquiet, distrait, rêveur; je pleurais, je soupirais,
je désirais un bonheur dont je n'avais pas l'idée,
et dont je sentais pourtant la privation. Cet état
ne peut se décrire; et peu d'hommes même le
peuvent imaginer, parce que la plupart ont pré-
venu cette plénitude de vie, à la fois tourmen-
tante et délicieuse, qui, dans l'ivresse du désir,
donne un avant-goût de la jouissance. Mon sang
allumé remplissait incessamment mon cerveau de
filles et de femmes : mais, n'en sentant pas le
véritable usage, je les occupais bizarrement en
idée à mes fantaisies sans en savoir rien faire de
plus; et ces idées tenaient mes sens dans une acti-

vité très incommode, dont, par bonheur, elles ne
m'apprenaient point à me délivrer. J'aurais donné
ma vie pour retrouver un quart d'heure une de-
moiselle Goton. Mais ce n'était plus le temps où
les jeux de l'enfance allaient là comme d'eux-
mêmes. La honte, compagne de la conscience du
mal, était venue avec les années; elle avait accru
ma timidité naturelle au point de la rendre invin-
cible; et jamais, ni dans ce temps-là ni depuis, je
n'ai pu parvenir à faire une proposition lascive,
que celle à qui je la faisais ne m'y ait en quelque
sorte contraint par ses avances, quoique sachant
qu'elle n'était pas scrupuleuse, et presque assuré
d'être pris au mot.

Mon agitation crût au point que, ne pouvant
contenter mes désirs, je les attisais par les plus
extravagantes manœuvres. J'allais chercher des
allées sombres, des réduits cachés, où je pusse
m'exposer de loin aux personnes du sexe dans
l'état où j'aurais voulu pouvoir être auprès d'elles.
Ce qu'elles voyaient n'était pas l'objet obscène, je
n'y songeais même pas; c'était l'objet ridicule. Le
sot plaisir que j'avais de l'étaler à leurs yeux ne
peut se décrire. Il n'y avait de là plus qu'un pas
à faire pour sentir le traitement désiré, et je ne
doute pas que quelque résolue, en passant, ne m'en
eût donné l'amusement, si j'eusse eu l'audace
d'attendre. Cette folie eut une catastrophe à peu
près aussi comique, mais un peu moins plaisante
pour moi.

Un jour j'allai m'établir au fond d'une cour,

dans laquelle était un puits où les filles de la maison venaient souvent chercher de l'eau. Dans ce fond il y avait une petite descente qui menait à des caves par plusieurs communications. Je sondai dans l'obscurité ces allées souterraines, et, les trouvant longues et obscures, je jugeai qu'elles ne finissaient point, et que, si j'étais vu et surpris, j'y trouverais un refuge assuré. Dans cette confiance, j'offrais aux filles qui venaient au puits un spectacle plus risible que séducteur. Les plus sages feignirent de ne rien voir; d'autres se mirent à rire; d'autres se crurent insultées et firent du bruit. Je me sauvai dans ma retraite : j'y fus suivi. J'entendis une voix d'homme sur laquelle je n'avais pas compté, et qui m'alarma. Je m'enfonçai dans les souterrains, au risque de m'y perdre : le bruit, les voix, la voix d'homme me suivaient toujours. J'avais compté sur l'obscurité, je vis de la lumière. Je frémis, je m'enfonçai davantage. Un mur m'arrêta, et, ne pouvant aller plus loin, il fallut attendre là ma destinée. En un moment je fus atteint et saisi par un grand homme portant une grande moustache, un grand chapeau, un grand sabre, escorté de quatre ou cinq vieilles femmes armées chacune d'un manche à balai, parmi lesquelles j'aperçus la petite coquine qui m'avait décelé, et qui voulait sans doute me voir au visage.

L'homme au sabre, en me prenant par le bras, me demanda rudement ce que je faisais là. On conçoit que ma réponse n'était pas prête. Je me remis cependant; et, m'évertuant dans ce moment

critique, je tirai de ma tête un expédient roma-
nesque qui me réussit. Je lui dis, d'un ton sup-
pliant, d'avoir pitié de mon âge et de mon état;
que j'étais un jeune étranger de grande naissance,
dont le cerveau s'était dérangé; que je m'étais
échappé de la maison paternelle parce qu'on vou-
lait m'enfermer; que j'étais perdu s'il me faisait
connaître; mais que, s'il voulait bien me laisser
aller, je pourrais peut-être un jour reconnaître
cette grâce. Contre toute attente, mon discours et
mon air firent effet : l'homme terrible en fut tou-
ché; et après une réprimande assez courte, il me
laissa doucement aller sans me questionner davan-
tage. A l'air dont la jeune et les vieilles me virent
partir, je jugeai que l'homme que j'avais tant
craint m'était fort utile, et qu'avec elles seules je
n'en aurais pas été quitte à si bon marché. Je les
entendis murmurer je ne sais quoi dont je ne me
souciais guère; car, pourvu que le sabre et l'homme
ne s'en mêlassent pas, j'étais bien sûr, leste et vigou-
reux comme j'étais, de me délivrer bientôt et de
leurs tricots et d'elles.

Quelques jours après, passant dans une rue avec
un jeune abbé, mon voisin, j'allai donner du nez
contre l'homme au sabre. Il me reconnut, et me
contrefaisant d'un ton railleur : « Je suis prince,
me dit-il, je suis prince; et moi je suis un coïon :
mais que Son Altesse n'y revienne pas. » Il
n'ajouta rien de plus, et je m'esquivai en baissant
la tête et le remerciant, dans mon cœur, de sa dis-
crétion. J'ai jugé que ces maudites vieilles lui

avaient fait honte de sa crédulité. Quoi qu'il en
soit, tout Piémontais qu'il était, c'était un bon
homme, et jamais je ne pense à lui sans un mou-
vement de reconnaissance : car l'histoire était si
plaisante, que, par le seul désir de faire rire,
tout autre à sa place m'eût déshonoré. Cette aven-
ture, sans avoir les suites que j'en pouvais craindre,
ne laissa pas de me rendre sage pour longtemps.

Mon séjour chez Mme de Vercellis m'avait pro-
curé quelques connaissances, que j'entretenais dans
l'espoir qu'elles pourraient m'être utiles. J'allais
voir quelquefois entre autres un abbé savoyard
appelé M. Gaime, précepteur des enfants du
comte de Mellarède. Il était jeune encore et peu
répandu, mais plein de bon sens, de probité, de
lumières, et l'un des plus honnêtes hommes que
j'aie connus. Il ne me fut d'aucune ressource pour
l'objet qui m'attirait chez lui : il n'avait pas assez
de crédit pour me placer; mais je trouvai près de
lui des avantages plus précieux qui m'ont profité
toute ma vie, les leçons de la saine morale et les
maximes de la droite raison. Dans l'ordre successif
de mes goûts et de mes idées, j'avais toujours été
trop haut ou trop bas; Achille ou Thersite, tantôt
héros et tantôt vaurien. M. Gaime prit le soin
de me mettre à ma place et de me montrer à moi-
même, sans m'épargner ni me décourager. Il me
parla très honorablement de mon naturel et de
mes talents : mais il ajouta qu'il en voyait naître
les obstacles qui m'empêcheraient d'en tirer parti;
de sorte qu'ils devaient, selon lui, bien moins me

servir de degrés pour monter à la fortune que de
ressources pour m'en passer. Il me fit un tableau
vrai de la vie humaine, dont je n'avais que
de fausses idées; il me montra comment, dans un
destin contraire, l'homme sage peut toujours
tendre au bonheur et courir au plus près du vent
pour y parvenir; comment il n'y a point de vrai
bonheur sans sagesse, et comment la sagesse est de
tous les états. Il amortit beaucoup mon admiration
pour la grandeur en me prouvant que ceux qui
dominaient les autres n'étaient ni plus sages ni plus
heureux qu'eux. Il me dit une chose qui m'est
souvent revenue à la mémoire, c'est que, si chaque
homme pouvait lire dans les cœurs de tous les
autres, il y aurait plus de gens qui voudraient
descendre que de ceux qui voudraient monter.
Cette réflexion, dont la vérité frappe, et qui n'a
rien d'outré, m'a été d'un grand usage dans le
cours de ma vie pour me faire tenir à ma place
paisiblement. Il me donna les premières vraies
idées de l'honnête, que mon génie ampoulé n'avait
saisi que dans ses excès. Il me fit sentir que l'en-
thousiasme des vertus sublimes était peu d'usage
dans la société, qu'en s'élançant trop haut on était
sujet aux chutes; que la continuité des petits devoirs
toujours bien remplis ne demandait pas moins
de force que les actions héroïques; qu'on en tirait
meilleur parti pour l'honneur et pour le bonheur;
et qu'il valait infiniment mieux avoir toujours l'es-
time des hommes que quelquefois leur admiration.
Pour établir les devoirs de l'homme il fallait bien

remonter à leur principe. D'ailleurs, le pas que je venais de faire, et dont mon état présent était la suite, nous conduisait à parler de religion. L'on conçoit déjà que l'honnête M. Gaime est, du moins en grande partie, l'original du Vicaire savoyard. Seulement, la prudence l'obligeant à parler avec plus de réserve, il s'expliqua moins ouvertement sur certains points; mais au reste ses maximes, ses sentiments, ses avis furent les mêmes, et, jusqu'au conseil de retourner dans ma patrie, tout fut comme je l'ai rendu depuis au public. Ainsi, sans m'étendre sur des entretiens dont chacun peut voir la substance, je dirai que ses leçons, sages, mais d'abord sans effet, furent dans mon cœur un germe de vertu et de religion qui ne s'y étouffa jamais, et qui n'attendait, pour fructifier, que les soins d'une main plus chérie.

Quoique alors ma conversion fût peu solide, je ne laissais pas d'être ému. Loin de m'ennuyer de ses entretiens, j'y pris goût à cause de leur clarté, de leur simplicité, et surtout d'un certain intérêt de cœur dont je sentais qu'ils étaient pleins. J'ai l'âme aimante, et je me suis toujours attaché aux gens moins à proportion du bien qu'ils m'ont fait que de celui qu'ils m'ont voulu, et c'est sur quoi mon tact ne me trompe guère. Aussi je m'affectionnais véritablement à M. Gaime; j'étais pour ainsi dire son second disciple; et cela me fit pour le moment même l'inestimable bien de me détourner de la pente du vice où m'entraînait mon oisiveté.

Un jour que je ne pensais à rien moins, on vint

me chercher de la part du comte de la Rôque. A force d'y aller et de ne pouvoir lui parler, je m'étais ennuyé, je n'y allais plus : je crus qu'il m'avait oublié, ou qu'il lui était resté de mauvaises impressions de moi. Je me trompais. Il avait été témoin plus d'une fois du plaisir avec lequel je remplissais mon devoir auprès de sa tante; il le lui avait même dit, et il m'en reparla quand moi-même je n'y songeais plus. Il me reçut bien, me dit que, sans m'amuser de promesses vagues, il avait cherché à me placer, qu'il avait réussi, qu'il me mettait en chemin de devenir quelque chose, que c'était à moi de faire le reste; que la maison où il me faisait entrer était puissante et considérée, que je n'avais pas besoin d'autres protecteurs pour m'avancer, et que quoique traité d'abord en simple domestique, comme je venais de l'être, je pouvais être assuré que si l'on me jugeait par mes sentiments et par ma conduite au-dessus de cet état, on était disposé à ne m'y pas laisser. La fin de ce discours démentit cruellement les brillantes espérances que le commencement m'avait données. Quoi! toujours laquais! me dis-je en moi-même avec un dépit amer que la confiance effaça bientôt. Je me sentais trop peu fait pour cette place pour craindre qu'on m'y laissât.

Il me mena chez le comte de Gouvon, premier écuyer de la reine, et chef de l'illustre maison de Solar. L'air de dignité de ce respectable vieillard me rendit plus touchante l'affabilité de son accueil. Il m'interrogea avec intérêt, et je lui répondis avec

sincérité. Il dit au comte de la Roque que j'avais
une physionomie agréable et qui promettait de
l'esprit; qu'il lui paraissait qu'en effet je n'en man-
quais pas, mais que ce n'était pas là tout, et qu'il
fallait voir le reste; puis, se tournant vers moi :
« Mon enfant, me dit-il, presque en toutes choses
les commencements sont rudes; les vôtres ne le
seront pourtant pas beaucoup. Soyez sage, et cher-
chez à plaire ici à tout le monde; voilà, quant
à présent, votre unique emploi : du reste, ayez bon
courage; on veut prendre soin de vous. » Tout de
suite il passa chez la marquise de Breil, sa belle-
fille, et me présenta à elle, puis à l'abbé de Gouvon,
son fils. Ce début me parut de bon augure. J'en
savais assez déjà pour juger qu'on ne fait pas tant
de façon à la réception d'un laquais. En effet, on
ne me traita pas comme tel. J'eus la table de
l'office; on ne me donna point d'habit de livrée,
et le comte de Favria, jeune étourdi, m'ayant
voulu faire monter derrière son carrosse, son grand-
père défendit que je montasse derrière aucun
carrosse, et que je suivisse personne hors de la
maison. Cependant, je servais à table, et je faisais
à peu près au-dedans le service d'un laquais; mais
je le faisais en quelque façon librement, sans être
attaché nommément à personne. Hors quelques
lettres qu'on me dictait, et des images que le comte
de Favria me faisait découper, j'étais presque le
maître de tout mon temps dans la journée. Cette
épreuve, dont je ne m'apercevais pas, était assuré-
ment très dangereuse; elle n'était pas même fort

humaine; car cette grande oisiveté pouvait me faire contracter des vices que je n'aurais pas eus sans cela.

Mais c'est ce qui très heureusement n'arriva point. Les leçons de M. Gaime avaient fait impression sur mon cœur, et j'y pris tant de goût que je m'échappais quelquefois pour aller les entendre encore. je crois que ceux qui me voyaient sortir ainsi furtivement ne devinaient guère où j'allais. Il ne se peut rien de plus sensé que les avis qu'il me donna sur ma conduite. Mes commencements furent admirables; j'étais d'une assiduité, d'une attention, d'un zèle qui charmaient tout le monde. L'abbé Gaime m'avait sagement averti de modérer cette première ferveur, de peur qu'elle ne vînt à se relâcher et qu'on n'y prît garde. « Votre début, me dit-il, est la règle de ce qu'on exigera de vous : tâchez de vous ménager de quoi faire plus dans la suite, mais gardez-vous de faire jamais moins. »

Comme on ne m'avait guère examiné sur mes petits talents, et qu'on ne me supposait que ceux que m'avait donnés la nature, il ne paraissait pas, malgré ce que le comte de Gouvon m'avait pu dire, qu'on songeât à tirer parti de moi. Des affaires vinrent à la traverse, et je fus à peu près oublié. Le marquis de Breil, fils du comte de Gouvon, était alors ambassadeur à Vienne. Il survint des mouvements à la cour qui se firent sentir dans la famille, et l'on y fut quelques semaines dans une agitation qui ne laissait guère le temps de penser à moi. Cependant jusque-là je m'étais peu relâché. Une

chose me fit du bien et du mal, en m'éloignant
de toute dissipation extérieure, mais en me rendant
un peu plus distrait sur mes devoirs.

Mlle de Breil était une jeune personne à peu près
de mon âge, bien faite, assez belle, très blanche,
avec des cheveux très noirs, et, quoique brune,
portant sur son visage cet air de douceur des
blondes auquel mon cœur n'a jamais résisté. L'habit
de cour, si favorable aux jeunes personnes, mar-
quait sa jolie taille, dégageait sa poitrine et ses
épaules, et rendait son teint encore plus éblouissant
par le deuil qu'on portait alors. On dira que ce
n'est pas à un domestique de s'apercevoir de ces
choses-là. J'avais tort, sans doute; mais je m'en
apercevais toutefois, et même je n'étais pas le seul.
Le maître d'hôtel et les valets de chambre en par-
laient quelquefois à table avec une grossièreté qui
me faisait cruellement souffrir. La tête ne me
tournait pourtant pas au point d'être amoureux
tout de bon. Je ne m'oubliais point; je me tenais à
ma place, et mes désirs même ne s'émancipaient pas.
J'aimais à voir Mlle de Breil, à lui entendre dire
quelques mots qui marquaient de l'esprit, du sens,
de l'honnêteté : mon ambition, bornée au plaisir
de la servir, n'allait point au-delà de mes droits. A
table j'étais attentif à chercher l'occasion de les
faire valoir. Si son laquais quittait un moment sa
chaise, à l'instant on m'y voyait établi : hors de là
je me tenais vis-à-vis d'elle; je cherchais dans ses
yeux ce qu'elle allait demander, j'épiais le moment
de changer son assiette. Que n'aurais-je point fait

pour qu'elle daignât m'ordonner quelque chose, me
regarder, me dire un seul mot! Mais point : j'avais
la mortification d'être nul pour elle; elle ne s'aper-
cevait pas même que j'étais là. Cependant, son
frère, qui m'adressait quelquefois la parole à table,
m'ayant dit je ne sais quoi de peu obligeant, je
lui fis une réponse si fine et si bien tournée, qu'elle
y fit attention, et jeta les yeux sur moi. Ce coup
d'œil, qui fut court, ne laissa pas de me transporter.
Le lendemain, l'occasion se présenta d'en obtenir
un second, et j'en profitai. On donnait ce jour-là
un grand dîner, où, pour la première fois, je vis
avec beaucoup d'étonnement le maître d'hôtel servir
l'épée au côté et le chapeau sur la tête. Par hasard
on vint à parler de la devise de la maison de Solar,
qui était sur la tapisserie avec les armoiries : *Tel
fiert qui ne tue pas.* Comme les Piémontais ne sont
pas pour l'ordinaire consommés dans la langue
française, quelqu'un trouva dans cette devise une
faute d'orthographe, et dit qu'au mot *fiert* il ne
fallait point de *t.*

Le vieux comte de Gouvon allait répondre; mais
ayant jeté les yeux sur moi, il vit que je souriais
sans oser rien dire : il m'ordonna de parler. Alors
je dis que je ne croyais pas que le *t* fût de trop,
que *fiert* était un vieux mot français qui ne venait
pas du nom *ferus,* fier, menaçant, mais du verbe
ferit, il frappe, il blesse; qu'ainsi la devise ne me
paraissait pas dire : Tel menace, mais *tel frappe qui
ne tue pas.*

Tout le monde me regardait et se regardait sans

rien dire. On ne vit de la vie un pareil étonnement.
Mais ce qui me flatta davantage fut de voir claire-
ment sur le visage de Mlle de Breil un air de satis-
faction. Cette personne si dédaigneuse daigna me
jeter un second regard qui valait tout au moins
le premier; puis, tournant les yeux vers son grand-
papa, elle semblait attendre avec une sorte d'impa-
tience la louange qu'il me devait, et qu'il me donna
en effet si pleine et entière et d'un air si content
que toute la table s'empressa de faire chorus. Ce
moment fut court, mais délicieux à tous égards. Ce
fut un de ces moments trop rares qui replacent les
choses dans leur ordre naturel, et vengent le mérite
avili des outrages de la fortune. Quelques minutes
après, Mlle de Breil, levant derechef les yeux sur
moi, me pria, d'un ton de voix aussi timide
qu'affable, de lui donner à boire. On juge que je ne
la fis pas attendre; mais en approchant je fus saisi
d'un tel tremblement, qu'ayant trop rempli le verre,
je répandis une partie de l'eau sur l'assiette et
même sur elle. Son frère me demanda étourdiment
pourquoi je tremblais si fort. Cette question ne
servit pas à me rassurer, et Mlle de Breil rougit
jusqu'au blanc des yeux.

Ici finit le roman où l'on remarquera, comme
avec Mme Basile, et dans toute la suite de ma vie,
que je ne suis pas heureux dans la conclusion de
mes amours. Je m'affectionnai inutilement à l'anti-
chambre de Mme de Breil : je n'obtins plus une
seule marque d'attention de la part de sa fille. Elle
sortait et rentrait sans me regarder, et moi, j'osais

à peine jeter les yeux sur elle. J'étais même si bête
et si maladroit, qu'un jour qu'elle avait en passant
laissé tomber son gant, au lieu de m'élancer sur ce
gant que j'aurais voulu couvrir de baisers, je n'osai
sortir de ma place, et je laissai ramasser le gant
par un gros butor de valet que j'aurais volontiers
écrasé. Pour achever de m'intimider, je m'aperçus
que je n'avais pas le bonheur d'agréer à Mme de
Breil. Non seulement elle ne m'ordonnait rien,
mais elle n'acceptait jamais mon service; et deux
fois, me trouvant dans son antichambre, elle me
demanda d'un ton fort sec si je n'avais rien à faire.
Il fallut renoncer à cette chère antichambre. J'en
eus d'abord du regret, mais les distractions vinrent
à la traverse, et bientôt je n'y pensai plus.

J'eus de quoi me consoler du dédain de Mme de
Breil par les bontés de son beau-père, qui s'aperçut
enfin que j'étais là. Le soir du dîner dont j'ai
parlé, il eut avec moi un entretien d'une demi-
heure, dont il parut content et dont je fus enchanté.
Ce bon vieillard, quoique homme d'esprit, en avait
moins que Mme de Vercellis, mais il avait plus
d'entrailles, et je réussis mieux auprès de lui. Il
me dit de m'attacher à l'abbé de Gouvon son fils,
qui m'avait pris en affection; que cette affection,
si j'en profitais, pouvait m'être utile, et me faire
acquérir ce qui me manquait pour les vues qu'on
avait sur moi. Dès le lendemain matin je volai chez
M. l'abbé. Il ne me reçut point en domestique; il
me fit asseoir au coin de son feu, et, m'interrogeant
avec la plus grande douceur, il vit bientôt que mon

éducation, commencée sur tant de choses, n'était achevée sur aucune. Trouvant surtout que j'avais peu de latin, il entreprit de m'en enseigner davantage. Nous convînmes que je me rendrais chez lui tous les matins, et je commençai dès le lendemain. Ainsi, par une de ces bizarreries qu'on trouvera souvent dans le cours de ma vie, en même temps au-dessus et au-dessous de mon état, j'étais disciple et valet dans la même maison, et dans ma servitude j'avais cependant un précepteur d'une naissance à ne l'être que des enfants des rois.

M. l'abbé de Gouvon était un cadet destiné par sa famille à l'épiscopat, et dont par cette raison l'on avait poussé les études plus qu'il n'est ordinaire aux enfants de qualité. On l'avait envoyé à l'Université de Sienne, où il avait resté plusieurs années et dont il avait rapporté une assez forte dose de cruscantisme pour être à peu près à Turin ce qu'était jadis à Paris l'abbé de Dangeau. Le dégoût de la théologie l'avait jeté dans les belles-lettres, ce qui est très ordinaire en Italie à ceux qui courent la carrière de la prélature. Il avait bien lu les poètes; il faisait passablement des vers latins et italiens. En un mot il avait le goût qu'il fallait pour former le mien et mettre quelque choix dans le fatras dont je m'étais farci la tête. Mais, soit que mon babil lui eût fait quelque illusion sur mon savoir, soit qu'il ne pût supporter l'ennui du latin élémentaire, il me mit d'abord beaucoup trop haut; et à peine m'eut-il fait traduire quelques fables

de Phèdre, qu'il me jeta dans Virgile, où je n'entendais presque rien. J'étais destiné, comme on verra dans la suite, à rapprendre souvent le latin et à ne le savoir jamais. Cependant je travaillais avec assez de zèle, et M. l'abbé me prodiguait ses soins avec une bonté dont le souvenir m'attendrit encore. Je passais avec lui une bonne partie de la matinée, tant pour mon instruction que pour son service; non pour celui de sa personne, car il ne souffrit jamais que je lui en rendisse aucun, mais pour écrire sous sa dictée et pour copier, et ma fonction de secrétaire me fut plus utile que celle d'écolier. Non seulement j'appris ainsi l'italien dans sa pureté, mais je pris du goût pour la littérature et quelque discernement des bons livres qui ne s'acquérait pas chez la Tribu, et qui me servit beaucoup dans la suite, quand je me mis à travailler seul.

Ce temps fut celui de ma vie où, sans projets romanesques, je pouvais le plus raisonnablement me livrer à l'espoir de parvenir. M. l'abbé, très content de moi, le disait à tout le monde, et son père m'avait pris dans une affection si singulière, que le comte de Favria m'apprit qu'il avait parlé de moi au roi. Mme de Breil elle-même avait quitté pour moi son air méprisant. Enfin je devins une espèce de favori dans la maison, à la grande jalousie des autres domestiques, qui, me voyant honoré des instructions du fils de leur maître, sentaient bien que ce n'était pas pour rester longtemps leur égal.

Autant que j'ai pu juger des vues qu'on avait
sur moi par quelques mots lâchés à la volée, et
auxquels je n'ai réfléchi qu'après coup, il m'a paru
que la maison de Solar, voulant courir la carrière
des ambassades, et peut-être s'ouvrir de loin celle
du ministère, aurait été bien aise de se former
d'avance un sujet qui eût du mérite et des talents,
et qui, dépendant uniquement d'elle, eût pu dans
la suite obtenir sa confiance et la servir utilement.
Ce projet du comte de Gouvon était noble, judi-
cieux, magnanime, et vraiment digne d'un grand
seigneur bienfaisant et prévoyant : mais, outre que
je n'en voyais pas alors toute l'étendue, il était
trop sensé pour ma tête, et demandait un trop
long assujettissement. Ma folle ambition ne cher-
chait la fortune qu'à travers les aventures, et ne
voyant point de femme à tout cela, cette manière
de parvenir me paraissait lente, pénible et triste;
tandis que j'aurais dû la trouver d'autant plus
honorable et sûre que les femmes ne s'en mêlaient
pas, l'espèce de mérite qu'elles protègent ne valant
assurément pas celui qu'on me supposait.

Tout allait à merveille. J'avais obtenu, presque
arraché l'estime de tout le monde : les épreuves
étaient finies; et l'on me regardait généralement
dans la maison comme un jeune homme de la plus
grande espérance, qui n'était pas à sa place et qu'on
s'attendait d'y voir arriver. Mais ma place n'était
pas celle qui m'était assignée par les hommes, et
j'y devais parvenir par des chemins bien différents.
Je touche à un de ces traits caractéristiques qui me

sont propres, et qu'il suffit de présenter au lecteur sans y ajouter de réflexion.

Quoiqu'il y eût à Turin beaucoup de nouveaux convertis de mon espèce, je ne les aimais pas et n'en avais jamais voulu voir aucun. Mais j'avais vu quelques Genevois qui ne l'étaient pas, entre autres un M. Mussard, surnommé Tord-Gueule, peintre en miniature, et un peu mon parent. Ce M. Mussard déterra ma demeure chez le comte de Gouvon, et vint m'y voir avec un autre Genevois appelé Bâcle, dont j'avais été camarade durant mon apprentissage. Ce Bâcle était un garçon très amusant, très gai, plein de saillies bouffonnes que son âge rendait agréables. Me voilà tout d'un coup engoué de M. Bâcle, mais engoué au point de ne pouvoir le quitter. Il allait partir bientôt pour s'en retourner à Genève. Quelle perte j'allais faire! J'en sentais bien toute la grandeur. Pour mettre du moins à profit le temps qui m'était laissé, je ne le quittais plus, ou plutôt il ne me quittait pas lui-même; car la tête ne me tourna pas d'abord au point d'aller hors de l'hôtel passer la journée avec lui sans congé; mais bientôt, voyant qu'il m'obsédait entièrement, on lui défendit la porte, et je m'échauffai si bien, qu'oubliant tout, hors mon ami Bâcle, je n'allais ni chez M. l'abbé, ni chez M. le comte, et l'on ne me voyait plus dans la maison. On me fit des réprimandes que je n'écoutai pas. On me menaça de me congédier. Cette menace fut ma perte : elle me fit entrevoir qu'il était possible que Bâcle ne s'en allât pas seul. Dès lors, je

ne vis plus d'autre plaisir, d'autre sort, d'autre
bonheur, que celui de faire un pareil voyage, et
je ne voyais à cela que l'ineffable félicité du voyage,
au bout duquel, pour surcroît, j'entrevoyais
Mme de Warens, mais dans un éloignement im-
mense; car pour retourner à Genève, c'est à quoi
je ne pensai jamais. Les monts, les prés, les bois, les
ruisseaux, les villages se succédaient sans fin et
sans cesse avec de nouveaux charmes; ce bien-
heureux trajet semblait devoir absorber ma vie en-
tière. Je me rappelais avec délices combien ce
même voyage m'avait paru charmant en venant.
Que devait-ce être lorsqu'à tout l'attrait de l'indé-
pendance se joindrait celui de faire route avec un
camarade de mon âge, de mon goût et de bonne
humeur, sans gêne, sans devoir, sans contrainte, sans
obligation d'aller ou rester que comme il nous
plairait. Il fallait être fou pour sacrifier une pa-
reille fortune à des projets d'ambition d'une
exécution lente, difficile, incertaine, et qui, les sup-
posant réalisés un jour, ne valaient pas dans tout
leur éclat un quart d'heure de vrai plaisir et de
liberté dans la jeunesse.

Plein de cette sage fantaisie, je me conduisis si
bien que je vins à bout de me faire chasser, et en
vérité ce ne fut pas sans peine. Un soir, comme je
rentrais, le maître d'hôtel me signifia mon congé
de la part de M. le comte. C'était précisément ce
que je demandais; car, sentant malgré moi l'extra-
vagance de ma conduite, j'y ajoutais, pour
m'excuser, l'injustice et l'ingratitude, croyant

mettre ainsi les gens dans leur tort, et me justifier à moi-même un parti pris par nécessité. On me dit de la part du comte de Favria d'aller lui parler le lendemain matin avant mon départ; et comme on voyait que, la tête m'ayant tourné, j'étais capable de n'en rien faire, le maître d'hôtel remit après cette visite à me donner quelque argent qu'on m'avait destiné, et qu'assurément j'avais fort mal gagné; car ne voulant pas me laisser dans l'état de valet, on ne m'avait pas fixé de gages.

Le comte de Favria, tout jeune et tout étourdi qu'il était, me tint en cette occasion les discours les plus sensés, et j'oserais presque dire les plus tendres, tant il m'exposa d'une manière flatteuse et touchante les soins de son oncle et les intentions de son grand-père. Enfin, après m'avoir mis vivement devant les yeux tout ce que je sacrifiais pour courir à ma perte, il m'offrit de faire ma paix, exigeant pour toute condition que je ne visse plus ce petit malheureux qui m'avait séduit.

Il était si clair qu'il ne disait pas tout cela de lui-même, que, malgré mon stupide aveuglement, je sentis toute la bonté de mon vieux maître, et j'en fus touché : mais ce cher voyage était trop empreint dans mon imagination pour que rien pût en balancer le charme. J'étais tout à fait hors de sens : je me raffermis, je m'endurcis, je fis le fier, et je répondis arrogamment que, puisqu'on m'avait donné mon congé, je l'avais pris, qu'il n'était plus temps de s'en dédire, et que, quoi qu'il pût m'arriver en ma vie, j'étais bien résolu de ne

jamais me faire chasser deux fois d'une maison.
Alors ce jeune homme, justement irrité, me donna
les noms que je méritais, me mit hors de sa chambre
par les épaules, et me ferma la porte aux talons.
Moi, je sortis triomphant, comme si je venais d'em-
porter la plus grande victoire, et de peur d'avoir
un second combat à soutenir, j'eus l'indignité de
partir sans aller remercier M. l'abbé de ses bontés.

Pour concevoir jusqu'où mon délire allait dans
ce moment, il faudrait connaître à quel point mon
cœur est sujet à s'échauffer sur les moindres choses,
et avec quelle force il se plonge dans l'imagination
de l'objet qui l'attire, quelque vain que soit quel-
quefois cet objet. Les plans les plus bizarres, les
plus enfantins, les plus fous, viennent caresser mon
idée favorite, et me montrer de la vraisemblance
à m'y livrer. Croirait-on qu'à près de dix-neuf ans
on puisse fonder sur une fiole vide la subsistance du
reste de ses jours? Or, écoutez.

L'abbé de Gouvon m'avait fait présent, il y avait
quelques semaines, d'une petite fontaine de
Héron, fort jolie, et dont j'étais transporté. A
force de faire jouer cette fontaine et de parler de
notre voyage, nous pensâmes, le sage Bâcle et moi,
que l'une pourrait bien servir à l'autre et le pro-
longer. Qu'y avait-il dans le monde d'aussi curieux
qu'une fontaine de Héron? Ce principe fut le fon-
dement sur lequel nous bâtîmes l'édifice de notre
fortune. Nous devions, dans chaque village,
assembler les paysans autour de notre fontaine, et
là les repas et la bonne chère devaient nous tomber

avec d'autant plus d'abondance que nous étions persuadés l'un et l'autre que les vivres ne coûtent rien à ceux qui les recueillent, et que quand ils n'en gorgent pas les passants, c'est pure mauvaise volonté de leur part. Nous n'imaginions partout que festins et noces, comptant que, sans rien débourser que le vent de nos poumons et l'eau de notre fontaine, elle pouvait nous défrayer en Piémont, en Savoie, en France, et par tout le monde. Nous faisions des projets de voyage qui ne finissaient point, et nous dirigions d'abord notre course au nord, plutôt pour le plaisir de passer les Alpes que pour la nécessité supposée de nous arrêter enfin quelque part.

Tel fut le plan sur lequel je me mis en campagne, abandonnant sans regret mon protecteur, mon précepteur, mes études, mes espérances, et l'attente d'une fortune presque assurée, pour commencer la vie d'un vrai vagabond. Adieu la capitale; adieu la cour, l'ambition, la vanité, l'amour, les belles, et toutes les grandes aventures dont l'espoir m'avait amené l'année précédente. Je pars avec ma fontaine et mon ami Bâcle, la bourse légèrement garnie, mais le cœur saturé de joie, et ne songeant qu'à jouir de cette ambulante félicité à laquelle j'avais tout à coup borné mes brillants projets.

Je fis cet extravagant voyage presque aussi agréablement toutefois que je m'y étais attendu, mais non pas tout à fait de la même manière; car bien que notre fontaine amusât quelques moments dans les

cabarets les hôtesses et leurs servantes, il n'en fallait
pas moins payer en sortant. Mais cela ne nous trou-
blait guère, et nous ne songions à tirer parti tout de
bon de cette ressource que quand l'argent viendrait
à nous manquer. Un accident nous en évita la peine :
la fontaine se cassa près de Bramant, et il en était
temps, car nous sentions, sans oser nous le dire,
qu'elle commençait à nous ennuyer. Ce malheur
nous rendit plus gais qu'auparavant, et nous rîmes
beaucoup de notre étourderie, d'avoir oublié
que nos habits et nos souliers s'useraient, ou d'avoir
cru les renouveler avec le jeu de notre fontaine.
Nous continuâmes notre voyage aussi allégrement
que nous l'avions commencé, mais filant un peu
plus droit vers le terme où notre bourse tarissante
nous faisait une nécessité d'arriver.

A Chambéry je devins pensif, non sur la sottise
que je venais de faire, jamais homme ne prit si tôt
ni si bien son parti sur le passé, mais sur l'accueil
qui m'attendait chez Mme de Warens; car j'envi-
sageais exactement sa maison comme ma maison
paternelle. Je lui avais écrit mon entrée chez le
comte de Gouvon; elle savait sur quel pied j'y étais,
et en m'en félicitant, elle m'avait donné des leçons
très sages sur la manière dont je devais corres-
pondre aux bontés qu'on avait pour moi. Elle
regardait ma fortune comme assurée, si je ne la
détruisais pas par ma faute. Qu'allait-elle dire en
me voyant arriver? Il ne me vint pas même à
l'esprit qu'elle pût me fermer sa porte : mais je
craignais le chagrin que j'allais lui donner; je

craignais ses reproches plus durs pour moi que la misère. Je résolus de tout endurer en silence et de tout faire pour l'apaiser. Je ne voyais plus dans l'univers qu'elle seule : vivre dans sa disgrâce était une chose qui ne se pouvait pas.

Ce qui m'inquiétait le plus était mon compagnon de voyage, dont je ne voulais pas lui donner le surcroît, et dont je craignais de ne pouvoir me débarrasser aisément. Je préparai cette séparation en vivant assez froidement avec lui la dernjère journée. Le drôle me comprit : il était plus fou que sot. Je crus qu'il s'affecterait de mon inconstance; j'eus tort; mon ami Bâcle ne s'affectait de rien. A peine, en entrant à Annecy, avions-nous mis le pied dans la ville, qu'il me dit : « Te voilà chez toi », m'embrassa, me dit adieu, fit une pirouette et disparut. Je n'ai jamais plus entendu parler de lui. Notre connaissance et notre amitié durèrent en tout environ six semaines, mais les suites en dureront autant que moi.

Que le cœur me battit en approchant de la maison de Mme de Warens! Mes jambes tremblaient sous moi, mes yeux se couvraient d'un voile, je ne voyais rien, je n'entendais rien, je n'aurais reconnu personne; je fus contraint de m'arrêter plusieurs fois pour respirer et reprendre mes sens. Était-ce la crainte de ne pas obtenir les secours dont j'avais besoin qui me troublait à ce point? A l'âge où j'étais, la peur de mourir de faim donne-t-elle de pareilles alarmes? Non, non; je le dis avec autant de vérité que de fierté, jamais

en aucun temps de ma vie il n'appartint à l'intérêt ni à l'indigence de m'épanouir ou de me serrer le cœur. Dans le cours d'une vie inégale et mémorable par ses vicissitudes, souvent sans asile et sans pain, j'ai toujours vu du même œil l'opulence et la misère. Au besoin, j'aurais pu mendier ou voler comme un autre, mais non pas me troubler pour en être réduit là. Peu d'hommes ont autant gémi que moi, peu ont autant versé de pleurs dans leur vie; mais jamais la pauvreté ni la crainte d'y tomber ne m'ont fait pousser un soupir ni répandre une larme. Mon âme, à l'épreuve de la fortune, n'a connu de vrais biens ni de vrais maux que ceux qui ne dépendent pas d'elle, et c'est quand rien ne m'a manqué pour le nécessaire que je me suis senti le plus malheureux des mortels.

A peine parus-je aux yeux de Mme de Warens que son air me rassura. Je tressaillis au premier son de sa voix; je me précipite à ses pieds, et, dans les transports de la plus vive joie, je colle ma bouche sur sa main. Pour elle, j'ignore si elle avait su de mes nouvelles; mais je vis peu de surprise sur son visage, et je n'y vis aucun chagrin. « Pauvre petit, me dit-elle d'un ton caressant, te revoilà donc? Je savais bien que tu étais trop jeune pour ce voyage; je suis bien aise au moins qu'il n'ait pas aussi mal tourné que j'avais craint. » Ensuite elle me fit conter mon histoire, qui ne fut pas longue, et que je lui fis très fidèlement, en supprimant cependant quelques articles, mais au reste sans m'épargner ni m'excuser.

Il fut question de mon gîte. Elle consulta sa femme de chambre. Je n'osais respirer durant cette délibération; mais quand j'entendis que je coucherais dans la maison, j'eus peine à me contenir, et je vis porter mon petit paquet dans la chambre qui m'était destinée, à peu près comme Saint-Preux vit remiser sa chaise chez Mme de Wolmar. J'eus pour surcroît le plaisir d'apprendre que cette faveur ne serait point passagère; et dans un moment où l'on me croyait attentif à toute autre chose, j'entendis qu'elle disait : « On dira ce qu'on voudra; mais puisque la Providence me le renvoie, je suis déterminée à ne pas l'abandonner. »

Me voilà donc enfin établi chez elle. Cet établissement ne fut pourtant pas encore celui dont je date les jours heureux de ma vie, mais il servit à le préparer. Quoique cette sensibilité de cœur, qui nous fait vraiment jouir de nous, soit l'ouvrage de la nature, et peut-être un produit de l'organisation, elle a besoin de situations qui la développent. Sans ces causes occasionnelles, un homme né très sensible ne sentirait rien, et mourrait sans avoir connu son être. Tel à peu près j'avais été jusqu'alors, et tel j'aurais toujours été peut-être, si je n'avais jamais connu Mme de Warens, ou si même, l'ayant connue, je n'avais pas vécu assez longtemps auprès d'elle pour contracter la douce habitude des sentiments affectueux qu'elle m'inspira. J'oserai le dire, qui ne sent que l'amour ne sent pas ce qu'il y a de plus doux dans la vie. Je connais un autre sentiment, moins impétueux peut-être, mais plus déli-

cieux mille fois, qui quelquefois est joint à l'amour, et qui souvent en est séparé. Ce sentiment n'est pas non plus l'amitié seule; il est plus voluptueux, plus tendre : je n'imagine pas qu'il puisse agir pour quelqu'un du même sexe; du moins je fus ami si jamais homme le fut, et je ne l'éprouvai jamais près d'aucun de mes amis. Ceci n'est pas clair, mais il le deviendra dans la suite; les sentiments ne se décrivent bien que par leurs effets.

Elle habitait une vieille maison, mais assez grande pour avoir une belle pièce de réserve, dont elle fit sa chambre de parade, et qui fut celle où l'on me logea. Cette chambre était sur le passage dont j'ai parlé, où se fit notre première entrevue, et au-delà du ruisseau et des jardins on découvrait la campagne. Cet aspect n'était pas pour le jeune habitant une chose indifférente. C'était, depuis Bossey, la première fois que j'avais du vert devant mes fenêtres. Toujours masqué par des murs, je n'avais eu sous les yeux que des toits ou le gris des rues. Combien cette nouveauté me fut sensible et douce! Elle augmenta beaucoup mes dispositions à l'attendrissement. Je faisais de ce charmant paysage encore un des bienfaits de ma chère patronne : il me semblait qu'elle l'avait mis là tout exprès pour moi; je m'y plaçais paisiblement auprès d'elle; je la voyais partout entre les fleurs et la verdure; ses charmes et ceux du printemps se confondaient à mes yeux. Mon cœur, jusqu'alors comprimé, se trouvait plus au large dans cet espace, et mes soupirs s'exhalaient plus librement parmi ces vergers.

On ne trouvait pas chez Mme de Warens la ma-
gnificence que j'avais vue à Turin; mais on y
trouvait la propreté, la décence et une abondance
patriarcale avec laquelle le faste ne s'allie jamais.
Elle avait peu de vaisselle d'argent, point de porce-
laine, point de gibier dans sa cuisine, ni dans sa
cave de vins étrangers; mais l'une et l'autre étaient
bien garnies au service de tout le monde, et dans
des tasses de faïence elle donnait d'excellent café.
Quiconque la venait voir était invité à dîner avec
elle ou chez elle; et jamais ouvrier, messager ou
passant ne sortait sans manger ou boire. Son
domestique était composé d'une femme de chambre
fribourgeoise assez jolie, appelée Merceret, d'un
valet de son pays appelé Claude Anet, dont il sera
question dans la suite, d'une cuisinière et de deux
porteurs de louage quand elle allait en visite, ce
qu'elle faisait rarement. Voilà bien des choses pour
deux mille livres de rente; cependant son petit
revenu bien ménagé eût pu suffire à tout cela dans
un pays où la terre est très bonne et l'argent très
rare. Malheureusement l'économie ne fut jamais sa
vertu favorite : elle s'endettait, elle payait, l'argent
faisait la navette et tout allait.

La manière dont son ménage était monté était
précisément celle que j'aurais choisie : on peut
croire que j'en profitais avec plaisir. Ce qui m'en
plaisait moins était qu'il fallait rester très long-
temps à table. Elle supportait avec peine la pre-
mière odeur du potage et des mets; cette odeur la
faisait presque tomber en défaillance, et ce dégoût

durait longtemps. Elle se remettait peu à peu, causait et ne mangeait point. Ce n'était qu'au bout d'une demi-heure qu'elle essayait le premier morceau. J'aurais dîné trois fois dans cet intervalle ; mon repas était fait longtemps avant qu'elle eût commencé le sien. Je recommençais de compagnie ; ainsi je mangeais pour deux, et ne m'en trouvais pas plus mal. Enfin je me livrais d'autant plus au doux sentiment du bien-être que j'éprouvais auprès d'elle, que ce bien-être dont je jouissais n'était mêlé d'aucune inquiétude sur les moyens de le soutenir. N'étant point encore dans l'étroite confidence de ses affaires, je les supposais en état d'aller toujours sur le même pied. J'ai retrouvé les mêmes agréments dans sa maison par la suite ; mais, plus instruit de sa situation réelle, et voyant qu'ils anticipaient sur ces rentes, je ne les ai plus goûtés si tranquillement. La prévoyance a toujours gâté chez moi la jouissance. J'ai vu l'avenir à pure perte : je n'ai jamais pu l'éviter.

Dès le premier jour, la familiarité la plus douce s'établit entre nous au même degré où elle a continué tout le reste de sa vie. *Petit* fut mon nom ; *Maman* fut le sien ; et toujours nous demeurâmes *Petit* et *Maman,* même quand le nombre des années en eut presque effacé la différence entre nous. Je trouve que ces deux noms rendent à merveille l'idée de notre ton, la simplicité de nos manières, et surtout la relation de nos cœurs. Elle fut pour moi la plus tendre des mères, qui jamais ne chercha son plaisir, mais toujours mon bien ; et si les sens

entrèrent dans mon attachement pour elle, ce n'était
pas pour en changer la nature, mais pour le rendre
seulement plus exquis, pour m'enivrer du charme
d'avoir une maman jeune et jolie qu'il m'était
délicieux de caresser : je dis caresser au pied de la
lettre, car jamais elle n'imagina de m'épargner les
baisers ni les plus tendres caresses maternelles, et
jamais il n'entra dans mon cœur d'en abuser. On dira
que nous avons pourtant eu à la fin des relations
d'une autre espèce; j'en conviens; mais il faut
attendre, je ne puis tout dire à la fois.

Le coup d'œil de notre première entrevue fut le
seul moment vraiment passionné qu'elle m'ait
jamais fait sentir; encore ce moment fut-il l'ouvrage
de la surprise. Mes regards indiscrets n'allaient
jamais furetant sous son mouchoir, quoiqu'un em-
bonpoint mal caché dans cette place eût bien pu les
y attirer. Je n'avais ni transports ni désirs auprès
d'elle; j'étais dans un calme ravissant, jouissant sans
savoir de quoi. J'aurais ainsi passé ma vie et l'éter-
nité même sans m'ennuyer un instant. Elle est la
seule personne avec qui je n'ai jamais senti cette
sécheresse de conversation qui me fait un supplice du
devoir de la soutenir. Nos tête-à-tête étaient moins
des entretiens qu'un babil intarissable, qui pour
finir avait besoin d'être interrompu. Loin de me
faire une loi de parler, il fallait plutôt m'en faire
une de me taire. A force de méditer ses projets,
elle tombait souvent dans la rêverie. Hé bien! je la
laissais rêver, je me taisais, je la contemplais, et
j'étais le plus heureux des hommes. J'avais encore

un tic fort singulier. Sans prétendre aux faveurs du tête-à-tête, je le recherchais sans cesse, et j'en jouissais avec une passion qui dégénérait en fureur quand des importuns venaient le troubler. Sitôt que quelqu'un arrivait, homme ou femme, il n'importait pas, je sortais en murmurant, ne pouvant souffrir de rester en tiers auprès d'elle. J'allais compter les minutes dans son antichambre, maudissant mille fois ces éternels visiteurs, et ne pouvant concevoir ce qu'ils avaient tant à dire, parce que j'avais à dire encore plus.

Je ne sentais toute la force de mon attachement pour elle que quand je ne la voyais pas. Quand je la voyais, je n'étais que content; mais mon inquiétude en son absence allait au point d'être douloureuse. Le besoin de vivre avec elle me donnait des élans d'attendrissement qui souvent allaient jusqu'aux larmes. Je me souviendrai toujours qu'un jour de grande fête, tandis qu'elle était à vêpres, j'allai me promener hors de la ville, le cœur plein de son image et du désir ardent de passer mes jours auprès d'elle. J'avais assez de sens pour voir que quant à présent cela n'était pas possible, et qu'un bonheur que je goûtais si bien serait court. Cela donnait à ma rêverie une tristesse qui n'avait pourtant rien de sombre, et qu'un espoir flatteur tempérait. Le son des cloches, qui m'a toujours singulièrement affecté, le chant des oiseaux, la beauté du jour, la douceur du paysage, les maisons éparses et champêtres dans lesquelles je plaçais en idée notre commune demeure, tout cela me frappait

tellement d'une impression vive, tendre, triste et
touchante, que je me vis comme en extase trans-
porté dans cet heureux temps et dans cet heureux
séjour où mon cœur, possédant toute la félicité
qui pouvait lui plaire, la goûtait dans des ravisse-
ments inexprimables, sans songer même à la volupté
des sens. Je ne me souviens pas de m'être élancé
jamais dans l'avenir avec plus de force et d'illusion
que je fis alors; et ce qui m'a frappé le plus dans
le souvenir de cette rêverie, quand elle s'est réalisée,
c'est d'avoir retrouvé des objets tels exactement
que je les avais imaginés. Si jamais rêve d'un homme
éveillé eut l'air d'une vision prophétique, ce fut
assurément celui-là. Je n'ai été déçu que dans sa
durée imaginaire; car les jours et les ans, et la vie
entière, s'y passaient dans une inaltérable tranquil-
lité; au lieu qu'en effet tout cela n'a duré qu'un
moment. Hélas! mon plus constant bonheur fut en
songe; son accomplissement fut presque à l'instant
suivi du réveil.

Je ne finirais pas si j'entrais dans le détail de
toutes les folies que le souvenir de cette chère
Maman me faisait faire quand je n'étais plus sous
ses yeux. Combien de fois j'ai baisé mon lit en
songeant qu'elle y avait couché; mes rideaux, tous
les meubles de ma chambre, en songeant qu'ils
étaient à elle, que sa belle main les avait touchés;
le plancher même sur lequel je me prosternais en
songeant qu'elle y avait marché! Quelquefois même
en sa présence il m'échappait des extravagances
que le plus violent amour seul semblait pouvoir

inspirer. Un jour, à table, au moment qu'elle avait mis un morceau dans sa bouche, je m'écrie que j'y vois un cheveu; elle rejette le morceau sur son assiette; je m'en saisis avidement et l'avale. En un mot, de moi à l'amant le plus passionné il n'y avait qu'une différence unique, mais essentielle, et qui rend mon état presque inconcevable à la raison.

J'étais revenu d'Italie, non tout à fait comme j'y étais allé, mais comme peut-être jamais à mon âge on n'en est revenu. J'en avais rapporté non ma virginité, mais mon pucelage. J'avais senti le progrès des ans; mon tempérament inquiet s'était enfin déclaré, et sa première éruption, très involontaire, m'avait donné sur ma santé des alarmes qui peignent mieux que toute autre chose l'innocence dans laquelle j'avais vécu jusqu'alors. Bientôt rassuré, j'appris ce dangereux supplément qui trompe la nature, et sauve aux jeunes gens de mon humeur beaucoup de désordres aux dépens de leur santé, de leur vigueur, et quelquefois de leur vie. Ce vice que la honte et la timidité trouvent si commode, a de plus un grand attrait pour les imaginations vives : c'est de disposer, pour ainsi dire, à leur gré, de tout le sexe, et de faire servir à leurs plaisirs la beauté qui les tente, sans avoir besoin d'obtenir son aveu. Séduit par ce funeste avantage, je travaillais à détruire la bonne constitution qu'avait rétablie en moi la nature, et à qui j'avais donné le temps de se bien former. Qu'on ajoute à cette disposition le local de ma situation présente; logé chez une jolie femme, caressant son image au fond de mon cœur, la voyant

sans cesse dans la journée; le soir entouré d'objets qui me la rappellent, couché dans un lit où je sais qu'elle a couché. Que de stimulants! Tel lecteur qui se les représente me regarde déjà comme à demi mort. Tout au contraire, ce qui devait me perdre fut précisément ce qui me sauva, du moins pour un temps. Enivré du charme de vivre auprès d'elle, du désir ardent d'y passer mes jours, absente ou présente, je voyais toujours en elle une tendre mère, une sœur chérie, une délicieuse amie, et rien de plus. Je la voyais toujours ainsi, toujours la même, et ne voyais jamais qu'elle. Son image, toujours présente à mon cœur, n'y laissait place à nulle autre; elle était pour moi la seule femme qui fût au monde; et l'extrême douceur des sentiments qu'elle m'inspirait, ne laissant pas à mes sens le temps de s'éveiller pour d'autres, me garantissait d'elle et de tout son sexe. En un mot, j'étais sage parce que je l'aimais. Sur ces effets, que je rends mal, dise qui pourra de quelle espèce était mon attachement pour elle. Pour moi, tout ce que j'en puis dire, est que s'il paraît déjà fort extraordinaire, dans la suite il le paraîtra beaucoup plus.

Je passais mon temps le plus agréablement du monde, occupé des choses qui me plaisaient le moins. C'étaient des projets à rédiger, des mémoires à mettre au net, des recettes à transcrire; c'étaient des herbes à trier, des drogues à piler, des alambics à gouverner. Tout à travers tout cela venaient des foules de passants, de mendiants, de visites de toute

espèce. Il fallait entretenir tout à la fois un soldat,
un apothicaire, un chanoine, une belle dame, un
frère lai. Je pestais, je grommelais, je jurais, je don-
nais au diable toute cette maudite cohue. Pour elle,
qui prenait tout en gaieté, mes fureurs la faisaient
rire aux larmes; et ce qui la faisait rire encore plus
était de me voir d'autant plus furieux que je ne
pouvais moi-même m'empêcher de rire. Ces petits
intervalles où j'avais le plaisir de grogner étaient
charmants; et s'il survenait un nouvel importun
durant la querelle, elle en savait encore tirer parti
pour l'amusement en prolongeant malicieusement la
visite, et me jetant des coups d'œil pour lesquels je
l'aurais volontiers battue. Elle avait peine à s'abste-
nir d'éclater en me voyant, contraint et retenu par
la bienséance, lui faire des yeux de possédé, tandis
qu'au fond de mon cœur, et même en dépit de moi,
je trouvais tout cela très comique.

Tout cela, sans me plaire en soi, m'amusait pour-
tant parce qu'il faisait partie d'une manière d'être
qui m'était charmante. Rien de ce qui se faisait
autour de moi, rien de tout ce qu'on me faisait
faire n'était selon mon goût, mais tout était selon
mon cœur. Je crois que je serais parvenu à aimer la
médecine, si mon dégoût pour elle n'eût fourni des
scènes folâtres qui nous égayaient sans cesse : c'est
peut-être la première fois que cet art a produit un
pareil effet. Je prétendais connaître à l'odeur un
livre de médecine, et ce qu'il y a de plaisant est
que je m'y trompais rarement. Elle me faisait goû-
ter des plus détestables drogues. J'avais beau fuir

ou vouloir me défendre; malgré ma résistance et
mes horribles grimaces, malgré moi et mes dents,
quand je voyais ces jolis doigts barbouillés s'appro-
cher de ma bouche, il fallait finir par l'ouvrir et
sucer. Quand tout son petit ménage était rassemblé
dans la même chambre, à nous entendre courir et
crier au milieu des éclats de rire, on eût cru qu'on
y jouait quelque farce, et non pas qu'on y faisait de
l'opiate ou de l'élixir.

Mon temps ne se passait pourtant pas tout entier
à ces polissonneries. J'avais trouvé quelques livres
dans la chambre que j'occupais : *Le Spectateur;*
Puffendorf; Saint-Evremond; *La Henriade.* Quoique
je n'eusse plus mon ancienne fureur de lecture, par
désœuvrement je lisais un peu de tout cela. *Le
Spectateur* surtout me plut beaucoup, et me fit du
bien. M. l'abbé de Gouvon m'avait appris à lire
moins avidement et avec plus de réflexion; la lec-
ture me profitait mieux. Je m'accoutumais à réfléchir
sur l'élocution, sur les constructions élégantes;
je m'exerçais à discerner le français pur de mes
idiomes provinciaux. Par exemple, je fus corrigé
d'une faute d'orthographe, que je faisais avec tous
nos Genevois, par ces deux vers de *La Hen-
riade :*

Soit qu'un ancien respect pour le sang de leurs maîtres
Parlât encor pour lui dans le cœur de ces traîtres.

Ce mot *parlât,* qui me frappa, m'apprit qu'il
fallait un *t* à la troisième personne du subjonctif,

au lieu qu'auparavant je l'écrivais et prononçais *parla,* comme le parfait de l'indicatif.

Quelquefois je causais avec Maman de mes lectures; quelquefois je lisais auprès d'elle; j'y prenais grand plaisir : je m'exerçais à bien lire, et cela me fut utile aussi. J'ai dit qu'elle avait l'esprit orné : il était alors dans toute sa fleur. Plusieurs gens de lettres s'étaient empressés à lui plaire, et lui avaient appris à juger des ouvrages d'esprit. Elle avait, si je puis parler ainsi, le goût un peu protestant; elle ne parlait que de Bayle, et faisait grand cas de Saint-Evremond, qui depuis longtemps était mort en France. Mais cela n'empêchait pas qu'elle ne connût la bonne littérature et qu'elle n'en parlât fort bien. Elle avait été élevée dans des sociétés choisies; et, venue en Savoie encore jeune, elle avait perdu dans le commerce charmant de la noblesse du pays ce ton maniéré du pays de Vaud, où les femmes prennent le bel esprit pour l'esprit du monde, et ne savent parler que par épigrammes.

Quoiqu'elle n'eût vu la cour qu'en passant, elle y avait jeté un coup d'œil rapide qui lui avait suffi pour la connaître. Elle s'y conserva toujours des amis, et malgré de secrètes jalousies, malgré les murmures qu'excitaient sa conduite et ses dettes, elle n'a jamais perdu sa pension. Elle avait l'expérience du monde et l'esprit de réflexion qui fait tirer parti de cette expérience. C'était le sujet favori de ses conversations, et c'était précisément, vu mes idées chimériques, la sorte d'instruction dont j'avais le plus grand besoin. Nous lisions ensemble La

Bruyère : il lui plaisait plus que La Rochefoucauld, livre triste et désolant, principalement dans la jeunesse, où l'on n'aime pas à voir l'homme comme il est. Quand elle moralisait, elle se perdait quelquefois un peu dans les espaces; mais, en lui baisant de temps en temps la bouche ou les mains, je prenais patience, et ses longueurs ne m'ennuyaient pas.

Cette vie était trop douce pour pouvoir durer. Je le sentais, et l'inquiétude de la voir finir était la seule chose qui en troublait la jouissance. Tout en folâtrant, Maman m'étudiait, m'observait, m'interrogeait, et bâtissait pour ma fortune force projets dont je me serais bien passé. Heureusement que ce n'était pas le tout de connaître mes penchants, mes goûts, mes petits talents : il fallait trouver ou faire naître les occasions d'en tirer parti, et tout cela n'était pas l'affaire d'un jour. Les préjugés même qu'avait conçus la pauvre femme en faveur de mon mérite reculaient les moments de le mettre en œuvre, en la rendant plus difficile sur le choix des moyens. Enfin, tout allait au gré de mes désirs, grâce à la bonne opinion qu'elle avait de moi; mais il en fallut rabattre, et dès lors adieu la tranquillité.

Un de ses parents, appelé M. d'Aubonne, la vint voir. C'était un homme de beaucoup d'esprit, intrigant, génie à projets comme elle, mais qui ne s'y ruinait pas, une espèce d'aventurier. Il venait de proposer au cardinal de Fleury un plan de loterie très composée, qui n'avait pas été goûté. Il allait le proposer à la cour de Turin, où il fut adopté et

mis en exécution. Il s'arrêta quelque temps à Annecy,
et y devint amoureux de Mme l'intendante, qui était
une personne fort aimable, fort de mon goût, et la
seule que je visse avec plaisir chez Maman.
M. d'Aubonne me vit; sa parente lui parla de moi :
il se chargea de m'examiner, de voir à quoi j'étais
propre, et, s'il me trouvait de l'étoffe, de chercher
à me placer.

Mme de Warens m'envoya chez lui deux ou trois
matins de suite, sous prétexte de quelque commis-
sion, et sans me prévenir de rien. Il s'y prit très
bien pour me faire jaser, se familiarisa avec moi, me
mit à mon aise autant qu'il était possible, me parla
de niaiseries et de toutes sortes de sujets, le tout
sans paraître m'observer, sans la moindre affecta-
tion, et comme si, se plaisant avec moi, il eût voulu
converser sans gêne. J'étais enchanté de lui. Le
résultat de ses observations fut que, malgré ce que
promettaient mon extérieur et ma physionomie
animée, j'étais, sinon tout à fait inepte, au moins
un garçon de peu d'esprit, sans idées, presque sans
acquis, très borné en un mot à tous égards, et que
l'honneur de devenir quelque jour curé de village
était la plus haute fortune à laquelle je dusse aspirer.
Tel fut le compte qu'il rendit de moi à Mme de
Warens. Ce fut la seconde ou troisième fois que je
fus ainsi jugé : ce ne fut pas la dernière, et l'arrêt de
M. Masseron a souvent été confirmé.

La cause de ces jugements tient trop à mon
caractère pour n'avoir pas ici besoin d'explication;
car en conscience on sent bien que je ne puis sincè-

rement y souscrire, et qu'avec toute l'impartialité
possible, quoi qu'aient pu dire MM. Masseron,
d'Aubonne et beaucoup d'autres, je ne les saurais
prendre au mot.

Deux choses presque inaliables s'unissent en moi
sans que j'en puisse concevoir la manière : un tempé-
rament très ardent, des passions vives, impétueuses,
et des idées lentes à naître, embarrassées et qui ne
se présentent jamais qu'après coup. On dirait que
mon cœur et mon esprit n'appartiennent pas au
même individu. Le sentiment, plus prompt que
l'éclair, vient remplir mon âme; mais au lieu de
m'éclairer, il me brûle et m'éblouit. Je sens tout et
je ne vois rien. Je suis emporté, mais stupide; il
faut que je sois de sang-froid pour penser. Ce qu'il y
a d'étonnant est que j'ai cependant le tact assez sûr,
de la pénétration, de la finesse même, pourvu qu'on
m'attende : je fais d'excellents impromptus à
loisir, mais sur le temps je n'ai jamais rien fait
ni dit qui vaille. Je ferais une fort jolie conversation
par la poste, comme on dit que les Espagnols
jouent aux échecs. Quand je lus le trait d'un duc de
Savoie qui se retourna, faisant route, pour crier :
A votre gorge, marchand de Paris, je dis : « Me
voilà. »

Cette lenteur de penser, jointe à cette vivacité de
sentir, je ne l'ai pas seulement dans la conversation,
je l'ai même seul et quand je travaille. Mes idées
s'arrangent dans ma tête avec la plus incroyable
difficulté : elles y circulent sourdement, elles y fer-
mentent jusqu'à m'émouvoir, m'échauffer, me don-

ner des palpitations; et, au milieu de toute cette
émotion, je ne vois rien nettement, je ne saurais
écrire un seul mot, il faut que j'attende. Insensi-
blement ce grand mouvement s'apaise, ce chaos se
débrouille, chaque chose vient se mettre à sa place,
mais lentement, et après une longue et confuse agi-
tation. N'avez-vous point vu quelquefois l'opéra en
Italie? Dans les changements de scènes il règne sur
ces grands théâtres un désordre désagréable et qui
dure assez longtemps; toutes les décorations sont
entremêlées; on voit de toutes parts un tiraillement
qui fait peine, on croit que tout va renverser : cepen-
dant, peu à peu tout s'arrange, rien ne manque,
et l'on est tout surpris de voir succéder à ce long
tumulte un spectacle ravissant. Cette manœuvre est
à peu près celle qui se fait dans mon cerveau quand
je veux écrire. Si j'avais su premièrement attendre,
et puis rendre dans leur beauté les choses qui s'y
sont ainsi peintes, peu d'auteurs m'auraient sur-
passé.

De là vient l'extrême difficulté que je trouve à
écrire. Mes manuscrits, raturés, barbouillés, mêlés,
indéchiffrables, attestent la peine qu'ils m'ont coûtée.
Il n'y en a pas un qu'il ne m'ait fallu transcrire
quatre ou cinq fois avant de le donner à la presse.
Je n'ai jamais pu rien faire la plume à la main,
vis-à-vis d'une table et de mon papier : c'est à la
promenade, au milieu des rochers et des bois, c'est
la nuit dans mon lit et durant mes insomnies, que
j'écris dans mon cerveau; l'on peut juger avec quelle
lenteur, surtout pour un homme absolument

dépourvu de mémoire verbale, et qui de la vie n'a pu retenir six vers par cœur. Il y a telle de mes périodes que j'ai tournée et retournée cinq ou six nuits dans ma tête avant qu'elle fût en état d'être mise sur le papier. De là vient encore que je réussis mieux aux ouvrages qui demandent du travail qu'à ceux qui veulent être faits avec une certaine légèreté, comme les lettres, genre dont je n'ai jamais pu prendre le ton, et dont l'occupation me met au supplice. Je n'écris point de lettres sur les moindres sujets qui ne me coûtent des heures de fatigue, ou, si je veux écrire de suite ce qui me vient, je ne sais ni commencer ni finir; ma lettre est un long et confus verbiage; à peine m'entend-on quand on la lit.

Non seulement les idées me coûtent à rendre, elles me coûtent même à recevoir. J'ai étudié les hommes, et je me crois assez bon observateur : cependant je ne sais rien voir de ce que je vois; je ne vois bien que ce que je me rappelle, et je n'ai de l'esprit que dans mes souvenirs. De tout ce qu'on dit, de tout ce qu'on fait, de tout ce qui se passe en ma présence, je ne sens rien, je ne pénètre rien. Le signe extérieur est tout ce qui me frappe. Mais ensuite tout cela me revient : je me rappelle le lieu, le temps, le ton, le regard, le geste, la circonstance; rien ne m'échappe. Alors, sur ce qu'on a fait ou dit, je trouve ce qu'on a pensé, et il est rare que je me trompe.

Si peu maître de mon esprit, seul avec moi-même, qu'on juge de ce que je dois être dans la

conversation, où, pour parler à propos, il faut penser
à la fois et sur-le-champ à mille choses. La seule
idée de tant de convenances, dont je suis sûr d'ou-
blier au moins quelqu'une, suffit pour m'intimider.
Je ne comprends pas même comment on ose parler
dans un cercle : car à chaque mot il faudrait passer
en revue tous les gens qui sont là; il faudrait con-
naître tous leurs caractères, savoir leurs histoires,
pour être sûr de ne rien dire qui puisse offenser
quelqu'un. Là-dessus, ceux qui vivent dans le
monde ont un grand avantage : sachant mieux ce
qu'il faut taire, ils sont plus sûrs de ce qu'ils disent;
encore leur échappe-t-il souvent des balourdises.
Qu'on juge de celui qui tombe là des nues : il
lui est presque impossible de parler une minute
impunément. Dans le tête-à-tête, il y a un autre
inconvénient que je trouve pire, la nécessité de
parler toujours : quand on vous parle il faut
répondre, et si l'on ne dit mot il faut relever la
conversation. Cette insupportable contrainte m'eût
seule dégoûté de la société. Je ne trouve point
de gêne plus terrible que l'obligation de par-
ler sur-le-champ et toujours. Je ne sais si ceci
tient à ma mortelle aversion pour tout assujettis-
sement; mais c'est assez qu'il faille absolument
que je parle pour que je dise une sottise infaillible-
ment.

Ce qu'il y a de plus fatal est qu'au lieu de savoir
me taire quand je n'ai rien à dire, c'est alors que
pour payer plus tôt ma dette, j'ai la fureur de vou-
loir parler. Je me hâte de balbutier prompte-

ment des paroles sans idées, trop heureux quand elles ne signifient rien du tout. En voulant vaincre ou cacher mon ineptie, je manque rarement de la montrer. Entre mille exemples que j'en pourrais citer, j'en prends un qui n'est pas de ma jeunesse, mais d'un temps où, ayant vécu plusieurs années dans le monde, j'en aurais pris l'aisance et le ton, si la chose eût été possible. J'étais un soir avec deux grandes dames et un homme qu'on peut nommer; c'était M. le duc de Gontaut. Il n'y avait personne aútre dans la chambre, et je m'efforçais de fournir quelques mots, Dieu sait quels! à une conversation entre quatre personnes, dont trois n'avaient assurément pas besoin de mon supplément. La maîtresse de la maison se fit apporter un opiat dont elle prenait tous les jours deux fois pour son estomac. L'autre dame, lui voyant faire la grimace, dit en riant : « Est-ce de l'opiate de M. Tronchin ? — Je ne crois pas, répondit sur le même ton la première. — Je crois qu'elle ne vaut guère mieux », ajouta galamment le spirituel Rousseau. Tout le monde resta interdit; il n'échappa ni le moindre mot ni le moindre sourire, et, l'instant d'après, la conversation prit un autre tour. Vis-à-vis d'une autre, la balourdise eût pu n'être que plaisante; mais adressée à une femme trop aimable pour n'avoir pas un peu fait parler d'elle, et qu'assurément je n'avais pas dessein d'offenser, elle était terrible; et je crois que les deux témoins, homme et femme, eurent bien de la peine à s'abstenir d'éclater. Voilà de ces traits d'esprit qui

m'échappent pour vouloir parler sans avoir rien à dire. J'oublierai difficilement celui-là; car, outre qu'il est par lui-même très mémorable, j'ai dans la tête qu'il a eu des suites qui ne me le rappellent que trop souvent.

Je crois que voilà de quoi faire assez comprendre comment, n'étant pas un sot, j'ai cependant souvent passé pour l'être, même chez des gens en état de bien juger : d'autant plus malheureux que ma physionomie et mes yeux promettent davantage, et que cette attente frustrée rend plus choquante aux autres ma stupidité. Ce détail, qu'une occasion particulière a fait naître, n'est pas inutile à ce qui doit suivre. Il contient la clef de bien des choses extraordinaires qu'on m'a vu faire et qu'on attribue à une humeur sauvage que je n'ai point. J'aimerais la société comme un autre, si je n'étais sûr de m'y montrer non seulement à mon désavantage, mais tout autre que je ne suis. Le parti que j'ai pris d'écrire et de me cacher est précisément celui qui me convenait. Moi présent, on n'aurait jamais su ce que je valais, on ne l'aurait pas soupçonné même; et c'est ce qui est arrivé à Mme Dupin, quoique femme d'esprit, et quoique j'aie vécue dans sa maison plusieurs années; elle me l'a dit bien des fois elle-même depuis ce temps-là. Au reste, tout ceci souffre de certaines exceptions, et j'y reviendrai dans la suite.

La mesure de mes talents ainsi fixée, l'état qui me convenait ainsi désigné, il ne fut plus question, pour la seconde fois, que de remplir ma vocation.

La difficulté fut que je n'avais pas fait mes études, et que je ne savais pas même assez de latin pour être prêtre. Mme de Warens imagina de me faire instruire au séminaire pendant quelque temps. Elle en parla au supérieur. C'était un lazariste appelé M. Gros, bon petit homme, à moitié borgne, maigre, grison, le plus spirituel et le moins pédant lazariste que j'aie connu, ce qui n'est pas beaucoup dire, à la vérité.

Il venait quelquefois chez Maman, qui l'accueillait, le caressait, l'agaçait même, et se faisait quelquefois lacer par lui, emploi dont il se chargeait assez volontiers. Tandis qu'il était en fonction, elle courait par la chambre de côté et d'autre, faisant tantôt ceci, tantôt cela. Tiré par le lacet, M. le supérieur suivait en grondant, et disant à tout moment : « Mais, Madame, tenez-vous donc. » Cela faisait un sujet assez pittoresque. M. Gros se prêta de bon cœur au projet de Maman. Il se contenta d'une pension très modique, et se chargea de l'instruction. Il ne fut question que du consentement de l'évêque, qui non seulement l'accorda, mais qui voulut payer la pension. Il permit aussi que je restasse en habit laïque jusqu'à ce qu'on pût juger, par un essai, du succès qu'on devait espérer.

Quel changement! Il fallut m'y soumettre. J'allai au séminaire comme j'aurais été au supplice. La triste maison qu'un séminaire, surtout pour qui sort de celle d'une aimable femme! J'y portai un seul livre, que j'avais prié Maman de me prêter,

et qui me fut d'une grande ressource. On ne devi-
nera pas quelle sorte de livre c'était : un livre de
musique. Parmi les talents qu'elle avait cultivés, la
musique n'avait pas été oubliée. Elle avait de la
voix, chantait passablement, et jouait un peu du
clavecin : elle avait eu la complaisance de me don-
ner quelques leçons de chant, et il fallut commen-
cer de loin, car à peine savais-je la musique de
nos psaumes. Huit ou dix leçons de femme, et fort
interrompues, loin de me mettre en état de solfier,
ne m'apprirent pas le quart des signes de la mu-
sique. Cependant j'avais une telle passion pour cet
art, que je voulus essayer de m'exercer seul. Le
livre que j'emportai n'était pas même des plus
faciles; c'étaient les cantates de Clérambault. On
concevra quelle fut mon application et mon obsti-
nation, quand je dirai que, sans connaître ni trans-
position ni quantité, je parvins à déchiffrer et chan-
ter sans faute le premier récitatif et le premier air de
la cantate d'*Alphée et Aréthuse;* et il est vrai que
cet air est scandé si juste, qu'il ne faut que
réciter les vers avec leur mesure pour y mettre celle
de l'air.

Il y avait au séminaire un maudit lazariste qui
m'entreprit, et qui me fit prendre en horreur le
latin qu'il voulait m'enseigner. Il avait des che-
veux plats, gras et noirs, un visage de pain d'épice,
une voix de buffle, un regard de chat-huant, des
crins de sanglier au lieu de barbe; son sourire était
sardonique; ses membres jouaient comme les pou-
lies d'un mannequin : j'ai oublié son odieux nom;

mais sa figure effrayante et doucereuse m'est bien restée, et j'ai peine à me la rappeler sans frémir. Je crois le rencontrer encore dans les corridors, avançant gracieusement son crasseux bonnet carré pour me faire signe d'entrer dans sa chambre, plus affreuse pour moi qu'un cachot. Qu'on juge du contraste d'un pareil maître pour le disciple d'un abbé de cour!

Si j'étais resté deux mois à la merci de ce monstre, je suis persuadé que ma tête n'y aurait pas résisté. Mais le bon M. Gros, qui s'aperçut que j'étais triste, que je ne mangeais pas, que je maigrissais, devina le sujet de mon chagrin; cela n'était pas difficile. Il m'ôta des griffes de ma bête, et, par un autre contraste encore plus marqué, me remit au plus doux des hommes : c'était un jeune abbé faucigneran, appelé M. Gâtier, qui faisait son séminaire, et qui, par complaisance pour M. Gros, et je crois par humanité, voulait bien prendre sur ses études le temps qu'il donnait à diriger les miennes; je n'ai jamais vu de physionomie plus touchante que celle de M. Gâtier. Il était blond, et sa barbe tirait sur le roux. Il avait le maintien ordinaire aux gens de sa province, qui, sous une figure épaisse, cachent tous beaucoup d'esprit; mais ce qui se marquait vraiment en lui était une âme sensible, affectueuse, aimante. Il y avait dans ses grands yeux bleus un mélange de douceur, de tendresse et de tristesse, qui faisait qu'on ne pouvait le voir sans s'intéresser à lui. Aux regards, au ton de ce pauvre jeune homme, on eût

dit qu'il prévoyait sa destinée, et qu'il se sentait né pour être malheureux.

Son caractère ne démentait point sa physionomie; plein de patience et de complaisance, il semblait plutôt étudier avec moi que m'instruire. Il n'en fallait pas tant pour me le faire aimer : son prédécesseur avait rendu cela très facile. Cependant, malgré tout le temps qu'il me donnait, malgré toute la bonne volonté que nous y mettions l'un et l'autre, et quoiqu'il s'y prît très bien, j'avançai peu en travaillant beaucoup. Il est singulier qu'avec assez de conception, je n'ai jamais pu rien apprendre avec des maîtres, excepté mon père et M. Lambercier. Le peu que je sais de plus, je l'ai appris seul, comme on verra ci-après. Mon esprit impatient de toute espèce de joug ne peut s'asservir à la loi du moment; la crainte même de ne pas apprendre m'empêche d'être attentif; de peur d'impatienter celui qui me parle, je feins d'entendre, il va en avant, et je n'entends rien. Mon esprit veut marcher à son heure, il ne peut se soumettre à celle d'autrui.

Le temps des ordinations étant venu, M. Gâtier s'en retourna diacre dans sa province. Il emporta mes regrets, mon attachement, ma reconnaissance. Je fis pour lui des vœux qui n'ont pas été plus exaucés que ceux que j'ai faits pour moi-même. Quelques années après j'appris qu'étant vicaire dans une paroisse, il avait fait un enfant à une fille, la seule dont, avec un cœur très tendre, il eût jamais été amoureux. Ce fut un scandale effroyable

dans un diocèse administré très sévèrement. Les
prêtres, en bonne règle, ne doivent faire des en-
fants qu'à des femmes mariées. Pour avoir manqué
à cette loi de convenance, il fut mis en prison,
diffamé, chassé. Je ne sais s'il aura pu dans la suite
rétablir ses affaires; mais le sentiment de son infor-
tune, profondément gravé dans mon cœur, me re-
vint quand j'écrivis l'*Émile,* et réunissant M. Gâtier
avec M. Gaime je fis de ces deux dignes prêtres
l'original du Vicaire savoyard. Je me flatte que
l'imitation n'a pas déshonoré ses modèles.

Pendant que j'étais au séminaire, M. d'Aubonne
fut obligé de quitter Annecy. M. l'intendant
s'avisa de trouver mauvais qu'il fît l'amour à sa
femme. C'était faire comme le chien du jardinier;
car, quoique Mme Corvezi fût aimable, il vivait
fort mal avec elle; des goûts ultramontains la
lui rendaient inutile, et il la traitait si brutalement
qu'il fut question de séparation. M. Corvezi était
un vilain homme, noir comme une taupe, fripon
comme une chouette, et qui à force de vexations
finit par se faire chasser lui-même. On dit que les
Provençaux se vengent de leurs ennemis par des
chansons : M. d'Aubonne se vengea du sien par
une comédie; il envoya cette pièce à Mme de Wa-
rens, qui me la fit voir. Elle me plut, et me fit
naître la fantaisie d'en faire une pour essayer si
j'étais en effet aussi bête que l'auteur l'avait pro-
noncé : mais ce ne fut qu'à Chambéry que j'exé-
cutai ce projet en écrivant *L'Amant de lui-
même.* Ainsi, quand j'ai dit dans la préface de

cette pièce que je l'avais écrite à dix-huit ans, j'ai
menti de quelques années.

C'est à peu près à ce temps-ci que se rapporte
un événement peu important en lui-même, mais
qui a eu pour moi des suites, et qui a fait du
bruit dans le monde quand je l'avais oublié.
Toutes les semaines j'avais une fois la permission
de sortir; je n'ai pas besoin de dire quel usage
j'en faisais. Un dimanche que j'étais chez Maman,
le feu prit à un bâtiment des cordeliers attenant
à la maison qu'elle occupait. Ce bâtiment, où était
leur four, était plein jusqu'au comble de fascines
sèches. Tout fut embrasé en très peu de temps :
la maison était en grand péril et couverte par les
flammes que le vent y portait. On se mit en devoir
de déménager en hâte et de porter les meubles
dans le jardin, qui était vis-à-vis mes anciennes
fenêtres et au-delà du ruisseau dont j'ai parlé.
J'étais si troublé, que je jetais indifféremment par
la fenêtre tout ce qui me tombait sous la main,
jusqu'à un gros mortier de pierre qu'en tout autre
temps j'aurais eu peine à soulever. J'étais prêt à
y jeter de même une grande glace si quelqu'un ne
m'eût retenu. Le bon évêque, qui était venu voir
Maman ce jour-là, ne resta pas non plus oisif : il
l'emmena dans le jardin, où il se mit en prières
avec elle et tous ceux qui étaient là; en sorte qu'ar-
rivant quelque temps après, je vis tout le monde
à genoux, et m'y mis comme les autres. Durant
la prière du saint homme, le vent changea, mais
si brusquement et si à propos, que les flammes qui

couvraient la maison et entraient déjà par les fenêtres furent portées de l'autre côté de la cour, et la maison n'eut aucun mal. Deux ans après, M. de Bernex étant mort, les antonins, ses anciens confrères, commencèrent à recueillir les pièces qui pouvaient servir à sa béatification. A la prière du père Boudet, je joignis à ces pièces une attestation du fait que je viens de rapporter, en quoi je fis bien; mais en quoi je fis mal, ce fut de donner ce fait pour un miracle. J'avais vu l'évêque en prière, et durant sa prière j'avais vu le vent changer, et même très à propos; voilà ce que je pouvais dire et certifier; mais qu'une de ces deux choses fût la cause de l'autre, voilà ce que je ne devais pas attester, parce que je ne pouvais le savoir. Cependant, autant que je puis me rappeler mes idées, alors sincèrement catholique, j'étais de bonne foi. L'amour du merveilleux, si naturel au cœur humain, ma vénération pour ce vertueux prélat, l'orgueil secret d'avoir peut-être contribué moi-même au miracle, aidèrent à me séduire; et ce qu'il y a de sûr est que, si ce miracle eût été l'effet des plus ardentes prières, j'aurais bien pu m'en attribuer ma part.

Plus de trente ans après, lorsque j'eus publié les *Lettres de la Montagne,* M. Fréron déterra ce certificat, je ne sais comment, et en fit usage dans ses feuilles. Il faut avouer que là découverte était heureuse, et l'à-propos me parut à moi-même très plaisant.

J'étais destiné à être le rebut de tous les états.

Quoique M. Gâtier eût rendu de mes progrès le compte le moins défavorable qu'il lui fût possible, on voyait qu'ils n'étaient pas proportionnés à mon travail, et cela n'était pas encourageant pour me faire pousser mes études. Aussi l'évêque et le supérieur se rebutèrent-ils, et on me rendit à Mme de Warens comme un sujet qui n'était pas même bon pour être prêtre, au reste assez bon garçon, disait-on, et point vicieux : ce qui fit que, malgré tant de préjugés rebutants sur mon compte, elle ne m'abandonna pas.

Je rapportai chez elle en triomphe son livre de musique, dont j'avais tiré si bon parti. Mon air d'*Alphée et Aréthuse* était à peu près tout ce que j'avais appris au séminaire. Mon goût marqué pour cet art lui fit naître la pensée de me faire musicien : l'occasion était commode; on faisait chez elle, au moins une fois la semaine, de la musique, et le maître de musique de la cathédrale, qui dirigeait ce petit concert, venait la voir très souvent. C'était un Parisien nommé M. Le Maître, bon compositeur, fort vif, fort gai, jeune encore, assez bien fait, peu d'esprit, mais au demeurant très bon homme. Maman me fit faire sa connaissance; je m'attachais à lui, je ne lui déplaisais pas : on parla de pension, l'on en convint. Bref, j'entrai chez lui, et j'y passai l'hiver d'autant plus agréablement que, la maîtrise n'étant qu'à vingt pas de la maison de Maman, nous étions chez elle en un moment, et nous y soupions très souvent ensemble.

On jugera bien que la vie de la maîtrise, tou-
jours chantante et gaie, avec les musiciens et les
enfants de chœur, me plaisait plus que celle du
séminaire avec les pères de Saint-Lazare. Cepen-
dant cette vie, pour êtrè plus libre, n'en était pas
moins égale et réglée. J'étais fait pour aimer l'in-
dépendance et pour n'en abuser jamais. Durant
six mois entiers, je ne sortis pas une seule fois que
pour aller chez Maman ou à l'église, et je n'en fus
pas même tenté. Cet intervalle est un de ceux où
j'ai vécu dans le plus grand calme, et que je me
suis rappelés avec le plus de plaisir. Dans les
situations diverses où je me suis trouvé, quelques-
unes ont été marquées par un tel sentiment de
bien-être, qu'en les remémorant j'en suis affecté
comme si j'y étais encore. Non seulement je me
rappelle les temps, les lieux, les personnes, mais
tous les objets environnants, la température de
l'air, son odeur, sa couleur, une certaine impres-
sion locale qui ne s'est fait sentir que là, et dont
le souvenir vif m'y transporte de nouveau. Par
exemple, tout ce qu'on répétait à la maîtrise, tout
ce qu'on chantait au chœur, tout ce qu'on y fai-
sait, le bel et noble habit des chanoines, les cha-
subles des prêtres, les mitres des chantres, la
figure des musiciens, un vieux charpentier boi-
teux qui jouait de la contrebasse, un petit abbé
blondin qui jouait du violon, le lambeau de sou-
tane qu'après avoir posé son épée, M. Le Maître
endossait par-dessus son habit laïque, et le beau
surplis fin dont il en couvrait les loques pour aller

au chœur; l'orgueil avec lequel j'allais, tenant ma
petite flûte à bec, m'établir dans l'orchestre à la
tribune pour un petit bout de récit que M. Le
Maître avait fait exprès pour moi, le bon dîner
qui nous attendait ensuite, le bon appétit qu'on
y portait, ce concours d'objets vivement retracé m'a
cent fois charmé dans ma mémoire, autant et plus
que dans la réalité. J'ai gardé toujours une affec-
tion tendre pour un certain air du *Conditor alme
siderum* qui marche par ïambes, parce qu'un
dimanche de l'avent j'entendis de mon lit chanter
cette hymne avant le jour sur le perron de la cathé-
drale, selon un rite de cette église-là. Mlle Merce-
ret, femme de chambre de Maman, savait un peu
de musique; je n'oublierai jamais un petit motet
Afferte que M. Le Maître me fit chanter avec
elle, et que sa maîtresse écoutait avec tant de plai-
sir. Enfin tout, jusqu'à la bonne servante Perrine,
qui était si bonne fille et que les enfants de
chœur faisaient tant endêver, tout, dans les sou-
venirs de ces temps de bonheur et d'innocence,
revient souvent me ravir et m'attrister.

Je vivais à Annecy depuis près d'un an sans le
moindre reproche : tout le monde était content
de moi. Depuis mon départ de Turin je n'avais
point fait de sottise, et je n'en fis point tant que
je fus sous les yeux de Maman. Elle me conduisait,
et me conduisait toujours bien; mon attachement
pour elle était devenu ma seule passion; et ce qui
prouve que ce n'était pas une passion folle, c'est
que mon cœur formait ma raison. Il est vrai qu'un

seul sentiment, absorbant pour ainsi dire toutes
mes facultés, me mettait hors d'état de rien
apprendre, pas même la musique, bien que j'y fisse
tous mes efforts. Mais il n'y avait point de ma
faute; la bonne volonté y était tout entière, l'assi-
duité y était. J'étais distrait, rêveur, je soupirais :
qu'y pouvais-je faire? Il ne manquait à mes pro-
grès rien qui dépendît de moi; mais pour que je
fisse de nouvelles folies il ne fallait qu'un sujet
qui vînt me les inspirer. Ce sujet se présenta; le
hasard arrangea les choses, et, comme on verra
dans la suite, ma mauvaise tête en tira parti.

Un soir du mois de février qu'il faisait bien
froid, comme nous étions tous autour du feu, nous
entendîmes frapper à la porte de la rue. Perrine
prend sa lanterne, descend, ouvre; un jeune homme
entre avec elle, monte, se présente d'un air aisé,
et fait à M. Le Maître un compliment court et
bien tourné, se donnant pour un musicien fran-
çais que le mauvais état de ses finances forçait de
vicarier pour passer son chemin. A ce mot de
musicien français le cœur tressaillit au bon
Le Maître : il aimait passionnément son pays et
son art. Il accueillit le jeune passager, lui offrit le
gîte, dont il paraissait avoir grand besoin, et qu'il
accepta sans beaucoup de façon. Je l'examinai tan-
dis qu'il se chauffait et qu'il jasait en attendant
le souper. Il était court de stature, mais large de
carrure; il avait je ne sais quoi de contrefait dans
sa taille sans aucune difformité particulière; c'était
pour ainsi dire un bossu à épaules plates, mais

je crois qu'il boitait un peu. Il avait un habit
noir plutôt usé que vieux, et qui tombait par
pièces, une chemise très fine et très sale, de belles
manchettes d'effilé, des guêtres dans chacune des-
quelles il aurait mis ses deux jambes, et pour se
garantir de la neige un petit chapeau à porter
sous le bras. Dans ce comique équipage il y avait
pourtant quelque chose de noble que son main-
tien ne démentait pas; sa physionomie avait de la
finesse et de l'agrément; il parlait facilement et
bien, mais très peu modestement. Tout marquait
en lui un jeune débauché qui avait eu de l'édu-
cation, et qui n'allait pas gueusant comme un
gueux, mais comme un fou. Il nous dit qu'il s'ap-
pelait Venture de Villeneuve, qu'il venait de
Paris, qu'il s'était égaré dans sa route; et oubliant
un peu son rôle de musicien, il ajouta qu'il allait
à Grenoble voir un parent qu'il avait dans le par-
lement.

Pendant le souper on parla de musique, et il
en parla bien. Il connaissait tous les grands vir-
tuoses, tous les ouvrages célèbres, tous les acteurs,
toutes les actrices, toutes les jolies femmes, tous
les grands seigneurs. Sur tout ce qu'on disait il
paraissait au fait; mais à peine un sujet était-il
entamé qu'il brouillait l'entretien par quelque
polissonnerie qui faisait rire et oublier ce qu'on
avait dit. C'était un samedi; il y avait le lende-
main musique à la cathédrale; M. Le Maître lui
propose d'y chanter : *Très volontiers;* lui demande
quelle est sa partie : *La haute-contre...* et il

parle d'autre chose. Avant d'aller à l'église on lui
offrit sa partie à prévoir; il n'y jeta pas les yeux.
Cette gasconnade surprit Le Maître. « Vous verrez,
me dit-il à l'oreille, qu'il ne sait pas une note de
musique. — J'en ai grand-peur », lui répondis-je.
Je les suivis très inquiet. Quand on commença, le
cœur me battit d'une terrible force, car je m'in-
téressais beaucoup à lui.

J'eus bientôt de quoi me rassurer. Il chanta ses
deux récits avec toute la justesse et tout le goût
imaginables, et, qui plus est, avec une très jolie
voix. Je n'ai guère eu de plus agréable surprise.
Après la messe, M. Venture reçut des compliments
à perte de vue des chanoines et des musiciens,
auxquels il répondait en polissonnant, mais tou-
jours avec beaucoup de grâce. M. Le Maître l'em-
brassa de bon cœur; j'en fis autant : il vit que
j'étais bien aise, et cela parut lui faire plaisir.

On conviendra, je m'assure, qu'après m'être en-
goué de M. Bâcle, qui tout compté n'était qu'un
manant, je pouvais m'engouer de M. Venture, qui
avait de l'éducation, des talents, de l'esprit, de
l'usage du monde, et qui pouvait passer pour un
aimable débauché. C'est aussi ce qui m'arriva, et
ce qui serait arrivé, je pense, à tout autre jeune
homme à ma place, d'autant plus facilement en-
core qu'il aurait eu un meilleur tact pour sentir
le mérite, et un meilleur goût pour s'y attacher;
car Venture en avait, sans contredit, et il en avait
surtout un bien rare à son âge, celui de n'être
point pressé de montrer son acquis. Il est vrai qu'il

se vantait de beaucoup de choses qu'il ne savait point; mais pour celles qu'il savait et qui étaient en assez grand nombre, il n'en disait rien : il attendait l'occasion de les montrer; il s'en prévalait alors sans empressement, et cela faisait le plus grand effet. Comme il s'arrêtait après chaque chose sans parler du reste, on ne savait plus quand il aurait tout montré. Badin, folâtre, inépuisable, séduisant dans la conversation, souriant toujours et ne riant jamais, il disait du ton le plus élégant les choses les plus grossières, et les faisait passer. Les femmes même les plus modestes s'étonnaient de ce qu'elles enduraient de lui. Elles avaient beau sentir qu'il fallait se fâcher, elles n'en avaient pas la force. Il ne lui fallait que des filles perdues, et je ne crois pas qu'il fût fait pour avoir des bonnes fortunes, mais il était fait pour mettre un agrément infini dans la société des gens qui en avaient. Il était difficile qu'avec tant de talents agréables, dans un pays où l'on s'y connaît et où on les aime, il restât borné longtemps à la sphère des musiciens.

Mon goût pour M. Venture, plus raisonnable dans sa cause, fut aussi moins extravagant dans ses effets, quoique plus vif et plus durable que celui que j'avais pris pour M. Bâcle. J'aimais à le voir, à l'entendre; tout ce qu'il faisait me paraissait charmant; tout ce qu'il disait me semblait des oracles; mais mon engouement n'allait point jusqu'à ne pouvoir me séparer de lui. J'avais à mon voisinage un bon préservatif contre cet excès. D'ail-

leurs, trouvant ses maximes très bonnes pour lui, je sentais qu'elles n'étaient pas à mon usage; il me fallait une autre sorte de volupté, dont il n'avait pas l'idée, et dont je n'osais même lui parler, bien sûr qu'il se serait moqué de moi. Cependant j'aurais voulu allier cet attachement avec celui qui me dominait. J'en parlais à Maman avec transport; Le Maître lui en parlait avec éloges. Elle consentit qu'on le lui amenât. Mais cette entrevue ne réussit point du tout : il la trouva précieuse; elle le trouva libertin; et, s'alarmant pour moi d'une aussi mauvaise connaissance, non seulement elle me défendit de le lui ramener, mais elle me peignit si fortement les dangers que je courais avec ce jeune homme, que je devins un peu plus circonspect à m'y livrer, et, très heureusement pour mes mœurs et pour ma tête, nous fûmes bientôt séparés.

M. Le Maître avait les goûts de son art; il aimait le vin. A table cependant il était sobre, mais en travaillant dans son cabinet il fallait qu'il bût. Sa servante le savait si bien que, sitôt qu'il préparait son papier pour composer, et qu'il prenait son violoncelle, son pot et son verre arrivaient l'instant d'après, et le pot se renouvelait de temps à autre. Sans jamais être absolument ivre, il était presque toujours pris de vin; et en vérité c'était dommage, car c'était un garçon essentiellement bon, et si gai que Maman ne l'appelait que *petit chat*. Malheureusement il aimait son talent, travaillait beaucoup, et buvait de même. Cela prit sur sa

santé et enfin sur son humeur : il était quelquefois
ombrageux et facile à offenser. Incapable de gros-
sièreté, incapable de manquer à qui que ce fût,
il n'a jamais dit une mauvaise parole, même à un
de ses enfants de chœur; mais il ne fallait pas non
plus lui manquer, et cela était juste. Le mal était
qu'ayant peu d'esprit, il ne discernait pas les tons
et les caractères, et prenait souvent la mouche sur
rien.

L'ancien Chapitre de Genève, où jadis tant de
princes et d'évêques se faisaient un honneur d'en-
trer, a perdu dans son exil son ancienne splen-
deur, mais il a conservé sa fierté. Pour pouvoir y
être admis, il faut toujours être gentilhomme ou
docteur de Sorbonne, et s'il est un orgueil par-
donnable, après celui qui se tire du mérite per-
sonnel, c'est celui qui se tire de la naissance.
D'ailleurs tous les prêtres qui ont des laïques à
leurs gages les traitent d'ordinaire avec assez de
hauteur. C'est ainsi que les chanoines traitaient
souvent le pauvre Le Maître. Le chantre surtout,
appelé M. l'abbé de Vidonne, qui du reste était
un très galant homme, mais trop plein de sa no-
blesse, n'avait pas toujours pour lui les égards que
méritaient ses talents; et l'autre n'endurait pas
volontiers ces dédains. Cette année ils eurent, du-
rant la semaine sainte, un démêlé plus vif qu'à
l'ordinaire dans un dîner de règle que l'évêque
donnait aux chanoines, et où Le Maître était tou-
jours invité. Le chantre lui fit quelque passe-droit,
et lui dit quelque parole dure que celui-ci ne put

digérer; il prit sur-le-champ la résolution de s'en-
fuit la nuit suivante, et rien ne put l'en faire
démordre, quoique Mme de Warens, à qui il alla
faire ses adieux, n'épargnât rien pour l'apaiser. Il
ne put renoncer au plaisir de se venger de ses
tyrans, en les laissant dans l'embarras aux fêtes de
Pâques, temps où l'on avait le plus grand besoin
de lui. Mais ce qui l'embarrassait lui-même était
sa musique qu'il voulait emporter, ce qui n'était
pas facile : elle formait une caisse assez grosse et
fort lourde, qui ne s'emportait pas sous le bras.

Maman fit ce que j'aurais fait, et ce que je ferais
encore à sa place. Après bien des efforts inutiles
pour le retenir, le voyant résolu de partir comme
que ce fût, elle prit le parti de l'aider en tout ce
qui dépendait d'elle. J'ose dire qu'elle le devait.
Le Maître s'était consacré, pour ainsi dire, à son
service. Soit en ce qui tenait à son art, soit en ce
qui tenait à ses soins, il était entièrement à ses
ordres, et le cœur avec lequel il les suivait donnait
à sa complaisance un nouveau prix. Elle ne fai-
sait donc que rendre à un ami, dans une occasion
essentielle, ce qu'il faisait pour elle en détail depuis
trois ou quatre ans; mais elle avait une âme qui,
pour remplir de pareils devoirs, n'avait pas besoin
de songer que c'en était pour elle. Elle me fit
venir, m'ordonna de suivre M. Le Maître au moins
jusqu'à Lyon, et de m'attacher à lui aussi long-
temps qu'il aurait besoin de moi. Elle m'a depuis
avoué que le désir de m'éloigner de Venture était
entré pour beaucoup dans cet arrangement. Elle

consulta Claude Anet, son fidèle domestique, pour le transport de la caisse. Il fut d'avis qu'au lieu de prendre à Annecy une bête de somme, qui nous ferait infailliblement découvrir, il fallait, quand il serait nuit, porter la caisse à bras jusqu'à une certaine distance, et louer ensuite un âne dans un village pour la transporter jusqu'à Seyssel, où, étant sur terres de France, nous n'aurions plus rien à risquer. Cet avis fut suivi; nous partîmes le même soir à sept heures; et Maman, sous prétexte de payer ma dépense, grossit la petite bourse du pauvre *petit chat* d'un surcroît qui ne lui fut pas inutile. Claude Anet, le jardinier et moi, portâmes la caisse comme nous pûmes jusqu'au premier village, où un âne nous relaya, et la même nuit nous nous rendîmes à Seyssel.

Je crois avoir déjà remarqué qu'il y a des temps où je suis si peu semblable à moi-même qu'on me prendrait pour un autre homme de caractère tout opposé. On en va voir un exemple. M. Reydelet, curé de Seyssel, était chanoine de Saint-Pierre, par conséquent de la connaissance de M. Le Maître, et l'un des hommes dont il devait le plus se cacher. Mon avis fut au contraire d'aller nous présenter à lui, et lui demander gîte sous quelque prétexte, comme si nous étions là du consentement du chapitre. Le Maître goûta cette idée qui rendait sa vengeance moqueuse et plaisante. Nous allâmes donc effrontément chez M. Reydelet, qui nous reçut très bien. Le Maître lui dit qu'il allait à Belley, à la prière de l'évêque, diriger sa musique

aux fêtes de Pâques; qu'il comptait repasser dans
peu de jours, et moi, à l'appui de ce mensonge,
j'en enfilai cent autres si naturels, que M. Reydelet,
me trouvant joli garçon, me prit en amitié et me
fit mille caresses. Nous fûmes bien régalés, bien
couchés. M. Reydelet ne savait quelle chère nous
faire; et nous nous séparâmes les meilleurs amis
du monde, avec promesse de nous arrêter plus long-
temps au retour. A peine pûmes-nous attendre que
nous fussions seuls pour commencer nos éclats de
rire, et j'avoue qu'ils me reprennent encore en y
pensant, car on ne saurait imaginer une espiègle-
rie mieux soutenue ni plus heureuse. Elle nous eût
égayés durant toute la route, si M. Le Maître, qui
ne cessait de boire et de battre la campagne, n'eût
été attaqué deux ou trois fois d'une atteinte à la-
quelle il devenait très sujet et qui ressemblait fort
à l'épilepsie. Cela me jeta dans des embarras qui
m'effrayèrent, et dont je pensai bientôt à me tirer
comme je pourrais.

Nous allâmes à Belley passer les fêtes de Pâques
comme nous l'avions dit à M. Reydelet; et, quoique
nous n'y fussions point attendus, nous fûmes reçus
du maître de musique et accueillis de tout le
monde avec grand plaisir. M. Le Maître avait de
la considération dans son art, et la méritait. Le
maître de musique de Belley se fit honneur de
ses meilleurs ouvrages et tâcha d'obtenir l'appro-
bation d'un si bon juge : car outre que Le Maître
était connaisseur, il était équitable, point jaloux
et point flagorneur. Il était si supérieur à tous ces

maîtres de musique de province, et ils le sentaient si bien eux-mêmes, qu'ils le regardaient moins comme leur confrère que comme leur chef.

Après avoir passé très agréablement quatre ou cinq jours à Belley, nous en repartîmes et continuâmes notre route sans autre accident que ceux dont je viens de parler. Arrivés à Lyon, nous fûmes loger à Notre-Dame-de-Pitié, et en attendant la caisse, qu'à la faveur d'un autre mensonge nous avions embarquée sur le Rhône par les soins de notre bon patron M. Reydelet, M. Le Maître alla voir ses connaissances, entre autres le P. Caton, cordelier, dont il sera parlé dans la suite, et l'abbé Dortan, comte de Lyon. L'un et l'autre le reçurent bien; mais ils le trahirent comme on verra tout à l'heure; son bonheur s'était épuisé chez M. Reydelet.

Deux jours après notre arrivée à Lyon, comme nous passions dans une petite rue, non loin de notre auberge, Le Maître fut surpris d'une de ses atteintes, et celle-là fut si violente que j'en fus saisi d'effroi. Je fis des cris, appelai au secours, nommai son auberge et suppliai qu'on l'y fît porter; puis, tandis qu'on s'assemblait et s'empressait autour d'un homme tombé sans sentiment et écumant au milieu de la rue, il fut délaissé du seul ami sur lequel il eût dû compter. Je pris l'instant où personne ne songeait à moi; je tournai le coin de la rue, et je disparus. Grâce au Ciel, j'ai fini ce troisième aveu pénible. S'il m'en restait beaucoup de pareils à faire, j'abandonnerais le travail que j'ai commencé.

De tout ce que j'ai dit jusqu'à présent, il en est resté quelques traces dans les lieux où j'ai vécu; mais ce que j'ai à dire dans le livre suivant est presque entièrement ignoré. Ce sont les plus grandes extravagances de ma vie, et il est heureux qu'elles n'aient pas plus mal fini. Mais ma tête, montée au ton d'un instrument étranger, était hors de son diapason : elle y revint d'elle-même; et alors je cessai mes folies, ou du moins j'en fis de plus accordantes à mon naturel. Cette époque de ma jeunesse est celle dont j'ai l'idée la plus confuse. Rien presque ne s'y est passé d'assez intéressant à mon cœur pour m'en retracer vivement le souvenir, et il est difficile que dans tant d'allées et venues, dans tant de déplacements successifs, je ne fasse pas quelques transpositions de temps ou de lieu. J'écris absolument de mémoire, sans monuments, sans matériaux qui puissent me la rappeler. Il y a des événements de ma vie qui me sont aussi présents que s'ils venaient d'arriver; mais il y a des lacunes et des vides que je ne peux remplir qu'à l'aide de récits aussi confus que le souvenir qui m'en est resté. J'ai donc pu faire des erreurs quelquefois, et j'en pourrai faire encore sur des bagatelles, jusqu'au temps où j'ai de moi des renseignements plus sûrs; mais en ce qui importe vraiment au sujet, je suis assuré d'être exact et fidèle, comme je tâcherai toujours de l'être en tout : voilà sur quoi l'on peut compter.

Sitôt que j'eus quitté M. Le Maître, ma résolution fut prise et je repartis pour Annecy. La cause

et le mystère de notre départ m'avaient donné un grand intérêt pour la sûreté de notre retraite; et cet intérêt, m'occupant tout entier, avait fait diversion durant quelques jours à celui qui me rappelait en arrière; mais dès que la sécurité me laissa plus tranquille, le sentiment dominant reprit sa place. Rien ne me flattait, rien ne me tentait, je n'avais de désir pour rien que pour retourner auprès de Maman. La tendresse et la vérité de mon attachement pour elle avaient déraciné de mon cœur tous les projets imaginaires, toutes les folies de l'ambition. Je ne voyais plus d'autre bonheur que celui de vivre auprès d'elle, et je ne faisais pas un pas sans sentir que je m'éloignais de ce bonheur. J'y revins donc aussitôt que cela me fut possible. Mon retour fut si prompt et mon esprit si distrait, que, quoique je me rappelle avec tant de plaisir tous mes autres voyages, je n'ai pas le moindre souvenir de celui-là; je ne m'en rappelle rien du tout, sinon mon départ de Lyon et mon arrivée à Annecy. Qu'on juge surtout si cette dernière époque a dû sortir de ma mémoire! En arrivant je ne trouvai plus de Mme de Warens : elle était partie pour Paris.

Je n'ai jamais bien su le secret de ce voyage. Elle me l'aurait dit, j'en suis très sûr, si je l'en avais pressée; mais jamais homme ne fut moins curieux que moi du secret de ses amis : mon cœur, uniquement occupé du présent, en remplit toute sa capacité, tout son espace, et, hors les plaisirs passés qui font désormais mes uniques jouissances,

il n'y reste pas un coin vide pour ce qui n'est plus. Tout ce que j'ai cru d'entrevoir dans le peu qu'elle m'en a dit est que, dans la révolution causée à Turin par l'abdication du roi de Sardaigne, elle craignit d'être oubliée, et voulut, à la faveur des intrigues de M. d'Aubonne, chercher le même avantage à la cour de France, où elle m'a souvent dit qu'elle l'eût préféré, parce que la multitude des grandes affaires fait qu'on n'y est pas si désagréablement surveillé. Si cela est, il est bien étonnant qu'à son retour on ne lui ait pas fait plus mauvais visage, et qu'elle ait toujours joui de sa pension sans aucune interruption. Bien des gens ont cru qu'elle avait été chargée de quelque commission secrète, soit de la part de l'évêque, qui avait alors des affaires à la cour de France, où il fut lui-même obligé d'aller, soit de la part de quelqu'un plus puissant encore, qui sut lui ménager un heureux retour. Ce qu'il y a de sûr, si cela est, est que l'ambassadrice n'était pas mal choisie, et que, jeune et belle encore, elle avait tous les talents nécessaires pour se bien tirer d'une négociation.

LIVRE QUATRIÈME

1730-1731

J'arrive, et je ne la trouve plus. Qu'on juge de ma surprise et de ma doulcur! C'est alors que le regret d'avoir lâchement abandonné M. Le Maître commença de se faire sentir; il fut plus vif encore quand j'appris le malheur qui lui était arrivé. Sa caisse de musique, qui contenait toute sa fortune, cette précieuse caisse, sauvée avec tant de fatigue, avait été saisie en arrivant à Lyon, par les soins du comte Dortan, à qui le Chapitre avait fait écrire pour le prévenir de cet enlèvement furtif. Le Maître avait en vain réclamé son bien, son gagne-pain, le travail de toute sa vie. La propriété de cette caisse était tout au moins sujette à litige; il n'y en eut point. L'affaire fut décidée à l'instant même par la loi du plus fort, et le pauvre Le Maître perdit ainsi le fruit de ses talents, l'ouvrage de sa jeunesse, et la ressource de ses vieux jours.

Il ne manqua rien au coup que je reçus pour le rendre accablant. Mais j'étais dans un âge où les grands chagrins ont peu de prise, et je me forgeai bientôt des consolations. Je comptais avoir dans peu des nouvelles de Mme de Warens, quoique je ne susse pas son adresse et qu'elle ignorât que j'étais de retour; et quant à ma désertion, tout bien compté, je ne la trouvais pas si coupable. J'avais été utile à M. Le Maître dans sa retraite, c'était le seul service qui dépendît de moi. Si j'avais resté avec lui en France, je ne l'aurais pas guéri de son mal, je n'aurais pas sauvé sa caisse, je n'aurais fait que doubler sa dépense, sans lui pouvoir être bon à rien. Voilà comment alors je voyais la chose; je la vois autrement aujourd'hui. Ce n'est pas quand une vilaine action vient d'être faite qu'elle nous tourmente, c'est quand longtemps après on se la rappelle; car le souvenir ne s'en éteint point.

Le seul parti que j'avais à prendre pour avoir des nouvelles de Maman était d'en attendre; car où l'aller chercher à Paris, et avec quoi faire le voyage? Il n'y avait point de lieu plus sûr qu'Annecy pour savoir tôt ou tard où elle était. J'y restai donc. Mais je me conduisis assez mal. Je n'allai pas voir l'évêque, qui m'avait protégé et qui me pouvait protéger encore. Je n'avais plus ma patronne auprès de lui, et je craignais les réprimandes sur notre évasion. J'allai moins encore au séminaire : M. Gros n'y était plus. Je ne vis personne de ma connaissance; j'aurais pourtant bien

voulu aller voir Mme l'intendante, mais je n'osai jamais. Je fis plus mal que tout cela : je retrouvai M. Venture, auquel, malgré mon enthousiasme, je n'avais pas même pensé depuis mon départ. Je le retrouvai brillant et fêté dans tout Annecy; les dames se l'arrachaient. Ce succès acheva de me tourner la tête. Je ne vis plus rien que M. Venture, et il me fit presque oublier Mme de Warens. Pour profiter de ses leçons plus à mon aise, je lui proposai de partager avec moi son gîte; il y consentit. Il était logé chez un cordonnier, plaisant et bouffon personnage, qui, dans son patois, n'appelait pas sa femme autrement que *salopière,* nom qu'elle méritait assez. Il avait avec elle des prises que Venture avait soin de faire durer en paraissant vouloir faire le contraire. Il leur disait, d'un ton froid, et dans son accent provençal, des mots qui faisaient le plus grand effet; c'étaient des scènes à pâmer de rire. Les matinées se passaient ainsi sans qu'on y songeât : à deux ou trois heures, nous mangions un morceau; Venture s'en allait dans ses sociétés, où il soupait, et moi j'allais me promener seul, méditant sur son grand mérite, admirant, convoitant ses rares talents, et maudissant ma maussade étoile qui ne m'appelait point à cette heureuse vie. Eh! que je m'y connaissais mal! La mienne eût été cent fois plus charmante si j'avais été moins bête et si j'en avais su mieux jouir.

Mme de Warens n'avait emmené qu'Anet avec elle; elle avait laissé Merceret, sa femme de

chambre, dont j'ai parlé. Je la trouvai occupant encore l'appartement de sa maîtresse. Mlle Merceret était une fille un peu plus âgée que moi, non pas jolie, mais assez agréable; une bonne Fribourgeoise sans malice, et à qui je n'ai connu d'autre défaut que d'être quelquefois un peu mutine avec sa maîtresse. Je l'allais voir assez souvent. C'était une ancienne connaissance, et sa vue m'en rappelait une plus chère qui me la faisait aimer. Elle avait plusieurs amies, entre autres une Mlle Giraud, Genevoise, qui pour mes péchés s'avisa de prendre du goût pour moi. Elle pressait toujours Merceret de m'amener chez elle; je m'y laissais mener, parce que j'amais assez Merceret, et qu'il y avait là d'autres jeunes personnes que je voyais volontiers. Pour Mlle Giraud, qui me faisait toutes sortes d'agaceries, on ne peut rien ajouter à l'aversion que j'avais pour elle. Quand elle approchait de mon visage son museau sec et noir, barbouillé de tabac d'Espagne, j'avais peine à m'abstenir d'y cracher. Mais je prenais patience; à cela près, je me plaisais fort au milieu de toutes ces filles, et, soit pour faire leur cour à Mlle Giraud, soit pour moi-même, toutes me fêtaient à l'envi. Je ne voyais à tout cela que de l'amitié. J'ai pensé depuis qu'il n'eût tenu qu'à moi d'y voir davantage : mais je ne m'en avisais pas, je n'y pensais pas.

D'ailleurs des couturières, des filles de chambre, de petites marchandes ne me tentaient guère. Il me fallait des demoiselles. Chacun a ses fantaisies; ç'a toujours été la mienne, et je ne pense pas comme

Horace sur ce point-là. Ce n'est pourtant pas du
tout la vanité de l'état et du rang qui m'attire;
c'est un teint mieux conservé, de plus belles mains,
une parure plus gracieuse, un air de délicatesse et
de propreté sur toute la personne, plus de goût
dans la manière de se mettre et de s'exprimer, une
robe plus fine et mieux faite, une chaussure plus
mignonne, des rubans, de la dentelle, des cheveux
mieux ajustés. Je préférerais toujours la moins
jolie ayant plus de tout cela. Je trouve moi-même
cette préférence très ridicule, mais mon cœur la
donne malgré moi.

Hé bien! cet avantage se présentait encore, et il
ne tint encore qu'à moi d'en profiter. Que j'aime
à tomber de temps en temps sur les moments
agréables de ma jeunesse! Ils m'étaient si doux; ils
ont été si courts, si rares, et je les ai goûtés à si
bon marché! Ah! leur seul souvenir rend encore à
mon cœur une volupté pure dont j'ai besoin pour
ranimer mon courage et soutenir les ennuis du
reste de mes ans.

L'aurore un matin me parut si belle, que
m'étant habillé précipitamment, je me hâtai de
gagner la campagne pour voir lever le soleil. Je
goûtai ce plaisir dans tout son charme; c'était la
semaine après la Saint-Jean. La terre, dans sa plus
grande parure, était couverte d'herbe et de fleurs;
les rossignols, presque à la fin de leur ramage,
semblaient se plaire à le renforcer; tous les oiseaux,
faisant en concert leurs adieux au printemps, chan-
taient la naissance d'un beau jour d'été, d'un de

ces beaux jours qu'on ne voit plus à mon âge, et qu'on n'a jamais vus dans le triste sol où j'habite aujourd'hui.

Je m'étais insensiblement éloigné de la ville, la chaleur augmentait, et je me promenais sous des ombrages dans un vallon le long d'un ruisseau. J'entends derrière moi des pas de chevaux et des voix de filles qui semblaient embarrassées, mais qui n'en riaient pas de moins bon cœur. Je me retourne, on m'appelle par mon nom, j'approche, je trouve deux jeunes personnes de ma connaissance, Mlle de Graffenried et Mlle Galley, qui, n'étant pas d'excellentes cavalières, ne savaient comment forcer leurs chevaux à passer le ruisseau. Mlle de Graffenried était une jeune Bernoise fort aimable, qui, par quelque folie de son âge ayant été jetée hors de son pays, avait imité Mme de Warens, chez qui je l'avais vue quelquefois; mais, n'ayant pas eu une pension comme elle, elle avait été trop heureuse de s'attacher à Mlle Galley, qui, l'ayant prise en amitié, avait engagé sa mère à la lui donner pour compagne, jusqu'à ce qu'on la pût placer de quelque façon. Mlle Galley, d'un an plus jeune qu'elle, était encore plus jolie; elle avait je ne sais quoi de plus délicat, de plus fin; elle était en même temps très mignonne et très formée, ce qui est pour une fille le plus beau moment. Toutes deux s'aimaient tendrement, et leur bon caractère à l'une et à l'autre ne pouvait qu'entretenir longtemps cette union, si quelque amant ne venait pas la déranger. Elles me dirent

qu'elles allaient à Toune, vieux château appar-
tenant à Mme Galley; elles implorèrent mon
secours pour faire passer leurs chevaux, n'en pou-
vant venir à bout elles seules. Je voulus fouetter
les chevaux; mais elles craignaient pour moi les
ruades et pour elles les haut-le-corps. J'eus recours
à un autre expédient. Je pris par la bride le cheval
de Mlle Galley, puis, le tirant après moi, je traversai
le ruisseau ayant de l'eau jusqu'à mi-jambes, et
l'autre cheval suivit sans difficulté. Cela fait, je
voulus saluer ces demoiselles, et m'en aller comme
un benêt : elles se dirent quelques mots tout bas,
et Mlle de Graffenried s'adressant à moi : « Non
pas, non pas, me dit-elle, on ne nous échappe pas
comme cela. Vous vous êtes mouillé pour notre
service; nous devons en conscience avoir soin de
vous sécher : il faut, s'il vous plaît, venir avec nous;
nous vous arrêtons prisonnier. » Le cœur me bat-
tait, je regardais Mlle Galley. « Oui, oui, ajouta-
t-elle en riant de ma mine effarée, prisonnier de
guerre; montez en croupe derrière elle; nous vou-
lons rendre compte de vous. — Mais, mademoi-
selle, je n'ai point l'honneur d'être connu de
Mme votre mère; que dira-t-elle en me voyant
arriver? — Sa mère, reprit Mlle de Graffenried,
n'est pas à Toune, nous sommes seules; nous reve-
nons ce soir, et vous reviendrez avec nous. »

L'effet de l'électricité n'est pas plus prompt que
celui que ces mots firent sur moi. En m'élançant
sur le cheval de Mlle de Graffenried je tremblais
de joie, et quand il fallut l'embrasser pour me tenir,

le cœur me battait si fort qu'elle s'en aperçut; elle
me dit que le sien lui battait aussi par la frayeur
de tomber; c'était presque, dans ma posture, une
invitation de vérifier la chose; je n'osai jamais, et
durant tout le trajet mes deux bras lui servirent de
ceinture, très serrée à la vérité, mais sans se déplacer
un moment. Telle femme qui lira ceci me soufflet-
terait volontiers, et n'aurait pas tort.

La gaieté du voyage et le babil de ces filles
aiguisèrent tellement le mien que, jusqu'au soir,
et tant que nous fûmes ensemble, nous ne dépar-
lâmes pas un moment. Elles m'avaient mis si bien
à mon aise, que ma langue parlait autant que mes
yeux, quoiqu'elle ne dît pas les mêmes choses.
Quelques instants seulement, quand je me trouvais
tête à tête avec l'une ou l'autre, l'entretien s'em-
barrassait un peu; mais l'absente revenait bien vite
et ne nous laissait pas le temps d'éclaircir cet em-
barras.

Arrivés à Toune, et moi bien séché, nous déjeu-
nâmes. Ensuite il fallut procéder à l'importante
affaire de préparer le dîner. Les deux demoiselles,
tout en cuisinant, baisaient de temps en temps les
enfants de la grangère; et le pauvre marmiton
regardait faire en rongeant son frein. On avait
envoyé des provisions de la ville, et il y avait de
quoi faire un très bon dîner, surtout en friandises;
mais malheureusement on avait oublié du vin. Cet
oubli n'était pas étonnant pour des filles qui n'en
buvaient guère : mais j'en fus fâché, car j'avais
un peu compté sur ce secours pour m'enhardir.

Elles en furent fâchées aussi, par la même raison
peut-être, mais je n'en crois rien. Leur gaieté vive
et charmante était l'innocence même; et d'ailleurs
qu'eussent-elles fait de moi entre elles deux? Elles
envoyèrent chercher du vin partout aux environs;
on n'en trouva point, tant les paysans de ce canton
sont sobres et pauvres. Comme elles m'en mar-
quaient leur chagrin, je leur dis de n'en pas être si
fort en peine, et qu'elles n'avaient pas besoin de
vin pour m'enivrer. Ce fut la seule galanterie que
j'osai leur dire de la journée; mais je crois que les
friponnes voyaient de reste que cette galanterie était
une vérité.

Nous dînâmes dans la cuisine de la grangère, les
deux amies assises sur des bancs aux deux côtés
de la longue table, et leur hôte entre elles deux sur
une escabelle à trois pieds. Quel dîner! Quel sou-
venir plein de charmes! Comment, pouvant à si peu
de frais goûter des plaisirs si purs et si vrais, vouloir
en rechercher d'autres? Jamais souper des petites
maisons de Paris n'approcha de ce repas, je ne dis
pas seulement pour la gaieté, pour la douce joie,
mais je dis pour la sensualité.

Après le dîner nous fîmes une économie. Au lieu
de prendre le café qui nous restait du déjeuner,
nous le gardâmes pour le goûter avec de la crème
et des gâteaux qu'elles avaient apportés; et pour
tenir notre appétit en haleine, nous allâmes dans
le verger achever notre dessert avec des cerises.
Je montai sur l'arbre, et je leur en jetais des bou-
quets dont elles me rendaient les noyaux à travers

les branches. Une fois, Mlle Galley, avançant son tablier et reculant la tête, se présentait si bien, et je visai si juste, que je lui fis tomber un bouquet dans le sein; et de rire. Je me disais en moi-même : « Que mes lèvres ne sont-elles des cerises! Comme je les leur jetterais ainsi de bon cœur. »

La journée se passa de cette sorte à folâtrer avec la plus grande liberté, et toujours avec la plus grande décence. Pas un seul mot équivoque, pas une seule plaisanterie hasardée; et cette décence, nous ne nous l'imposions point du tout, elle venait toute seule, nous prenions le ton que nous donnaient nos cœurs. Enfin ma modestie, d'autres diront ma sottise, fut telle que la plus grande privauté qui m'échappa fut de baiser une seule fois la main de Mlle Galley. Il est vrai que la circonstance donnait du prix à cette légère faveur. Nous étions seuls, je respirais avec embarras, elle avait les yeux baissés. Ma bouche, au lieu de trouver des paroles, s'avisa de se coller sur sa main, qu'elle retira doucement après qu'elle fut baisée, en me regardant d'un air qui n'était point irrité. Je ne sais ce que j'aurais pu lui dire : son amie entra, et me parut laide en ce moment.

Enfin elles se souvinrent qu'il ne fallait pas attendre la nuit pour rentrer en ville. Il ne nous restait que le temps qu'il fallait pour arriver de jour, et nous nous hâtâmes de partir en nous distribuant comme nous étions venus. Si j'avais osé, j'aurais transposé cet ordre; car le regard de Mlle Galley m'avait vivement ému le cœur; mais

je n'osai rien dire, et ce n'était pas à elle de le proposer. En marchant nous disions que la journée avait tort de finir, mais, loin de nous plaindre qu'elle eût été courte, nous trouvâmes que nous avions eu le secret de la faire longue, par tous les amusements dont nous avions su la remplir.

Je les quittai à peu près au même endroit où elles m'avaient pris. Avec quel regret nous nous séparâmes! Avec quel plaisir nous projetâmes de nous revoir! Douze heures passées ensemble nous valaient des siècles de familiarité. Le doux souvenir de cette journée ne coûtait rien à ces aimables filles; la tendre union qui régnait entre nous trois valait des plaisirs plus vifs, et n'eût pu subsister avec eux : nous nous aimions sans mystère et sans honte, et nous voulions nous aimer toujours ainsi. L'innocence des mœurs a sa volupté, qui vaut bien l'autre, parce qu'elle n'a point d'intervalle et qu'elle agit continuellement. Pour moi, je sais que la mémoire d'un si beau jour me touche plus, me charme plus, me revient plus au cœur que celle d'aucuns plaisirs que j'aie goûtés en ma vie. Je ne savais pas trop bien ce que je voulais à ces deux charmantes personnes, mais elles m'intéressaient beaucoup toutes deux. Je ne dis pas que, si j'eusse été le maître de mes arrangements, mon cœur se serait partagé; j'y sentais un peu de préférence. J'aurais fait mon bonheur d'avoir pour maîtresse Mlle de Graffen-ried; mais à choix, je crois que je l'aurais mieux aimée pour confidente. Quoi qu'il en soit, il me semblait en les quittant que je ne pourrais plus

vivre sans l'une et sans l'autre. Qui m'eût dit que
je ne les reverrais de ma vie, et que là finiraient
nos éphémères amours?

Ceux qui liront ceci ne manqueront pas de rire
de mes aventures galantes, en remarquant qu'après
beaucoup de préliminaires, les plus avancées finis-
sent par baiser la main. O mes lecteurs! ne vous
y trompez pas. J'ai peut-être eu plus de plaisir dans
mes amours, en finissant par cette main baisée, que
vous n'en aurez jamais dans les vôtres en commen-
çant tout au moins par là.

Venture, qui s'était couché fort tard la veille,
rentra peu de temps après moi. Pour cette fois, je
ne le vis pas avec le même plaisir qu'à l'ordinaire;
et je me gardai de lui dire comment j'avais passé
ma journée. Ces demoiselles m'avaient parlé de lui
avec peu d'estime, et m'avaient paru mécontentes
de me savoir en si mauvaises mains : cela lui fit
tort dans mon esprit; d'ailleurs tout ce qui me
distrayait d'elles ne pouvait que m'être désagréable.
Cependant, il me rappela bientôt à lui et à moi,
en me parlant de ma situation. Elle était trop cri-
tique pour pouvoir durer. Quoique je dépensasse
très peu de chose, mon petit pécule achevait de s'épui-
ser; j'étais sans ressource. Point de nouvelles de
Maman; je ne savais que devenir, et je sentais un
cruel serrement de cœur de voir l'ami de Mlle Galley
réduit à l'aumône.

Venture me dit qu'il avait parlé de moi à M. le
juge-mage; qu'il voulait m'y mener dîner le len-
demain; que c'était un homme en état de me rendre

service par ses amis; d'ailleurs une bonne connais-
sance à faire, un homme d'esprit et de lettres, d'un
commerce fort agréable, qui avait des talents et
qui les aimait; puis, mêlant à son ordinaire aux
choses les plus sérieuses la plus mince frivolité, il
me fit voir un joli couplet, venu de Paris, sur un
air d'un opéra de Mouret qu'on jouait alors. Ce
couplet avait plu si fort à M. Simon (c'était le nom
du juge-mage), qu'il voulait en faire un autre en
réponse sur le même air : il avait dit à Venture
d'en faire aussi un; et la folie prit à celui-ci de m'en
faire faire un troisième, afin, disait-il, qu'on vît
les couplets arriver le lendemain comme les bran-
cards du *Roman comique*.

La nuit, ne pouvant dormir, je fis comme je pus
mon couplet. Pour les premiers vers que j'eusse
faits, ils étaient passables, meilleurs même, ou du
moins faits avec plus de goût qu'ils n'auraient été
la veille, le sujet roulant sur une situation fort
tendre, à laquelle mon cœur était déjà tout disposé.
Je montrai le matin mon couplet à Venture, qui,
le trouvant joli, le mit dans sa poche sans me dire
s'il avait fait le sien. Nous allâmes dîner chez
M. Simon, qui nous reçut bien. La conversation
fut agréable : elle ne pouvait manquer de l'être
entre deux hommes d'esprit, à qui la lecture avait
profité. Pour moi, je faisais mon rôle, j'écoutais, et
je me taisais. Ils ne parlèrent de couplets ni l'un
ni l'autre; je n'en parlai point non plus, et jamais,
que je sache, il n'a été question du mien.

M. Simon parut content de mon maintien : c'est

à peu près tout ce qu'il vit de moi dans cette en-
trevue. Il m'avait déjà vu plusieurs fois chez
Mme de Warens sans faire une grande attention à
moi. Ainsi c'est de ce dîner que je puis dater sa
connaissance, qui ne me servit de rien pour l'objet
qui me l'avait fait faire, mais dont je tirai dans la
suite d'autres avantages qui me font rappeler sa
mémoire avec plaisir.

J'aurais tort de ne pas parler de sa figure, que,
sur sa qualité de magistrat, et sur le bel esprit dont
il se piquait, on n'imaginerait pas si je n'en disais
rien. M. le juge-mage Simon n'avait assurément pas
deux pieds de haut. Ses jambes, droites, menues
et même assez longues, l'auraient agrandi si elles
eussent été verticales; mais elles posaient de biais
comme celles d'un compas très ouvert. Son corps
était non seulement court, mais mince et, en tout
sens, d'une petitesse inconcevable. Il devait paraître
une sauterelle quand il était nu. Sa tête, de gran-
deur naturelle, avec un visage bien formé, l'air
noble, d'assez beaux yeux, semblait une tête postiche
qu'on aurait plantée sur un moignon. Il eût pu
s'exempter de faire de la dépense en parure, car
sa grande perruque seule l'habillait parfaitement
de pied en cap.

Il avait deux voix toutes différentes, qui s'entre-
mêlaient sans cesse dans sa conversation avec un
contraste d'abord très plaisant, mais bientôt très
désagréable. L'une était grave et sonore; c'était, si
j'ose ainsi parler, la voix de sa tête. L'autre, claire,
aiguë et perçante, était la voix de son corps. Quand

il s'écoutait beaucoup, qu'il parlait très posément, qu'il ménageait son haleine, il pouvait parler toujours de sa grosse voix; mais pour peu qu'il s'animât et qu'un accent plus vif vînt se présenter, cet accent devenait comme le sifflement d'une clef, et il avait toute la peine du monde à reprendre sa basse.

Avec la figure que je viens de peindre, et qui n'est point chargée, M. Simon était galant, grand conteur de fleurettes, et poussait jusqu'à la coquetterie le soin de son ajustement. Comme il cherchait à prendre ses avantages, il donnait volontiers ses audiences du matin dans son lit; car quand on voyait sur l'oreiller une belle tête, personne n'allait s'imaginer que c'était là tout. Cela donnait lieu quelquefois à des scènes dont je suis sûr que tout Annecy se souvient encore. Un matin qu'il attendait dans ce lit, ou plutôt sur ce lit, les plaideurs, en belle coiffe de nuit bien fine et bien blanche, ornée de deux grosses bouffettes de ruban couleur de rose, un paysan arrive, heurte à la porte. La servante était sortie. M. le juge-mage, entendant redoubler, crie : « *Entrez* »; et cela, comme dit un peu trop fort, partit de sa voix aiguë. L'homme entre; il cherche d'où vient cette voix de femme, et voyant dans ce lit une cornette, une fontange, il veut ressortir, en faisant à Madame de grandes excuses. M. Simon se fâche, et n'en crie que plus clair. Le paysan, confirmé dans son idée, et se croyant insulté, lui chante pouille, lui dit qu'apparemment elle n'est qu'une coureuse, et que M. le juge-mage ne donne guère bon exemple chez lui.

Le juge-mage, furieux, et n'ayant pour toute arme que son pot de chambre, allait le jeter à la tête de ce pauvre homme, quand sa gouvernante arriva.

Ce petit nain, si disgracié dans son corps par la nature, en avait été dédommagé du côté de l'esprit : il l'avait naturellement agréable, et il avait pris soin de l'orner. Quoiqu'il fût, à ce qu'on disait, assez bon jurisconsulte, il n'aimait pas son métier. Il s'était jeté dans la belle littérature, et il y avait réussi. Il en avait pris surtout cette brillante superficie, cette fleur qui jette de l'agrément dans le commerce, même avec les femmes. Il savait par cœur tous les petits traits des *ana* et autres semblables : il avait l'art de les faire valoir, en contant avec intérêt, avec mystère, et comme une anecdote de la veille, ce qui s'était passé il y avait soixante ans. Il savait la musique et chantait agréablement de sa voix d'homme : enfin il avait beaucoup de jolis talents pour un magistrat. A force de cajoler les dames d'Annecy, il s'était mis à la mode parmi elles; elles l'avaient à leur suite comme un petit sapajou. Il prétendait même à des bonnes fortunes, et cela les amusait beaucoup. Une Mme d'Epagny disait que pour lui la dernière faveur était de baiser une femme au genou.

Comme il connaissait les bons livres, et qu'il en parlait volontiers, sa conversation était non seulement amusante, mais instructive. Dans la suite, lorsque j'eus pris du goût pour l'étude, je cultivai sa connaissance, et je m'en trouvai très bien. J'allais quelquefois le voir de Chambéry, où j'étais alors.

Il louait, animait mon émulation, et me donnait
pour mes lectures de bons avis, dont j'ai souvent fait
mon profit. Malheureusement dans ce corps si fluet
logeait une âme très sensible. Quelques années après
il eut je ne sais quelle mauvaise affaire qui le
chagrina, et il en mourut. Ce fut dommage; c'était
assurément un bon petit homme dont on com-
mençait par rire, et qu'on finissait par aimer. Quoi-
que sa vie ait été peu liée à la mienne, comme
j'ai reçu de lui des leçons utiles, j'ai cru pouvoir,
par reconnaissance, lui consacrer un petit souvenir.

Sitôt que je fus libre, je courus dans la rue de
Mlle Galley, me flattant de voir entrer ou sortir
quelqu'un, ou du moins ouvrir quelque fenêtre.
Rien; pas un chat ne parut, et tout le temps que
je fus là, la maison demeura aussi close que si
elle n'eût point été habitée. La rue était petite et
déserte, un homme s'y remarquait : de temps en
temps quelqu'un passait, entrait ou sortait au voi-
sinage. J'étais fort embarrassé de ma figure : il me
semblait qu'on devinait pourquoi j'étais là, et cette
idée me mettait au supplice, car j'ai toujours pré-
féré à mes plaisirs l'honneur et le repos de celles
qui m'étaient chères.

Enfin, las de faire l'amant espagnol, et n'ayant
point de guitare, je pris le parti d'aller écrire à
Mlle de Graffenried. J'aurais préféré d'écrire à son
amie; mais je n'osais, et il convenait de commencer
par celle à qui je devais la connaissance de l'autre
et avec qui j'étais plus familier. Ma lettre faite,
j'allai la porter à Mlle Giraud, comme j'en étais

convenu avec ces demoiselles en nous séparant. Ce furent elles qui me donnèrent cet expédient. Mlle Giraud était contrepointière, et travaillant quelquefois chez Mme Galley, elle avait l'entrée de sa maison. La messagère ne me parut pourtant pas trop bien choisie; mais j'avais peur, si je faisais des difficultés sur celle-là, qu'on ne m'en proposât point d'autre. De plus, je n'osai dire qu'elle voulait travailler pour son compte. Je me sentais humilié qu'elle osât se croire pour moi du même sexe que ces demoiselles. Enfin j'aimais mieux cet entrepôt-là que point, et je m'y tins à tout risque.

Au premier mot la Giraud me devina : cela n'était pas difficile. Quand une lettre à porter à de jeunes filles n'aurait pas parlé d'elle-même, mon air sot et embarrassé m'aurait seul décelé. On peut croire que cette commission ne lui donna pas grand plaisir à faire : elle s'en chargea toutefois et l'exécuta fidèlement. Le lendemain matin je courus chez elle, et j'y trouvai ma réponse. Comme je me pressai de sortir pour l'aller lire et baiser à mon aise! Cela n'a pas besoin d'être dit; mais ce qui en a besoin davantage, c'est le parti que prit Mlle Giraud, et où j'ai trouvé plus de délicatesse et de modération que je n'en aurais attendu d'elle. Ayant assez de bon sens pour voir qu'avec ses trente-sept ans, ses yeux de lièvre, son nez barbouillé, sa voix aigre et sa peau noire, elle n'avait pas beau jeu contre deux jeunes personnes pleines de grâces et dans tout l'éclat de la beauté, elle ne voulut ni les trahir ni les servir, et

aima mieux me perdre que de me ménager pour elles.

Il y avait déjà quelque temps que la Merceret, n'ayant aucune nouvelle de sa maîtresse, songeait à s'en retourner à Fribourg; elle l'y détermina tout à fait. Elle fit plus, elle lui fit entendre qu'il serait bien que quelqu'un la conduisît chez son père, et me proposa. La petite Merceret, à qui je ne déplaisais pas non plus, trouva cette idée fort bonne à exécuter. Elles m'en parlèrent dès le même jour comme d'une affaire arrangée; et comme je ne trouvais rien qui me déplût dans cette manière de disposer de moi, j'y consentis, regardant ce voyage comme une affaire de huit jours tout au plus. La Giraud, qui ne pensait pas de même, arrangea tout. Il fallut bien avouer l'état de mes finances. On y pourvut : la Merceret se chargea de me défrayer; et, pour regagner d'un côté ce qu'elle dépensait de l'autre, à ma prière on décida qu'elle enverrait devant son petit bagage, et que nous irions à pied, à petites journées. Ainsi fut fait.

Je suis fâché de faire tant de filles amoureuses de moi. Mais comme il n'y a pas de quoi être bien vain du parti que j'ai tiré de toutes ces amours-là, je crois pouvoir dire la vérité sans scrupule. La Merceret, plus jeune et moins déniaisée que la Giraud, ne m'a jamais fait des agaceries aussi vives; mais elle imitait mes tons, mes accents, redisait mes mots, avait pour moi les attentions que j'aurais dû avoir pour elle, et prenait toujours grand soin, comme elle était fort peureuse, que nous cou-

chassions dans la même chambre : identité qui se
borne rarement là dans un voyage entre un garçon
de vingt ans et une fille de vingt-cinq.

Elle s'y borna pourtant cette fois. Ma simplicité
fut telle que, quoique la Merceret ne fût pas désa-
gréable, il ne me vint pas même à l'esprit durant
tout le voyage, je ne dis pas la moindre tentation
galante, mais même la moindre idée qui s'y rap-
portât; et, quand cette idée me serait venue, j'étais
trop sot pour en savoir profiter. Je n'imaginais pas
comment une fille et un garçon parvenaient à cou-
cher ensemble; je croyais qu'il fallait des siècles
pour préparer ce terrible arrangement. Si la pauvre
Merceret, en me défrayant, comptait sur quelque
équivalent, elle en fut la dupe, et nous arrivâmes
à Fribourg exactement comme nous étions partis
d'Annecy.

En passant à Genève je n'allai voir personne,
mais je fus prêt à me trouver mal sur les ponts.
Jamais je n'ai vu les murs de cette heureuse ville,
jamais je n'y suis entré, sans sentir une certaine
défaillance de cœur qui venait d'un excès d'atten-
drissement. En même temps que la noble image de
la liberté m'élevait l'âme, celles de l'égalité, de
l'union, de la douceur des mœurs me touchaient
jusqu'aux larmes et m'inspiraient un vif regret
d'avoir perdu tous ces biens. Dans quelle erreur
j'étais, mais qu'elle était naturelle! Je croyais voir
tout cela dans ma patrie, parce que je le portais
dans mon cœur.

Il fallait passer à Nyon. Passer sans voir mon bon

père! Si j'avais eu ce courage, j'en serais mort de regret. Je laissai la Merceret à l'auberge, et je l'allai voir à tout risque. Eh! que j'avais tort de le craindre! Son âme à mon abord s'ouvrit aux sentiments paternels dont elle était pleine. Que de pleurs nous versâmes en nous embrassant! Il crut d'abord que je revenais à lui. Je lui fis mon histoire, et je lui dis ma résolution. Il la combattit faiblement. Il me fit voir les dangers auxquels je m'exposais, me dit que les plus courtes folies étaient les meilleures. Du reste, il n'eut pas même la tentation de me retenir de force; et en cela je trouve qu'il eut raison; mais il est certain qu'il ne fit pas pour me ramener tout ce qu'il aurait pu faire, soit qu'après le pas que j'avais fait, il jugeât lui-même que je n'en devais pas revenir, soit qu'il fût embarrassé peut-être à savoir ce qu'à mon âge il pourrait faire de moi. J'ai su depuis qu'il eut de ma compagne de voyage une opinion bien injuste et bien éloignée de la vérité, mais du reste assez naturelle. Ma belle-mère, bonne femme, un peu mielleuse, fit semblant de vouloir me retenir à souper. Je ne restai point; mais je leur dis que je comptais m'arrêter avec eux plus longtemps au retour, et je leur laissai en dépôt mon petit paquet, que j'avais fait venir par le bateau, et dont j'étais embarrassé. Le lendemain, je partis de bon matin, bien content d'avoir vu mon père et d'avoir osé faire mon devoir.

Nous arrivâmes heureusement à Fribourg. Sur la fin du voyage les empressements de Mlle Merceret diminuèrent un peu. Après notre arrivée, elle ne

me marqua plus que de la froideur, et son père, qui
ne nageait pas dans l'opulence, ne me fit pas non
plus un bien grand accueil : j'allai loger au cabaret.
Je les fus voir le lendemain, ils m'offrirent à dîner,
je l'acceptai. Nous nous séparâmes sans pleurs :
je retournai le soir à ma gargote, et je repartis le
surlendemain de mon arrivée, sans trop savoir où
j'avais dessein d'aller.

Voilà encore une circonstance de ma vie où la
Providence m'offrait précisément ce qu'il me fallait
pour couler des jours heureux. La Merceret était
une très bonne fille, point brillante, point belle,
mais point laide non plus; peu vive, fort raison-
nable, à quelques petites humeurs près, qui se
passaient à pleurer, et qui n'avaient jamais de suite
orageuse. Elle avait un vrai goût pour moi; j'aurais
pu l'épouser sans peine, et suivre le métier de son
père. Mon goût pour la musique me l'aurait fait
aimer. Je me serais établi à Fribourg, petite ville
peu jolie, mais peuplée de très bonnes gens. J'aurais
perdu sans doute de grands plaisirs, mais j'aurais
vécu en paix jusqu'à ma dernière heure; et je dois
savoir mieux que personne qu'il n'y avait pas à
balancer sur ce marché.

Je revins non pas à Nyon, mais à Lausanne.
Je voulais me rassasier de la vue de ce beau lac
qu'on voit là dans sa plus grande étendue. La plu-
part de mes secrets motifs déterminants n'ont pas
été plus solides. Des vues éloignées ont rarement
assez de force pour me faire agir. L'incertitude de
l'avenir m'a toujours fait regarder les projets de

longue exécution comme des leurres de dupe. Je
me livre à l'espoir comme un autre, pourvu qu'il
ne me coûte rien à nourrir; mais, s'il faut prendre
longtemps de la peine, je n'en suis plus. Le moindre
petit plaisir qui s'offre à ma portée me tente plus
que les joies du Paradis. J'excepte pourtant le
plaisir que la peine doit suivre; celui-là ne me tente
pas, parce que je n'aime que des jouissances pures,
et que jamais on n'en a de telles quand on sait
qu'on s'apprête un repentir.

J'avais grand besoin d'arriver où que ce fût, et le
plus proche était le mieux; car, m'étant égaré dans
ma route, je me trouvai le soir à Moudon, où je
dépensai le peu qui me restait, hors dix kreutzers,
qui partirent le lendemain à la dînée, et, arrivé
le soir à un petit village auprès de Lausanne, j'y
entrai dans un cabaret sans un sol pour payer ma
couchée, et sans savoir que devenir. J'avais grand-
faim; je fis bonne contenance, et je demandai à
souper, comme si j'eusse eu de quoi bien payer.
J'allai me coucher sans songer à rien, je dormis
tranquillement; et, après avoir déjeuné le matin,
et compté avec l'hôte, je voulus, pour sept batz,
à quoi montait ma dépense, lui laisser ma veste en
gage. Ce brave homme la refusa; il me dit que,
grâce au Ciel, il n'avait jamais dépouillé personne,
qu'il ne voulait pas commencer pour sept batz, que
je gardasse ma veste, et que je le payerais quand
je pourrais. Je fus touché de sa bonté, mais moins
que je ne devais l'être, et que je ne l'ai été depuis
en y repensant. Je ne tardai guère à lui renvoyer

son argent avec des remerciements par un homme sûr : mais, quinze ans après, repassant par Lausanne, à mon retour d'Italie, j'eus un vrai regret d'avoir oublié le nom du cabaret et de l'hôte. Je l'aurais été voir; je me serais fait un vrai plaisir de lui rappeler sa bonne œuvre, et de lui prouver qu'elle n'avait pas été mal placée. Des services plus importants sans doute, mais rendus avec plus d'ostentation, ne m'ont pas paru si dignes de reconnaissance que l'humanité simple et sans éclat de cet honnête homme.

En approchant de Lausanne, je rêvais à la détresse où je me trouvais, aux moyens de m'en tirer sans aller montrer ma misère à ma belle-mère, et je me comparais dans ce pèlerinage pédestre à mon ami Venture arrivant à Annecy. Je m'échauffai si bien de cette idée, que, sans songer que je n'avais ni sa gentillesse ni ses talents, je me mis en quête de faire à Lausanne le petit Venture, d'enseigner la musique, que je ne savais pas, et de me dire de Paris, où je n'avais jamais été. En conséquence de ce beau projet, comme il n'y avait point là de maîtrise où je pusse vicarier, et que d'ailleurs je n'avais garde d'aller me fourrer parmi les gens de l'art, je commençai par m'informer d'une petite auberge où l'on pût être assez bien et à bon marché. On m'enseigna un nommé Perrotet, qui tenait des pensionnaires. Ce Perrotet se trouva être le meilleur homme du monde, et me reçut fort bien. Je lui contai mes petits mensonges comme je les avais arrangés. Il me promit de parler de moi, et de

tâcher de me procurer des écoliers; il me dit qu'il ne me demanderait de l'argent que quand j'en aurais gagné. Sa pension était de cinq écus blancs, ce qui était peu pour la chose, mais beaucoup pour moi. Il me conseilla de ne me mettre d'abord qu'à la demi-pension, qui consistait pour le dîner en une bonne soupe, et rien de plus, mais bien à souper le soir. J'y consentis. Ce pauvre Perrotet me fit toutes ces avances du meilleur cœur du monde, et n'épargnait rien pour m'être utile. Pourquoi faut-il qu'ayant trouvé tant de bonnes gens dans ma jeunesse, j'en trouve si peu dans un âge avancé? Leur race est-elle épuisée? Non; mais l'ordre où j'ai besoin de les chercher aujourd'hui n'est plus le même où je les trouvais alors. Parmi le peuple, où les grandes passions ne parlent que par intervalles, les sentiments de la nature se font plus souvent entendre. Dans les états plus élevés ils sont étouffés absolument, et sous le masque du sentiment il n'y a jamais que l'intérêt ou la vanité qui parle.

J'écrivis de Lausanne à mon père, qui m'envoya mon paquet et me marqua d'excellentes choses, dont j'aurais dû mieux profiter. J'ai déjà noté des moments de délire inconcevable où je n'étais plus moi-même. En voici encore un des plus marqués. Pour comprendre à quel point la tête me tournait alors, à quel point je m'étais pour ainsi dire venturisé, il ne faut que voir combien tout à la fois j'accumulai d'extravagances. Me voilà maître à

chanter sans savoir déchiffrer un air; car quand les six mois que j'avais passés avec Le Maître m'auraient profité, jamais ils n'auraient pu suffire; mais outre cela j'apprenais d'un maître : c'en était assez pour apprendre mal. Parisien de Genève, et catholique en pays protestant, je crus devoir changer mon nom ainsi que ma religion et ma patrie. Je m'approchais toujours de mon grand modèle autant qu'il m'était possible. Il s'était appelé Venture de Villeneuve, moi je fis l'anagramme du nom de Rousseau dans celui de Vaussore, et je m'appelai Vaussore de Villeneuve. Venture savait la composition, quoiqu'il n'en eût rien dit; moi, sans la savoir, je m'en vantai à tout le monde, et, sans pouvoir noter le moindre vaudeville, je me donnai pour compositeur. Ce n'est pas tout : ayant été présenté à M. de Treytorens, professeur en droit, qui aimait la musique et faisait des concerts chez lui, je voulus lui donner un échantillon de mon talent, et je me mis à composer une pièce pour son concert, aussi effrontément que si j'avais su comment m'y prendre. J'eus la constance de travailler pendant quinze jours à ce bel ouvrage, de le mettre au net, d'en tirer les parties, et de les distribuer avec autant d'assurance que si c'eût été un chef-d'œuvre d'harmonie. Enfin, ce qu'on aura peine à croire, et qui est très vrai, pour couronner dignement cette sublime production, je mis à la fin un joli menuet, qui courait les rues, et que tout le monde se rappelle peut-être encore, sur ces paroles jadis si connues :

Quel caprice!
Quelle injustice!
Quoi! ta Clarisse
Trahirait tes feux, etc.

Venture m'avait appris cet air avec la basse
sur d'autres paroles infâmes, à l'aide desquelles je
l'avais retenu. Je mis donc à la fin de ma compo-
sition ce menuet et sa basse, en supprimant les
paroles, et je le donnai pour être de moi, tout
aussi résolument que si j'avais parlé à des habitants
de la lune.

On s'assemble pour exécuter ma pièce. J'explique
à chacun le genre du mouvement, le goût de
l'exécution, les renvois des parties; j'étais fort affairé.
On s'accorde pendant cinq ou six minutes, qui
furent pour moi cinq ou six siècles. Enfin, tout
étant prêt, je frappe avec un beau rouleau de
papier sur mon pupitre magistral les cinq ou six
coups du *Prenez garde à vous*. On fait silence. Je
me mets gravement à battre la mesure; on com-
mence... Non, depuis qu'il existe des opéras fran-
çais, de la vie on n'ouït un semblable charivari.
Quoi qu'on eût pu penser de mon prétendu talent,
l'effet fut pire que tout ce qu'on semblait attendre.
Les musiciens étouffaient de rire; les auditeurs
ouvraient de grands yeux, et auraient bien voulu
fermer les oreilles; mais il n'y avait pas moyen.
Mes bourreaux de symphonistes, qui voulaient
s'égayer, raclaient à percer le tympan d'un quinze-
vingt. J'eus la constance d'aller toujours mon
train, suant, il est vrai, à grosses gouttes, mais retenu

par la honte, n'osant m'enfuir et tout planter là.
Pour ma consolation, j'entendais autour de moi les
assistants se dire à leur oreille, ou plutôt à la
mienne, l'un : Il n'y a rien là de supportable;
un autre : Quelle musique enragée! un autre :
Quel diable de sabbat! Pauvre Jean-Jacques, dans
ce cruel moment tu n'espérais guère qu'un jour
devant le roi de France et toute sa cour tes sons
exciteraient des murmures de surprise et d'applau-
dissement, et que, dans toutes les loges autour de
toi, les plus aimables femmes se diraient à demi-
voix : Quels sons charmants! Quelle musique
enchanteresse! Tous ces chants-là vont au cœur!

Mais ce qui mit tout le monde de bonne humeur
fut le menuet. A peine en eut-on joué quelques
mesures, que j'entendis partir de toutes parts les
éclats de rire. Chacun me félicitait sur mon joli
goût de chant; on m'assurait que ce menuet ferait
parler de moi, et que je méritais d'être chanté par-
tout. Je n'ai pas besoin de dépeindre mon angoisse
ni d'avouer que je la méritais bien.

Le lendemain, l'un des mes symphonistes, appelé
Lutold, vint me voir, et fut assez bon homme pour
ne pas me féliciter sur mon succès. Le profond
sentiment de ma sottise, la honte, le regret, le déses-
poir de l'état où j'étais réduit, l'impossibilité de
tenir mon cœur fermé dans ses grandes peines,
me firent ouvrir à lui; je lâchai la bonde à mes
larmes; et, au lieu de me contenter de lui avouer
mon ignorance, je lui dis tout, en lui demandant
le secret, qu'il me promit, et qu'il me garda

comme on peut le croire. Dès le même soir tout Lausanne sut qui j'étais; et, ce qui est remarquable, personne ne m'en fit semblant, pas même le bon Perrotet, qui pour tout cela ne se rebuta pas de me loger et de me nourrir.

Je vivais, mais bien tristement. Les suites d'un pareil début ne firent pas pour moi de Lausanne un séjour fort agréable. Les écoliers ne se présentaient pas en foule; pas une seule écolière, et personne de la ville. J'eus en tout deux ou trois gros Teutsches, aussi stupides que j'étais ignorant, qui m'ennuyaient à mourir, et qui, dans mes mains, ne devinrent pas de grands croque-notes. Je fus appelé dans une seule maison, où un petit serpent de fille se donna le plaisir de me montrer beaucoup de musique, dont je ne pus pas lire une note, et qu'elle eut la malice de chanter ensuite devant M. le maître, pour lui montrer comment cela s'exécutait. J'étais si peu en état de lire un air de première vue, que, dans le brillant concert dont j'ai parlé, il ne me fut pas possible de suivre un moment l'exécution pour savoir si l'on jouait bien ce que j'avais sous les yeux et que j'avais composé moi-même.

Au milieu de tant d'humiliations j'avais des consolations très douces dans les nouvelles que je recevais de temps en temps des deux charmantes amies. J'ai toujours trouvé dans le sexe une grande vertu consolatrice, et rien n'adoucit plus mes afflictions dans mes disgrâces que de sentir qu'une personne aimable y prend intérêt. Cette

correspondance cessa pourtant bientôt après, et ne fut jamais renouée; mais ce fut ma faute. En changeant de lieu je négligeai de leur donner mon adresse, et, forcé par la nécessité de songer continuellement à moi-même, je les oubliai bientôt entièrement.

Il y a longtemps que je n'ai parlé de ma pauvre Maman : mais si l'on croit que je l'oubliais aussi, l'on se trompe fort. Je ne cessais de penser à elle, et de désirer de la retrouver, non seulement pour le besoin de ma subsistance, mais bien plus pour le besoin de mon cœur. Mon attachement pour elle, quelque vif, quelque tendre qu'il fût, ne m'empêchait pas d'en aimer d'autres; mais ce n'était pas de la même façon. Toutes devaient également ma tendresse à leurs charmes; mais elle tenait uniquement à ceux des autres, et ne leur eût pas survécu; au lieu que Maman pouvait devenir vieille et laide sans que je l'aimasse moins tendrement. Mon cœur avait pleinement transmis à sa personne l'hommage qu'il fit d'abord à sa beauté; et, quelque changement qu'elle éprouvât, pourvu que ce fût toujours elle, mes sentiments ne pouvaient changer. Je sais bien que je lui devais de la reconnaissance; mais en vérité je n'y songeais pas. Quoi qu'elle eût fait ou n'eût pas fait pour moi, c'eût été toujours la même chose. Je ne l'aimais ni par devoir, ni par intérêt, ni par convenance : je l'aimais parce que j'étais né pour l'aimer. Quand je devenais amoureux de quelque autre, cela faisait distraction, je l'avoue, et je

pensais moins souvent à elle; mais j'y pensais avec
le même plaisir, et jamais, amoureux ou non, je
ne me suis occupé d'elle sans sentir qu'il ne pou-
vait y avoir pour moi de vrai bonheur dans la vie
tant que j'en serais séparé.

N'ayant point de ses nouvelles depuis si long-
temps, je ne crus jamais que je l'eusse tout à fait
perdue, ni qu'elle eût pu m'oublier. Je me disais :
Elle saura tôt ou tard que je suis errant, et me
donnera quelque signe de vie; je la retrouverai,
j'en suis certain. En attendant, c'était une douceur
pour moi d'habiter son pays, de passer dans les
rues où elle avait passé, devant les maisons où elle
avait demeuré, et le tout par conjecture, car une
de mes ineptes bizarreries était de n'oser m'infor-
mer d'elle ni prononcer son nom sans la plus
absolue nécessité. Il me semblait qu'en la nom-
mant je disais tout ce qu'elle m'inspirait, que ma
bouche révélait le secret de mon cœur, que je la
compromettais en quelque sorte. Je crois même
qu'il se mêlait à cela quelque frayeur qu'on ne me
dît du mal d'elle. On avait parlé beaucoup de sa
démarche, et un peu de sa conduite. De peur qu'on
n'en dît pas ce que je voulais entendre, j'aimais
mieux qu'on n'en parlât point du tout.

Comme mes écoliers ne m'occupaient pas beau-
coup, et que sa ville natale n'était qu'à quatre
lieues de Lausanne, j'y fis une promenade de deux
ou trois jours durant lesquels la plus douce émo-
tion ne me quitta point. L'aspect du lac de Genève
et de ses admirables côtes eut toujours à mes

yeux un attrait particulier que je ne saurais expli-
quer, et qui ne tient pas seulement à la beauté
du spectacle, mais à je ne sais quoi de plus inté-
ressant qui m'affecte et m'attendrit. Toutes les
fois que j'approche du pays de Vaud, j'éprouve
une impression composée du souvenir de Mme de
Warens qui y est née, de mon père qui y vivait,
de Mlle de Vulson qui y eut les prémices de mon
cœur, de plusieurs voyages de plaisir que j'y fis
dans mon enfance, et, ce me semble, de quelque
autre cause encore, plus secrète et plus forte que
tout cela. Quand l'ardent désir de cette vie heureuse
et douce qui me fuit et pour laquelle j'étais né
vient enflammer mon imagination, c'est toujours au
pays de Vaud, près du lac, dans des campagnes
charmantes, qu'elle se fixe. Il me faut absolument
un verger au bord de ce lac et non pas d'un
autre; il me faut un ami sûr, une femme aimable,
une vache et un petit bateau. Je ne jouirai d'un
bonheur parfait sur la terre que quand j'aurai
tout cela. Je ris de la simplicité avec laquelle je
suis allé plusieurs fois dans ce pays-là uniquement
pour y chercher ce bonheur imaginaire. J'étais
toujours surpris d'y trouver les habitants, surtout
les femmes, d'un tout autre caractère que celui
que j'y cherchais. Combien cela me semblait dis-
parate! Le pays et le peuple dont il est couvert
ne m'ont jamais paru faits l'un pour l'autre.

Dans ce voyage de Vevay, je me livrais, en sui-
vant ce beau rivage, à la plus douce mélancolie. Mon
cœur s'élançait avec ardeur à mille félicités inno-

centes : je m'attendrissais, je soupirais, et pleurais
comme un enfant. Combien de fois, m'arrêtant
pour pleurer à mon aise, assis sur une grosse
pierre, je me suis amusé à voir tomber mes larmes
dans l'eau!

J'allai à Vevay loger à *La Clef,* et pendant deux
jours que j'y restai sans voir personne, je pris
pour cette ville un amour qui m'a suivi dans tous
mes voyages, et qui m'y a fait établir enfin les
héros de mon roman. Je dirais volontiers à ceux
qui ont du goût et qui sont sensibles : Allez à
Vevay, visitez le pays, examinez les sites, promenez-
vous sur le lac, et dites si la nature n'a pas fait ce
beau pays pour une Julie, pour une Claire, et pour
un Saint-Preux; mais ne les y cherchez pas. Je reviens
à mon histoire.

Comme j'étais catholique et que je me donnais
pour tel, je suivais sans mystère et sans scrupule
le culte que j'avais embrassé. Les dimanches, quand
il faisait beau, j'allais à la messe à Assens à
deux lieues de Lausanne. Je faisais ordinairement
cette course avec d'autres catholiques, surtout avec
un brodeur parisien dont j'ai oublié le nom.
Ce n'était pas un Parisien comme moi, c'était
un vrai Parisien de Paris, un archi-Parisien du
bon Dieu, bonhomme comme un Champenois. Il
aimait si fort son pays, qu'il ne voulut jamais
douter que j'en fusse, de peur de perdre cette occa-
sion d'en parler. M. de Crouzas, lieutenant-baillival,
avait un jardinier de Paris aussi, mais moins complai-
sant, et qui trouvait la gloire de son pays compro-

mise à ce qu'on osât se donner pour en être lors-
qu'on n'avait pas cet honneur. Il me questionnait
de l'air d'un homme sûr de me prendre en faute,
et puis souriait malignement. Il me demanda une
fois ce qu'il y avait de remarquable au Marché-
Neuf. Je battis la campagne comme on peut croire.
Après avoir passé vingt ans à Paris, je dois à pré-
sent connaître cette ville; cependant, si l'on me
faisait aujourd'hui pareille question, je ne serais
pas moins embarrassé d'y répondre; et de cet embar-
ras on pourrait aussi bien conclure que je n'ai
jamais été à Paris : tant, lors même qu'on ren-
contre la vérité, l'on est sujet à se fonder sur des
principes trompeurs.

Je ne saurais dire exactement combien de temps
je demeurai à Lausanne. Je n'apportai pas de
cette ville des souvenirs bien rappelants. Je sais
seulement que, n'y trouvant pas à vivre, j'allai de
là à Neuchâtel, et que j'y passai l'hiver. Je réus-
sis mieux dans cette dernière ville; j'y eus des éco-
lières, et j'y gagnai de quoi m'acquitter avec mon
bon ami Perrotet, qui m'avait fidèlement envoyé
mon petit bagage, quoique je lui redusse assez d'ar-
gent.

J'apprenais insensiblement la musique en l'en-
seignant. Ma vie était assez douce; un homme rai-
sonnable eût pu s'en contenter : mais mon cœur
inquiet me demandait autre chose. Les dimanches
et les jours où j'étais libre, j'allais courir les cam-
pagnes et les bois des environs, toujours errant,
rêvant, soupirant; et quand j'étais une fois sorti de

la ville, je n'y rentrais plus que le soir. Un jour,
étant à Boudry, j'entrai pour dîner dans un caba-
ret : j'y vis un homme à grande barbe avec un
habit violet à la grecque, un bonnet fourré, l'équi-
page et l'air assez noble, et qui souvent avait
peine à se faire entendre, ne parlant qu'un jar-
gon presque indéchiffrable, mais plus ressemblant
à l'italien qu'à nulle autre langue. J'entendais
presque tout ce qu'il disait, et j'étais le seul; il
ne pouvait s'énoncer que par signes avec l'hôte
et les gens du pays. Je lui dis quelques mots
en italien qu'il entendit parfaitement : il se leva
et vint m'embrasser avec transport. La liaison fut
bientôt faite, et dès ce moment je lui servis de
truchement. Son dîner était bon, le mien était
moins que médiocre. Il m'invita de prendre part
au sien; je fis peu de façons. En buvant et bara-
gouinant nous achevâmes de nous familiariser, et
dès la fin du repas nous devînmes inséparables. Il
me conta qu'il était prélat grec et archimandrite
de Jérusalem; qu'il était chargé de faire une quête
en Europe pour le rétablissement du Saint-Sépulcre.
Il me montra de belles patentes de la czarine et de
l'empereur; il en avait de beaucoup d'autres sou-
verains. Il était assez content de ce qu'il avait
amassé jusqu'alors; mais il avait eu des peines
incroyables en Allemagne, n'entendant pas un mot
d'allemand, de latin ni de français, et réduit à
son grec, au turc et à la langue franque pour toute
ressource; ce qui ne lui en procurait pas beau-
coup dans le pays où il s'était enfourné. Il me

proposa de l'accompagner pour lui servir de secré-
taire et d'interprète. Malgré mon petit habit violet,
nouvellement acheté, et qui ne cadrait pas mal
avec mon nouveau poste, j'avais l'air si peu étoffé
qu'il ne me crut pas difficile à gagner, et il ne se
trompa point. Notre accord fut bientôt fait; je ne
demandais rien, et il promettait beaucoup. Sans
caution, sans sûreté, sans connaissance, je me livre
à sa conduite, et dès le lendemain me voilà parti
pour Jérusalem.

Nous commençâmes notre tournée par le canton
de Fribourg, où il ne fit pas grand-chose. La dignité
épiscopale ne permettait pas de faire le mendiant,
et de quêter aux particuliers; mais nous présen-
tâmes sa commission au sénat, qui lui donna une
petite somme. De là nous fûmes à Berne. Nous lo-
gions au *Faucon,* bonne auberge alors, où l'on trouvait
bonne compagnie. La table était nombreuse et bien
servie. Il y avait longtemps que je faisais mauvaise
chère; j'avais grand besoin de me refaire, j'en avais
l'occasion, et j'en profitai. Monseigneur l'archi-
mandrite était lui-même un homme de bonne com-
pagnie, aimant assez à tenir table, gai, parlant
bien pour ceux qui l'entendaient, ne manquant
pas de certaines connaissances, et plaçant son
érudition grecque avec assez d'agrément. Un jour,
cassant au dessert des noisettes, il se coupa le
doigt fort avant; et comme le sang sortait avec
abondance, il montra son doigt à la compagnie,
et dit en riant : *« Mirate, signori; questo è sangue
pelasgo. »*

A Berne mes fonctions ne lui furent pas inutiles, et je ne m'en tirai pas aussi mal que j'avais craint. J'étais bien plus hardi et mieux parlant que je n'aurais été pour moi-même. Les choses ne se passèrent pas aussi simplement qu'à Fribourg. Il fallut de longues et fréquentes conférences avec les premiers de l'État, et l'examen de ses titres ne fut pas l'affaire d'un jour. Enfin, tout étant en règle, il fut admis à l'audience du sénat. J'entrai avec lui comme son interprète, et l'on me dit de parler. Je ne m'attendais à rien moins, et il ne m'était pas venu dans l'esprit qu'après avoir longuement conféré avec les membres, il fallût s'adresser au corps comme si rien n'eût été dit. Qu'on juge de mon embarras! Pour un homme aussi honteux, parler non seulement en public, mais devant le sénat de Berne, et parler impromptu sans avoir une seule minute pour me préparer, il y avait là de quoi m'anéantir. Je ne fus pas même intimidé. J'exposai succinctement et nettement la commission de l'archimandrite. Je louai la piété des princes qui avaient contribué à la collecte qu'il était venu faire. Piquant d'émulation celle de Lœurs Excellences, je dis qu'il n'y avait pas moins à espérer de leur munificence accoutumée; et puis, tâchant de prouver que cette bonne œuvre en était également une pour tous les chrétiens sans distinction de secte, je finis par promettre les bénédictions du Ciel à ceux qui voudraient y prendre part. Je ne dirai pas que mon discours fit effet; mais il est sûr qu'il fut goûté,

et qu'au sortir de l'audience l'archimandrite reçut un présent fort honnête, et de plus, sur l'esprit de son secrétaire des compliments dont j'eus l'agréable emploi d'être le truchement, mais que je n'osai lui rendre à la lettre. Voilà la seule fois de ma vie que j'aie parlé en public et devant un souverain, et la seule fois aussi peut-être que j'aie parlé hardiment et bien. Quelle différence dans les dispositions du même homme! Il y a trois ans qu'étant allé voir à Yverdun mon vieux ami M. Roguin, je reçus une députation pour me remercier de quelques livres que j'avais donnés à la bibliothèque de cette ville. Les Suisses sont grands harangueurs; ces messieurs me haranguèrent. Je me crus obligé de répondre; mais je m'embarrassai tellement dans ma réponse, et ma tête se brouilla si bien que je restai court et me fis moquer de moi. Quoique timide naturellement, j'ai été hardi quelquefois dans ma jeunesse, jamais dans mon âge avancé. Plus j'ai vu le monde, moins j'ai pu me faire à son ton.

Partis de Berne, nous allâmes à Soleure; car le dessein de l'archimandrite était de reprendre la route d'Allemagne, et de s'en retourner par la Hongrie ou par la Pologne, ce qui faisait une route immense : mais comme, chemin faisant, sa bourse s'emplissait plus qu'elle ne se vidait, il craignait peu les détours. Pour moi, qui me plaisais presque autant à cheval qu'à pied, je n'aurais pas mieux demandé que de voyager ainsi toute ma vie : mais il était écrit que je n'irais pas si loin.

La première chose que nous fîmes, arrivant à Soleure, fut d'aller saluer M. l'ambassadeur de France. Malheureusement pour mon évêque, cet ambassadeur était le marquis de Bonac, qui avait été ambassadeur à la Porte, et qui devait être au fait de tout ce qui regardait le Saint-Sépulcre. L'archimandrite eut une audience d'un quart d'heure, où je ne fus pas admis, parce que M. l'ambassadeur entendait la langue franque, et parlait l'italien du moins aussi bien que moi. A la sortie de mon Grec je voulus le suivre; on me retint : ce fut mon tour. M'étant donné pour Parisien, j'étais comme tel sous la juridiction de Son Excellence. Elle me demanda qui j'étais, m'exhorta de lui dire la vérité; je le lui promis en lui demandant une audience particulière qui me fut accordée. M. l'ambassadeur m'emmena dans son cabinet, dont il ferma sur nous la porte, et là, me jetant à ses pieds, je lui tins parole. Je n'aurais pas moins dit quand je n'aurais rien promis, car un continuel besoin d'épanchement met à tout moment mon cœur sur mes lèvres; et, après m'être ouvert sans réserve au musicien Lutold, je n'avais garde de faire le mystérieux avec le marquis de Bonac. Il fut si content de ma petite histoire et de l'effusion de cœur avec laquelle il vit que je l'avais contée, qu'il me prit par la main, entra chez Mme l'ambassadrice, et me présenta à elle en lui faisant un abrégé de mon récit. Mme de Bonac m'accueillit avec bonté, et dit qu'il ne fallait pas me laisser aller avec ce moine grec.

Il fut résolu que je resterais à l'hôtel en atten-
dant qu'on vît ce qu'on pourrait faire de moi. Je
voulais aller faire mes adieux à mon pauvre archi-
mandrite, pour lequel j'avais conçu de l'attache-
ment : on ne me le permit pas. On envoya lui
signifier mes arrêts, et, un quart d'heure après,
je vis arriver mon petit sac. M. de la Martinière,
secrétaire d'ambassade, fut en quelque façon chargé
de moi. En me conduisant dans la chambre qui
m'était destinée, il me dit : « Cette chambre a été
occupée sous le comte du Luc par un homme
célèbre du même nom que vous; il ne tient qu'à
vous de le remplacer de toutes manières, et de
faire dire un jour, Rousseau premier, Rousseau
second. » Cette conformité, qu'alors je n'espérais
guère, eût moins flatté mes désirs si j'avais pu
prévoir à quel prix je l'achèterais un jour.

Ce que m'avait dit M. de la Martinière me
donna de la curiosité. Je lus les ouvrages de celui
dont j'occupais la chambre, et sur le compliment
qu'on m'avait fait, croyant avoir du goût pour la poé-
sie, je fis pour mon coup d'essai une cantate à la
louange de Mme de Bonac. Ce goût ne se soutint
pas. J'ai fait de temps en temps quelques médiocres
vers; c'est un exercice assez bon pour se rompre
aux inversions élégantes, et apprendre à mieux écrire
en prose; mais je n'ai jamais trouvé dans la poésie
française assez d'attrait pour m'y livrer tout à fait.

M. de la Martinière voulut voir de mon style,
et me demanda par écrit le même détail que
j'avais fait à M. l'ambassadeur. Je lui écrivis une

longue lettre, que j'apprends avoir été conservée par M. de Marianne, qui était attaché depuis long-temps au marquis de Bonac, et qui depuis a suc-cédé à M. de la Martinière sous l'ambassade de M. de Courteilles. J'ai prié M. de Malesherbes de tâcher de me procurer une copie de cette lettre. Si je puis l'avoir par lui ou par d'autres, on la trouvera dans le recueil qui doit accompagner mes Confessions.

L'expérience que je commençais d'avoir modé-rait peu à peu mes projets romanesques, et par exemple : non seulement je ne devins point amou-reux de Mme de Bonac, mais je sentis d'abord que je ne pouvais faire un grand chemin dans la maison de son mari. M. de la Martinière en place, et M. de Marianne pour ainsi dire en survi-vance, ne me laissaient espérer pour toute for-tune qu'un emploi de sous-secrétaire qui ne me tentait pas infiniment. Cela fit que, quand on me consulta sur ce que je voulais faire, je marquai beaucoup d'envie d'aller à Paris. M. l'ambassa-deur goûta cette idée, qui tendait au moins à le débarrasser de moi. M. de Merveilleux, secrétaire interprète de l'ambassade, dit que son ami M. Gobard, colonel suisse au service de France, cherchait quel-qu'un pour mettre auprès de son neveu, qui entrait fort jeune au service, et pensa que je pourrais lui convenir. Sur cette idée assez légèrement prise, mon départ fut résolu; et moi, qui voyais un voyage à faire et Paris au bout, j'en fus dans la joie de mon cœur. On me donna quelques lettres, cent francs

pour mon voyage, accompagnés de force bonnes
leçons, et je partis.

Je mis à ce voyage une quinzaine de jours, que
je peux compter parmi les heureux de ma vie.
J'étais jeune, je me portais bien, j'avais assez
d'argent, beaucoup d'espérance, je voyageais, je
voyageais à pied, et je voyageais seul. On serait
étonné de me voir compter un pareil avantage, si
déjà l'on n'avait dû se familiariser avec mon humeur.
Mes douces chimères me tenaient compagnie, et
jamais la chaleur de mon imagination n'en enfanta
de plus magnifiques. Quand on m'offrait quelque
place vide dans une voiture, ou que quelqu'un
m'accostait en route, je rechignais de voir ren-
verser la fortune dont je bâtissais l'édifice en mar-
chant. Cette fois mes idées étaient martiales. J'allais
m'attacher à un militaire et devenir militaire
moi-même; car on avait arrangé que je commen-
cerais par être cadet. Je croyais déjà me voir en
habit d'officier avec un beau plumet blanc. Mon
cœur s'enflait à cette noble idée. J'avais quelque
teinture de géométrie et de fortifications; j'avais
un oncle ingénieur; j'étais en quelque sorte enfant
de la balle. Ma vue courte offrait un peu d'obstacle,
mais qui ne m'embarrassait pas; et je comptais
bien à force de sang-froid et d'intrépidité suppléer
à ce défaut. J'avais lu que le maréchal Schomberg
avait la vue très courte; pourquoi le maréchal
Rousseau ne l'aurait-il pas? Je m'échauffais tel-
lement sur ces folies, que je ne voyais plus que
troupes, remparts, gabions, batteries, et moi, au

milieu du feu et de la fumée, donnant tranquillement mes ordres, la lorgnette à la main. Cependant, quand je passais dans des campagnes agréables, que je voyais des bocages et des ruisseaux, ce touchant aspect me faisait soupirer de regret; je sentais au milieu de ma gloire que mon cœur n'était pas fait pour tant de fracas, et bientôt, sans savoir comment, je me retrouvais au milieu de mes chères bergeries, renonçant pour jamais aux travaux de Mars.

Combien l'abord de Paris démentit l'idée que j'en avais! La décoration extérieure que j'avais vue à Turin, la beauté des rues, la symétrie et l'alignement des maisons me faisaient chercher à Paris autre chose encore. Je m'étais figuré une ville aussi belle que grande, de l'aspect le plus imposant, où l'on ne voyait que de superbes rues, des palais de marbre et d'or. En entrant par le faubourg Saint-Marceau, je ne vis que de petites rues sales et puantes, de vilaines maisons noires, l'air de la malpropreté, de la pauvreté, des mendiants, des charretiers, des ravaudeuses, des crieuses de tisane, et de vieux chapeaux. Tout cela me frappa d'abord à tel point, que tout ce que j'ai vu depuis à Paris de magnificence réelle n'a pu détruire cette première impression, et qu'il m'en est resté toujours un secret dégoût pour l'habitation de cette capitale. Je puis dire que tout le temps que j'y ai vécu dans la suite ne fut employé qu'à y chercher des ressources pour me mettre en état d'en vivre éloigné. Tel est le fruit d'une imagina-

tion trop active, qui exagère par-dessus l'exagéra-
tion des hommes, et voit toujours plus que ce
qu'on lui dit. On m'avait tant vanté Paris, que
je me l'étais figuré comme l'ancienne Babylone,
dont je trouverais peut-être autant à rabattre, si
je l'avais vue, du portrait que je m'en suis fait.
La même chose m'arriva à l'Opéra, où je me pres-
sai d'aller le lendemain de mon arrivée; la même
chose m'arriva dans la suite à Versailles; dans la
suite encore en voyant la mer; et la même chose
m'arrivera toujours en voyant des spectacles qu'on
m'aura trop annoncés : car il est impossible aux
hommes et difficile à la nature elle-même de passer
en richesse mon imagination.

A la manière dont je fus reçu de tous ceux pour
qui j'avais des lettres, je crus ma fortune faite.
Celui à qui j'étais le plus recommandé, et qui me
caressa le moins, était M. de Surbeck, retiré du
service et vivant philosophiquement à Bagneux,
où je fus le voir plusieurs fois, et où jamais il
ne m'offrit un verre d'eau. J'eus plus d'accueil
de Mme de Merveilleux, belle-sœur de l'interprète,
et de son neveu, officier aux gardes : non seu-
lement la mère et le fils me reçurent bien, mais
ils m'offrirent leur table, dont je profitai souvent
durant mon séjour à Paris. Mme de Merveilleux
me parut avoir été belle; ses cheveux étaient
d'un beau noir, et faisaient, à la vieille mode,
le crochet sur ses tempes. Il lui restait ce qui
ne périt point avec les attraits, un esprit très agréable.
Elle me parut goûter le mien, et fit tout ce qu'elle

put pour me rendre service; mais personne ne
la seconda, et je fus bientôt désabusé de tout ce
grand intérêt qu'on avait paru prendre à moi. Il
faut pourtant rendre justice aux Français : ils ne
s'épuisent point tant qu'on dit en protestations,
et celles qu'ils font sont presque toujours sincères;
mais ils ont une manière de paraître s'intéresser
à vous qui trompe plus que des paroles. Les gros
compliments des Suisses n'en peuvent imposer qu'à
des sots : les manières des Français sont plus sédui-
santes en cela même qu'elles sont plus simples;
on croirait qu'ils ne vous disent pas tout ce qu'ils
veulent faire, pour vous surprendre plus agréable-
ment. Je dirai plus : ils ne sont point faux dans leurs
démonstrations; ils sont naturellement officieux,
humains, bienveillants, et même, quoi qu'on en
dise, plus vrais qu'aucune autre nation; mais ils
sont légers et volages. Ils ont en effet le sentiment
qu'ils vous témoignent, mais ce sentiment s'en va
comme il est venu. En vous parlant, ils sont pleins
de vous; ne vous voient-ils plus, ils vous oublient.
Rien n'est permanent dans leur cœur : tout est chez
eux l'œuvre du moment.

Je fus donc beaucoup flatté et peu servi. Ce colo-
nel Godard, au neveu duquel on m'avait donné,
se trouva être un vilain vieux avare, qui, quoique
tout cousu d'or, voyant ma détresse, me voulut
avoir pour rien. Il prétendait que je fusse auprès
de son neveu une espèce de valet sans gages plu-
tôt qu'un vrai gouverneur. Attaché continuelle-
ment à lui, et par là dispensé du service, il fallait

que je vécusse de ma paye de cadet, c'est-à-dire de
soldat; et à peine consentait-il à me donner l'uni-
forme; il aurait voulu que je me contentasse de
celui du régiment. Mme de Merveilleux, indignée
de ses propositions, me détourna elle-même de les
accepter; son fils fut du même sentiment. On cher-
chait autre chose, et l'on ne trouvait rien. Cepen-
dant je commençais d'être pressé, et cent francs,
sur lesquels j'avais fait mon voyage, ne pouvaient
me mener bien loin. Heureusement je reçus, de
la part de M. l'ambassadeur, encore une petite
remise qui me fit grand bien, et je crois qu'il
ne m'aurait pas abandonné si j'eusse eu plus de
patience : mais languir, attendre, solliciter sont pour
moi choses impossibles. Je me rebutai, je ne parus
plus, et tout fut fini. Je n'avais pas oublié ma pauvre
Maman; mais comment la trouver? où la chercher?
Mme de Merveilleux, qui savait mon histoire, m'avait
aidé dans cette recherche, et longtemps inutile-
ment. Enfin elle m'apprit que Mme de Warens
était repartie il y avait plus de deux mois, mais
qu'on ne savait si elle était allée en Savoie ou
à Turin, et que quelques personnes la disaient
retournée en Suisse. Il ne m'en fallut pas davantage
pour me déterminer à la suivre, bien sûr qu'en
quelque lieu qu'elle fût, je la trouverais plus
aisément en province que je n'avais pu faire à
Paris.

Avant de partir j'exerçai mon nouveau talent
poétique dans une épître au colonel Godard, où
je le drapai de mon mieux. Je montrai ce bar-

bouillage à Mme de Merveilleux, qui, au lieu de me censurer comme elle aurait dû faire, rit beaucoup de mes sarcasmes, de même que son fils, qui, je crois, n'aimait pas M. Godard, et il faut avouer qu'il n'était pas aimable. J'étais tenté de lui envoyer mes vers; ils m'y encouragèrent : j'en fis un paquet à son adresse, et comme il n'y avait point alors à Paris de petite poste, je le mis dans ma poche, et le lui envoyai d'Auxerre en passant. Je ris quelquefois encore en songeant aux grimaces qu'il dut faire en lisant ce panégyrique, où il était peint trait pour trait. Il commençait ainsi :

> Tu croyais, vieux pénard, qu'une folle manie
> D'élever ton neveu m'inspirerait l'envie.

Cette petite pièce, mal faite à la vérité, mais qui ne manquait pas de sel, et qui annonçait du talent pour la satire, est cependant le seul écrit satirique qui soit sorti de ma plume. J'ai le cœur trop peu haineux pour me prévaloir d'un pareil talent; mais je crois qu'on peut juger par quelques écrits polémiques faits de temps à autre pour ma défense, que, si j'avais été d'humeur batailleuse, mes agresseurs auraient eu rarement les rieurs de leur côté.

La chose que je regrette le plus dans les détails de ma vie dont j'ai perdu la mémoire est de n'avoir pas fait des journaux de mes voyages. Jamais je n'ai tant pensé, tant existé, tant vécu, tant été moi, si j'ose ainsi dire, que dans ceux que

j'ai faits seul et à pied. La marche a quelque chose qui anime et avive mes idées; je ne puis presque penser quand je reste en place; il faut que mon corps soit en branle pour y mettre mon esprit. La vue de la campagne, la succession des aspects agréables, le grand air, le grand appétit, la bonne santé que je gagne en marchant, la liberté du cabaret, l'éloignement de tout ce qui me fait sentir ma dépendance, de tout ce qui me rappelle à ma situation, tout cela dégage mon âme, me donne une plus grande audace de penser, me jette en quelque sorte dans l'immensité des êtres pour les combiner, les choisir, me les approprier à mon gré, sans gêne et sans crainte. Je dispose en maître de la nature entière; mon cœur, errant d'objet en objet, s'unit, s'identifie à ceux qui le flattent, s'entoure d'images charmantes, s'enivre de senti-ments délicieux. Si pour les fixer je m'amuse à les décrire en moi-même, quelle vigueur de pinceau, quelle fraîcheur de coloris, quelle énergie d'expres-sion je leur donne! On a, dit-on, trouvé de tout cela dans mes ouvrages, quoique écrits vers le déclin de mes ans. Oh! si l'on eût vu ceux de ma première jeunesse, ceux que j'ai faits durant mes voyages, ceux que j'ai composés et que je n'ai jamais écrits... Pourquoi, direz-vous, ne les pas écrire? Et pourquoi les écrire? vous répondrai-je : pour-quoi m'ôter le charme actuel de la jouissance, pour dire à d'autres que j'avais joui? Que m'impor-taient des lecteurs, un public, et toute la terre, tandis que je planais dans le ciel? D'ailleurs, portais-je

avec moi du papier, des plumes? Si j'avais pensé
à tout cela, rien ne me serait venu. Je ne prévoyais
pas que j'aurais des idées; elles viennent quand il
leur plaît, non quand il me plaît. Elles ne viennent
point, ou elles viennent en foule, elles m'accablent
de leur nombre et de leur force. Dix volumes
par jour n'auraient pas suffi. Où prendre du
temps pour les écrire? En arrivant je ne songeais
qu'à bien dîner. En partant je ne songeais qu'à
bien marcher. Je sentais qu'un nouveau paradis
m'attendait à la porte. Je ne songeais qu'à l'aller
chercher.

Jamais je n'ai si bien senti tout cela que dans le
retour dont je parle. En venant à Paris, je m'étais
borné aux idées relatives à ce que j'y allais faire. Je
m'étais élancé dans la carrière où j'allais entrer, et
je l'avais parcourue avec assez de gloire : mais cette
carrière n'était pas celle où mon cœur m'appelait
et les êtres réels nuisaient aux êtres imaginaires.
Le colonel Godard et son neveu figuraient mal
avec un héros tel que moi. Grâce au Ciel, j'étais
maintenant délivré de tous ces obstacles : je
pouvais m'enfoncer à mon gré dans le pays des chi-
mères, car il ne restait que cela devant moi. Aussi
je m'y égarai si bien, que je perdis réellement plu-
sieurs fois ma route; et j'eusse été fort fâché d'aller
plus droit, car, sentant qu'à Lyon j'allais me retrou-
ver sur la terre, j'aurais voulu n'y jamais arriver.

Un jour entre autres, m'étant à dessein détourné
pour voir de près un lieu qui me parut admirable,
je m'y plus si fort et j'y fis tant de tours que je

me perdis enfin tout à fait. Après plusieurs heures de course inutile, las et mourant de soif et de faim, j'entrai chez un paysan dont la maison n'avait pas belle apparence, mais c'était la seule que je visse aux environs. Je croyais que c'était comme à Genève ou en Suisse où tous les habitants à leur aise sont en état d'exercer l'hospitalité. Je priai celui-ci de me donner à dîner en payant. Il m'offrit du lait écrémé et de gros pain d'orge, en me disant que c'était tout ce qu'il avait. Je buvais ce lait avec délices, et je mangeais ce pain, paille et tout; mais cela n'était pas fort restaurant pour un homme épuisé de fatigue. Ce paysan, qui m'examinait, jugea de la vérité de mon histoire par celle de mon appétit. Tout de suite, après m'avoir dit qu'il voyait bien* que j'étais un bon jeune hon- nête homme qui n'était pas là pour le vendre, il ouvrit une petite trappe à côté de sa cuisine, des- cendit, et revint un moment après avec un bon pain bis de pur froment, un jambon très appétissant quoique entamé, et une bouteille de vin dont l'aspect me réjouit le cœur plus que tout le reste. On joi- gnit à cela une omelette assez épaisse, et je fis un dîner tel qu'autre qu'un piéton n'en connut jamais. Quand ce vint à payer, voilà son inquié- tude et ses craintes qui le reprennent; il ne vou- lait point de mon argent, il le repoussait avec un trouble extraordinaire; et ce qu'il y avait de plai-

* Apparemment, je n'avais pas encore la physionomie qu'on m'a donnée depuis dans mes portraits.

sant était que je ne pouvais imaginer de quoi il avait peur. Enfin, il prononça en frémissant ces mots terribles de Commis et de Rats-de-Cave. Il me fit entendre qu'il cachait son vin à cause des aides, qu'il cachait son pain à cause de la taille, et qu'il serait un homme perdu si l'on pouvait se douter qu'il ne mourût pas de faim. Tout ce qu'il me dit à ce sujet, et dont je n'avais pas la moindre idée, me fit une impression qui ne s'effacera jamais. Ce fut là le germe de cette haine inextinguible qui se développa depuis dans mon cœur contre les vexations qu'éprouve le malheureux peuple et contre ses oppresseurs. Cet homme, quoique aisé, n'osait manger le pain qu'il avait gagné à la sueur de son front, et ne pouvait éviter sa ruine qu'en montrant la même misère qui régnait autour de lui. Je sortis de sa maison aussi indigné qu'attendri, et déplorant le sort de ces belles contrées à qui la nature n'a prodigué ses dons que pour en faire la proie des barbares publicains.

Voilà le seul souvenir bien distinct qui me reste de ce qui m'est arrivé durant ce voyage. Je me rappelle seulement encore qu'en approchant de Lyon je fus tenté de prolonger ma route pour aller voir les bords du Lignon; car, parmi les romans que j'avais lus avec mon père, *L'Astrée* n'avait pas été oubliée, et c'était celui qui me revenait au cœur le plus fréquemment. Je demandai la route du Forez; et tout en causant avec une hôtesse, elle m'apprit que c'était un bon pays de ressource pour les ou-

vriers, qu'il y avait beaucoup de forges, et qu'on y
travaillait fort bien en fer. Cet éloge calma tout à
coup ma curiosité romanesque, et je ne jugeai pas
à propos d'aller chercher des Dianes et des Syl-
vandres chez un peuple de forgerons. La bonne
femme qui m'encourageait de la sorte m'avait sûre-
ment pris pour un garçon serrurier.

Je n'allais pas tout à fait à Lyon sans vues. En
arrivant, j'allai voir aux Chasottes Mlle du Châtelet,
amie de Mme de Warens, et pour laquelle elle
m'avait donné une lettre quand je vins avec
M. Le Maître : ainsi c'était une connaissance déjà
faite. Mlle du Châtelet m'apprit qu'en effet son
amie avait passé à Lyon, mais qu'elle ignorait si
elle avait poussé sa route jusqu'en Piémont, et
qu'elle était incertaine elle-même en partant si
elle ne s'arrêterait point en Savoie; que si je
voulais, elle écrirait pour en avoir des nouvelles,
et que le meilleur parti que j'eusse à prendre
était de les attendre à Lyon. J'acceptai l'offre :
mais je n'osai dire à Mlle du Châtelet que j'étais
pressé de la réponse, et que ma petite bourse
épuisée ne me laissait pas en état de l'attendre
longtemps. Ce qui me retint n'était pas qu'elle
m'eût mal reçu. Au contraire, elle m'avait fait
beaucoup de caresses, et me traitait sur un pied
d'égalité qui m'ôtait le courage de lui laisser
voir mon état, et de descendre du rôle de
bonne compagnie à celui d'un malheureux men-
diant.

Il me semble de voir assez clairement la suite de

tout ce que j'ai marqué dans ce livre. Cependant je crois me rappeler, dans le même intervalle, un autre voyage de Lyon, dont je ne puis marquer la place, et où je me trouvai déjà fort à l'étroit. Une petite anecdote assez difficile à dire ne me permettra jamais de l'oublier. J'étais un soir assis en Bellecour, après un très mince souper, rêvant aux moyens de me tirer d'affaire, quand un homme en bonnet vint s'asseoir à côté de moi; cet homme avait l'air d'un de ces ouvriers en soie qu'on appelle à Lyon des taffetatiers. Il m'adresse la parole; je lui réponds : voilà la conversation liée. A peine avions-nous causé un quart d'heure, que, toujours avec le même sang-froid et sans changer de ton, il me propose de nous amuscr de compagnie. J'attendais qu'il m'expliquât quel était cet amusement; mais, sans rien ajouter, il se mit en devoir de m'en donner l'exemple. Nous nous touchions presque, et la nuit n'était pas assez obscure pour m'empêcher de voir à quel exercice il se préparait. Il n'en voulait point à ma personne; du moins rien n'annonçait cette intention, et le lieu ne l'eût pas favorisée. Il ne voulait exactement, comme il me l'avait dit, que s'amuser et que je m'amusasse, chacun pour son compte; et cela lui paraissait si simple, qu'il n'avait même pas supposé qu'il ne me le parût pas comme à lui. Je fus si effrayé de cette impudence que, sans lui répondre, je me levai précipitamment et me mis à fuir à toutes jambes, croyant avoir ce misérable à mes trousses. J'étais si troublé, qu'au lieu de

gagner mon logis par la rue Saint-Dominique,
je courus du côté du quai, et ne m'arrêtai qu'au-
delà du pont de bois, aussi tremblant que si je
venais de commettre un crime. J'étais sujet au
même vice; ce souvenir m'en guérit pour long-
temps.

A ce voyage-ci j'eus une autre aventure à peu
près du même genre, mais qui me mit en plus
grand danger. Sentant mes espèces tirer à leur fin,
j'en ménageais le chétif reste. Je prenais moins
souvent des repas à mon auberge, et bientôt je
n'en pris plus du tout, pouvant pour cinq ou six
sols, à la taverne, me rassasier tout aussi bien que
je faisais là pour mes vingt-cinq. N'y mangeant
plus, je ne savais comment y aller coucher, non
que j'y dusse grand-chose, mais j'avais honte d'occu-
per une chambre sans rien faire gagner à mon
hôtésse. La saison était belle. Un soir qu'il faisait
fort chaud, je me déterminai à passer la nuit dans
la place, et déjà je m'étais établi sur un banc, quand
un abbé qui passait, me voyant ainsi couché,
s'approcha et me demanda si je n'avais point de
gîte. Je lui avouai mon cas, il en parut touché; il
s'assit à côté de moi, et nous causâmes. Il parlait
agréablement; tout ce qu'il me dit me donna de
lui la meilleure opinion du monde. Quand il
me vit bien disposé, il me dit qu'il n'était pas logé
fort au large, qu'il n'avait qu'une seule chambre, mais
qu'assurément il ne me laisserait pas coucher ainsi
dans la place; qu'il était tard pour me trouver un
gîte, et qu'il m'offrait pour cette nuit la moitié

de son lit. J'accepte l'offre, espérant déjà me
faire un ami qui pourrait m'être utile. Nous allons;
il bat le fusil. Sa chambre me parut propre dans
sa petitesse : il m'en fit les honneurs fort poli-
ment. Il tira d'une armoire un pot de verre où
étaient des cerises à l'eau-de-vie; nous en man-
geâmes chacun deux, et nous fûmes nous cou-
cher.

Cet homme avait les mêmes goûts que mon Juif
de l'Hospice, mais il ne les manifestait pas si bru-
talement. Soit que, sachant que je pouvais être
entendu, il craignît de me forcer à me défendre,
soit qu'en effet il fût moins confirmé dans ses pro-
jets, il n'osa m'en proposer ouvertement l'exécu-
tion, et cherchait à m'émouvoir sans m'inquiéter.
Plus instruit que la première fois, je compris bientôt
son dessein, et j'en frémis; ne sachant ni dans quelle
maison, ni entre les mains de qui j'étais, je crai-
gnis, en faisant du bruit, de le payer de ma vie. Je
feignis d'ignorer ce qu'il me voulait; mais paraissant
très importuné de ses caresses et très décidé à
n'en pas endurer le progrès, je fis si bien qu'il
fut obligé de se contenir. Alors je lui parlai avec
toute la douceur et toute la fermeté dont j'étais
capable; et, sans paraître rien soupçonner, je
m'excusai de l'inquiétude que je lui avais mon-
trée, sur mon ancienne aventure, que j'affectai de
lui conter en termes si pleins de dégoût et d'hor-
reur, que je lui fis, je crois, mal au cœur à lui-
même, et qu'il renonça tout à fait à son sale des-
sein. Nous passâmes tranquillement le reste de la

nuit. Il me dit même beaucoup de choses très bonnes, très sensées, et ce n'était assurément pas un homme sans mérite, quoique ce fût un grand vilain.

Le matin, M. l'abbé, qui ne voulait pas avoir l'air mécontent, parla de déjeuner, et pria une des filles de son hôtesse, qui était jolie, d'en faire apporter. Elle lui dit qu'elle n'avait pas le temps : il s'adressa à sa sœur, qui ne daigna pas lui répondre. Nous attendions toujours : point de déjeuner. Enfin nous passâmes dans la chambre de ces demoiselles. Elles reçurent M. l'abbé d'un air très peu caressant; j'eus encore moins à me louer de leur accueil. L'aînée, en se retournant, m'appuya son talon pointu sur le bout du pied, où un cor fort douloureux m'avait forcé de couper mon soulier; l'autre vint ôter brusquement de derrière moi une chaise sur laquelle j'étais prêt à m'asseoir; leur mère, en jetant de l'eau par la fenêtre, m'en aspergea le visage : en quelque place que je me misse, on m'en faisait ôter pour chercher quelque chose; je n'avais été de ma vie à pareille fête. Je voyais dans leurs regards insultants et moqueurs une fureur cachée, à laquelle j'avais la stupidité de ne rien comprendre. Ébahi, stupéfait, prêt à les croire toutes possédées, je commençais tout de bon à m'effrayer, quand l'abbé, qui ne faisait semblant de voir ni d'entendre, jugeant bien qu'il n'y avait point de déjeuner à espérer, prit le parti de sortir, et je me hâtai de le suivre, fort content d'échapper à ces trois furies. En marchant il me proposa d'aller

déjeuner au café. Quoique j'eusse grand-faim, je n'acceptai pas cette offre, sur laquelle il n'insista pas beaucoup non plus, et nous nous séparâmes au trois ou quatrième coin de rue, moi, charmé de perdre de vue tout ce qui appartenait à cette maudite maison, et lui fort aise, à ce que je crois, de m'en avoir assez éloigné pour qu'elle ne me fût pas facile à reconnaître. Comme à Paris, ni dans aucune autre ville, jamais rien ne m'est arrivé de semblable à ces deux aventures, il m'en est resté une impression peu avantageuse au peuple de Lyon, et j'ai toujours regardé cette ville comme celle de l'Europe où règne la plus affreuse corruption.

Le souvenir des extrémités où j'y fus réduit, ne contribue pas non plus à m'en rappeler agréablement la mémoire. Si j'avais été fait comme un autre, que j'eusse eu le talent d'emprunter et de m'endetter à mon cabaret, je me serais aisément tiré d'affaire; mais c'est à quoi mon inaptitude égalait ma répugnance; et pour imaginer à quel point vont l'une et l'autre, il suffit de savoir qu'après avoir passé presque toute ma vie dans le mal-être, et souvent prêt à manquer de pain, il ne m'est jamais arrivé une seule fois de me faire demander de l'argent par un créancier sans lui en donner à l'instant même. Je n'ai jamais su faire des dettes criardes, et j'ai toujours mieux aimé souffrir que devoir.

C'était souffrir assurément que d'être réduit à

passer la nuit dans la rue, et c'est ce qui m'est
arrivé plusieurs fois à Lyon. J'aimais mieux em-
ployer quelques sols qui me restaient à payer mon
pain que mon gîte; parce qu'après tout je risquais
moins de mourir de sommeil que de faim. Ce
qu'il y a d'étonnant, c'est que dans ce cruel état
je n'étais ni inquiet ni triste. Je n'avais pas le
moindre souci sur l'avenir, et j'attendais les ré-
ponses que devait recevoir Mlle du Châtelet, cou-
chant à la belle étoile, et dormant étendu par
terre ou sur un banc aussi tranquillement que sur
un lit de roses. Je me souviens même d'avoir passé
une nuit délicieuse hors de la ville, dans un chemin
qui côtoyait le Rhône ou la Saône, car je ne me
rappelle pas lequel des deux. Des jardins élevés
en terrasse bordaient le chemin du côté opposé.
Il avait fait très chaud ce jour-là, la soirée était
charmante; la rosée humectait l'herbe flétrie;
point de vent, une nuit tranquille; l'air était frais,
sans être froid; le soleil, après son coucher, avait
laissé dans le ciel des vapeurs rouges dont la
réflexion rendait l'eau couleur de rose; les arbres
des terrasses étaient chargés de rossignols qui se
répondaient de l'un à l'autre. Je me promenais
dans une sorte d'extase, livrant mes sens et mon
cœur à la jouissance de tout cela, et soupirant seu-
lement un peu du regret d'en jouir seul. Absorbé
dans ma douce rêverie, je prolongeai fort avant
dans la nuit ma promenade, sans m'apercevoir que
j'étais las. Je m'en aperçus enfin. Je me couchai
voluptueusement sur la tablette d'une espèce de

niche ou de fausse porte enfoncée dans un mur de terrasse ; le ciel de mon lit était formé par les têtes des arbres ; un rossignol était précisément au-dessus de moi ; je m'endormis à son chant : mon sommeil fut doux, mon réveil le fut davantage. Il était grand jour : mes yeux, en s'ouvrant, virent l'eau, la verdure, un paysage admirable. Je me levai, me secouai, la faim me prit, je m'acheminai gaiement vers la ville, résolu de mettre à un bon déjeuner deux pièces de six blancs qui me restaient encore. J'étais de si bonne humeur que j'allais chantant tout le long du chemin, et je me souviens même que je chantais une cantate de Batistin, intitulée *Les bains de Thomery,* que je savais par cœur. Que béni soit le bon Batistin et sa bonne cantate, qui m'a valu un meilleur déjeuner que celui sur lequel je comptais et un dîner bien meilleur encore, sur lequel je n'avais point compté du tout. Dans mon meilleur train d'aller et de chanter, j'entends quelqu'un derrière moi, je me retourne, je vois un antonin qui me suivait et qui paraissait m'écouter avec plaisir. Il m'accoste, me salue, me demande si je sais la musique. Je réponds, *un peu,* pour faire entendre, *beaucoup.* Il continue à me questionner ; je lui conte une partie de mon histoire. Il me demande si je n'ai jamais copié de la musique. « Souvent », lui dis-je. Et cela était vrai ; ma meilleure manière de l'apprendre était d'en copier. « Eh bien, me dit-il, venez avec moi ; je pourrai vous occuper quelques jours, durant lesquels rien ne vous manquera,

pourvu que vous consentiez à ne pas sortir de la chambre. » J'acquiesçai très volontiers et je le suivis.

Cet antonin s'appelait M. Rolichon; il aimait la musique, il la savait, et chantait dans de petits concerts qu'il faisait avec ses amis. Il n'y avait rien là que d'innocent et d'honnête; mais ce goût dégénérait apparemment en fureur, dont il était obligé de cacher une partie. Il me conduisit dans une petite chambre que j'occupai, et où je trouvai beaucoup de musique qu'il avait copiée. Il m'en donna d'autre à copier, particulièrement la cantate que j'avais chantée, et qu'il devait chanter lui-même dans quelques jours. J'en demeurai là trois ou quatre à copier tout le temps où je ne mangeais pas; car de ma vie je ne fus si affamé ni mieux nourri. Il apportait mes repas lui-même de leur cuisine, et il fallait qu'elle fût bonne si leur ordinaire valait le mien. De mes jours je n'eus tant de plaisir à manger, et il faut avouer aussi que ces lippées me venaient fort à propos, car j'étais sec comme du bois. Je travaillais presque d'aussi bon cœur que je mangeais, et ce n'est pas peu dire. Il est vrai que je n'étais pas aussi correct que diligent. Quelques jours après, M. Rolichon, que je rencontrai dans la rue, m'apprit que mes parties avaient rendu la musique inexécutable, tant elles s'étaient trouvées pleines d'omissions, de duplications et de transpositions. Il faut avouer que j'ai choisi là dans la suite le métier du monde auquel j'étais le moins propre. Non que

ma note ne fût belle et que je ne copiasse fort
nettement; mais l'ennui d'un long travail me
donne des distractions si grandes que je passe plus
de temps à gratter qu'à noter, et que si je n'apporte
la plus grande attention à collationner mes parties,
elles font toujours manquer l'exécution. Je fis donc
très mal en voulant bien faire, et pour aller vite
j'allais tout de travers. Cela n'empêcha pas M. Roli-
chon de me bien traiter jusqu'à la fin, et de me don-
ner encore en sortant un petit écu que je ne méritais
guère, et qui me remit tout à fait en pied; car peu
de jours après je reçus des nouvelles de Maman qui
était à Chambéry, et de l'argent pour l'aller re-
joindre, ce que je fis avec transport. Depuis lors
mes finances ont souvent été fort courtes, mais
jamais assez pour être obligé de jeûner. Je marque
cette époque avec un cœur sensible aux soins de la
Providence. C'est la dernière fois de ma vie que j'ai
senti la misère et la faim.

Je restai à Lyon sept ou huit jours encore pour
attendre les commissions dont Maman avait chargé
Mlle du Châtelet, que je vis durant ce temps-là
plus assidûment qu'auparavant, ayant le plaisir de
parler avec elle de son amie, et n'étant plus dis-
trait par ces cruels retours sur ma situation, qui me
forçaient de la cacher. Mlle du Châtelet n'était ni
jeune ni jolie, mais elle ne manquait pas de grâce;
elle était liante et familière, et son esprit donnait
du prix à cette familiarité. Elle avait ce goût de
morale observatrice qui porte à étudier les
hommes; et c'est d'elle, en première origine, que

ce même goût m'est venu. Elle aimait les romans de Le Sage et particulièrement *Gil Blas;* elle m'en parla, me le prêta, je le lus avec plaisir; mais je n'étais pas mûr encore pour ces sortes de lectures; il me fallait des romans à grands sentiments. Je passais ainsi mon temps à la grille de Mlle du Châtelet avec autant de plaisir que de profit, et il est certain que les entretiens intéressants et sensés d'une femme de mérite sont plus propres à former un jeune homme que toute la pédantesque philosophie des livres. Je fis connaissance aux Chasottes avec d'autres pensionnaires et de leurs amies; entre autres avec une jeune personne de quatorze ans, appelée Mlle Serre, à laquelle je ne fis pas alors une grande attention, mais dont je me passionnai huit ou neuf ans après, et avec raison, car c'était une charmante fille.

Occupé de l'attente de revoir bientôt ma bonne Maman, je fis un peu de trêve à mes chimères, et le bonheur réel qui m'attendait me dispensa d'en chercher dans mes visions. Non seulement je la retrouvais, mais je retrouvais près d'elle et par elle un état agréable; car elle marquait m'avoir trouvé une occupation qu'elle espérait qui me conviendrait, et qui ne m'éloignerait pas d'elle. Je m'épuisais en conjectures pour deviner quelle pouvait être cette occupation, et il aurait fallu deviner en effet pour rencontrer juste. J'avais suffisamment d'argent pour faire commodément la route. Mlle du Châtelet voulait que je prisse un cheval;

je n'y pus consentir, et j'eus raison : j'aurais perdu
le plaisir du dernier voyage pédestre que j'ai fait en
ma vie; car je ne peux donner ce nom aux excur-
sions que je faisais souvent à mon voisinage, tandis
que je demeurais à Motiers.

C'est une chose bien singulière que mon imagi-
nation ne se monte jamais plus agréablement que
quand mon état est le moins agréable, et qu'au
contraire elle est moins riante lorsque tout rit au-
tour de moi. Ma mauvaise tête ne peut s'assujettir
aux choses. Elle ne saurait embellir, elle veut
créer. Les objets réels s'y peignent tout au plus
tels qu'ils sont; elle ne sait parer que les objets
imaginaires. Si je veux peindre le printemps, il
faut que je sois en hiver; si je veux décrire un
beau paysage, il faut que je sois dans des murs; et
j'ai dit cent fois que si j'étais mis à la Bastille, j'y
ferais le tableau de la liberté. Je ne voyais en par-
tant de Lyon qu'un avenir agréable; j'étais aussi
content, et j'avais tout lieu de l'être, que je l'étais
peu quand je partis de Paris. Cependant je n'eus
point durant ce voyage ces rêveries délicieuses qui
m'avaient suivi dans l'autre. J'avais le cœur serein,
mais c'était tout. Je me rapprochais avec atten-
drissement de l'excellente amie que j'allais revoir.
Je goûtais d'avance, mais sans ivresse, le plaisir de
vivre auprès d'elle : je m'y étais toujours attendu;
c'était comme s'il ne m'était rien arrivé de nouveau.
Je m'inquiétais de ce que j'allais faire comme si
cela eût été fort inquiétant. Mes idées étaient pai-
sibles et douces, non célestes et ravissantes. Tous

les objets que je passais frappaient ma vue; je donnais de l'attention aux paysages; je remarquais les arbres, les maisons, les ruisseaux; je délibérais aux croisées des chemins, j'avais peur de me perdre, et je ne me perdais point. En un mot, je n'étais plus dans l'empyrée, j'étais tantôt où j'étais, tantôt où j'allais, jamais plus loin.

Je suis, en racontant mes voyages, comme j'étais en les faisant; je ne saurais arriver. Le cœur me battait de joie en approchant de ma chère Maman, et je n'en allais pas plus vite. J'aime à marcher à mon aise, et m'arrêter quand il me plaît. La vie ambulante est celle qu'il me faut. Faire route à pied par un beau temps, dans un beau pays, sans être pressé, et avoir pour terme de ma course un objet agréable : voilà de toutes les manières de vivre celle qui est la plus de mon goût. Au reste, on sait déjà ce que j'entends par un beau pays. Jamais pays de plaine, quelque beau qu'il fût, ne parut tel à mes yeux. Il me faut des torrents, des rochers, des sapins, des bois noirs, des montagnes, des chemins raboteux à monter et à descendre, des précipices à mes côtés qui me fassent bien peur. J'eus ce plaisir, et je le goûtai dans tout son charme en approchant de Chambéry. Non loin d'une montagne coupée qu'on appelle le Pas de l'Échelle, au-dessous du grand chemin taillé dans le roc, à l'endroit appelé Chailles, court et bouillonne dans des gouffres affreux une petite rivière qui paraît avoir mis à les creuser des milliers de siècles. On a bordé le chemin d'un para-

pet pour prévenir les malheurs : cela faisait que
je pouvais contempler au fond et gagner des ver-
tiges tout à mon aise, car ce qu'il y a de plaisant
dans mon goût pour les lieux escarpés, est qu'ils
me font tourner la tête, et j'aime beaucoup ce
tournoiement, pourvu que je sois en sûreté. Bien
appuyé sur le parapet, j'avançais le nez, et je
restais là des heures entières, entrevoyant de
temps en temps cette écume et cette eau bleue
dont j'entendais le mugissement à travers les cris
des corbeaux et des oiseaux de proie qui volaient
de roche en roche et de broussaille en brous-
saille à cent toises au-dessous de moi. Dans les
endroits où la pente était assez unie et la brous-
saille assez claire pour laisser passer des cailloux,
j'en allais chercher au loin d'aussi gros que je les
pouvais porter ; je les rassemblais sur le parapet
en pile ; puis, les lançant l'un après l'autre, je me
délectais à les voir rouler, bondir et voler en mille
éclats, avant que d'atteindre le fond du préci-
pice.

Plus près de Chambéry j'eus un spectacle sem-
blable, en sens contraire. Le chemin passe au pied
de la plus belle cascade que je vis de mes jours.
La montagne est tellement escarpée que l'eau se
détache net et tombe en arcade, assez loin pour
qu'on puisse passer entre la cascade et la roche,
quelquefois sans être mouillé. Mais si l'on ne
prend bien ses mesures, on y est aisément trompé,
comme je le fus : car, à cause de l'extrême hau-
teur, l'eau se divise et tombe en poussière, et

lorsqu'on approche un peu trop de ce nuage, sans
s'apercevoir d'abord qu'on se mouille, à l'instant on
est tout trempé.

J'arrive enfin, je la revois. Elle n'était pas seule.
M. l'intendant général était chez elle au moment
que j'entrai. Sans me parler, elle me prend par la
main, et me présente à lui avec cette grâce qui
lui ouvrait tous les cœurs : « Le voilà, monsieur,
ce pauvre jeune homme; daignez le protéger aussi
longtemps qu'il le méritera, je ne suis plus en
peine de lui pour le reste de sa vie. » Puis, m'adres-
sant la parole : « Mon enfant, me dit-elle, vous
appartenez au roi; remerciez M. l'intendant qui
vous donne du pain. » J'ouvrais de grands yeux
sans rien dire, sans savoir trop qu'imaginer; il s'en
fallut peu que l'ambition naissante ne me tournât
la tête, et que je ne fisse déjà le petit intendant.
Ma fortune se trouva moins brillante que sur ce
début je ne l'avais imaginée; mais quant à pré-
sent, c'était assez pour vivre, et pour moi c'était
beaucoup. Voici de quoi il s'agissait.

Le roi Victor-Amédée, jugeant, par le sort des
guerres précédentes et par la position de l'ancien
patrimoine de ses pères, qu'il lui échapperait
quelque jour, ne cherchait qu'à l'épuiser. Il y
avait peu d'années qu'ayant résolu d'en mettre la
noblesse à la taille, il avait ordonné un cadastre
général de tout le pays, afin que, rendant l'impo-
sition réelle, on pût la répartir avec plus d'équité.
Ce travail, commencé sous le père, fut achevé sous
le fils. Deux ou trois cents hommes, tant arpen-

teurs qu'on appelait géomètres, qu'écrivains qu'on
appelait secrétaires, furent employés à cet ou-
vrage, et c'était parmi ces derniers que Maman
m'avait fait inscrire. Le poste, sans être fort lucra-
tif, donnait de quoi vivre au large dans ce pays-là.
Le mal était que cet emploi n'était qu'à temps,
mais il mettait en état de chercher et d'attendre,
et c'était par prévoyance qu'elle tâchait de m'obte-
nir de l'intendant une protection particulière pour
pouvoir passer à quelque emploi plus solide quand le
temps de celui-là serait fini.

J'entrai en fonction peu de jours après mon arrivée.
Il n'y avait à ce travail rien de difficile, et je fus
bientôt au fait. C'est ainsi qu'après quatre ou cinq
ans de courses, de folies et de souffrances depuis
ma sortie de Genève, je commençai pour la pre-
mière fois de gagner mon pain avec honneur.

Ces longs détails de ma première jeunesse auront
paru bien puérils, et j'en suis fâché : quoique né
homme à certains égards, j'ai été longtemps enfant,
et je le suis encore à beaucoup d'autres. Je n'ai
pas promis d'offrir au public un grand person-
nage; j'ai promis de me peindre tel que je suis; et,
pour me connaître dans mon âge avancé, il faut
m'avoir bien connu dans ma jeunesse. Comme
en général les objets font moins d'impression
sur moi que leurs souvenirs, et que toutes mes
idées sont en images, les premiers traits qui se
sont gravés dans ma tête y sont demeurés, et ceux
qui s'y sont empreints dans la suite se sont plutôt
combinés avec eux qu'ils ne les ont effacés. Il y

a une certaine succession d'affections et d'idées qui modifient celles qui les suivent, et qu'il faut connaître pour en bien juger. Je m'applique à bien développer partout les premières causes pour faire sentir l'enchaînement des effets. Je voudrais pouvoir en quelque façon rendre mon âme transparente aux yeux du lecteur, et pour cela je cherche à la lui montrer sous tous les points de vue, à l'éclairer par tous les jours, à faire en sorte qu'il ne s'y passe pas un mouvement qu'il n'aperçoive, afin qu'il puisse juger par lui-même du principe qui les produit.

Si je me chargeais du résultat et que je lui disse : Tel est mon caractère, il pourrait croire sinon que je le trompe, au moins que je me trompe. Mais en lui détaillant avec simplicité tout ce qui m'est arrivé, tout ce que j'ai fait, tout ce que j'ai pensé, tout ce que j'ai senti, je ne puis l'induire en erreur, à moins que je ne le veuille; encore même en le voulant, n'y parviendrais-je pas aisément de cette façon. C'est à lui d'assembler ces éléments et de déterminer l'être qu'ils composent : le résultat doit être son ouvrage; et s'il se trompe alors, toute l'erreur sera de son fait. Or, il ne suffit pas pour cette fin que mes récits soient fidèles, il faut aussi qu'ils soient exacts. Ce n'est pas à moi de juger de l'importance des faits, je les dois tous dire, et lui laisser le soin de choisir. C'est à quoi je me suis appliqué jusqu'ici de tout mon courage, et je ne me relâcherai pas dans la suite. Mais les souvenirs de l'âge moyen sont tou-

jours moins vifs que ceux de la première jeunesse. J'ai commencé par tirer de ceux-ci le meilleur parti qu'il m'était possible. Si les autres me reviennent avec la même force, des lecteurs impatients s'ennuieront peut-être, mais moi je ne serai pas mécontent de mon travail. Je n'ai qu'une chose à craindre dans cette entreprise : ce n'est pas de trop dire ou de dire des mensonges, mais c'est de ne pas tout dire et de taire des vérités.

LIVRE CINQUIÈME

1732(?)-1739

CE fut, ce me semble, en 1732 que j'arrivai à
Chambéry, comme je viens de le dire, et que je
commençai d'être employé au cadastre pour le
service du roi. J'avais vingt ans passés, près de
vingt et un. J'étais assez formé pour mon âge du
côté de l'esprit, mais le jugement ne l'était guère,
et j'avais grand besoin des mains dans lesquelles
je tombai pour apprendre à me conduire : car
quelques années d'expérience n'avaient pu me
guérir encore radicalement de mes visions roma-
nesques, et malgré tous les maux que j'avais souf-
ferts, je connaissais aussi peu le monde et les
hommes que si je n'avais pas acheté ces instruc-
tions.

Je logeai chez moi, c'est-à-dire chez Maman;
mais je ne retrouvai pas ma chambre d'Annecy.
Plus de jardin, plus de ruisseau, plus de paysage.
La maison qu'elle occupait était sombre et triste,

et ma chambre était la plus sombre et la plus triste de la maison. Un mur pour vue, un cul-de-sac pour rue, peu d'air, peu de jour, peu d'espace, des grillons, des rats, des planches pourries; tout cela ne faisait pas une plaisante habitation. Mais j'étais chez elle, auprès d'elle; sans cesse à mon bureau ou dans sa chambre, je m'apercevais peu de la laideur de la mienne; je n'avais pas le temps d'y rêver. Il paraîtra bizarre qu'elle s'était fixée à Chambéry tout exprès pour habiter cette vilaine maison : ce fut même un trait d'habileté de sa part que je ne dois pas taire. Elle allait à Turin avec répugnance, sentant bien qu'après des révolutions encore toutes récentes, et dans l'agitation où l'on était encore à la cour, ce n'était pas le moment de s'y présenter. Cependant ses affaires demandaient qu'elle s'y montrât; elle craignait d'être oubliée ou desservie. Elle savait surtout que le comte de Saint-Laurent, intendant général des Finances, ne la favorisait pas. Il avait à Chambéry une maison vieille, mal bâtie, et dans une si vilaine position qu'elle restait toujours vide; elle la loua et s'y établit. Cela lui réussit mieux qu'un voyage; sa pension ne fut point supprimée, et depuis lors le comte de Saint-Laurent fut toujours de ses amis.

J'y trouvai son ménage à peu près monté comme auparavant, et le fidèle Claude Anet toujours avec elle. C'était, comme je crois l'avoir dit, un paysan de Moutru, qui, dans son enfance, herborisait dans le Jura pour faire du thé de Suisse, et qu'elle

avait pris à son service à cause de ses drogues,
trouvant commode d'avoir un herboriste dans son
laquais. Il se passionna si bien pour l'étude des
plantes, et elle favorisa si bien son goût, qu'il de-
vint un vrai botaniste, et que, s'il ne fût mort
jeune, il se serait fait un nom dans cette science,
comme il en méritait un parmi les honnêtes gens.
Comme il était sérieux, même grave, et que
j'étais plus jeune que lui, il devint pour moi une
espèce de gouverneur, qui me sauva beaucoup de
folies : car il m'en imposait, et je n'osais m'ou-
blier devant lui. Il en imposait même à sa maî-
tresse, qui connaissait son grand sens, sa droiture,
son inviolable attachement pour elle, et qui le
lui rendait bien. Claude Anet était sans contredit
un homme rare, et le seul même de son espèce
que j'aie jamais vu. Lent, posé, réfléchi, circons-
pect dans sa conduite, froid dans ses manières,
laconique et sentencieux dans ses propos, il était
dans ses passions d'une impétuosité qu'il ne lais-
sait jamais paraître, mais qui le dévorait en de-
dans, et qui ne lui a fait faire en sa vie qu'une
sottise, mais terrible, c'est de s'être empoisonné.
Cette scène tragique se passa peu après mon arri-
vée, et il la fallait pour m'apprendre l'intimité de
ce garçon avec sa maîtresse; car si elle ne me
l'eût dit elle-même, jamais je ne m'en serais douté.
Assurément, si l'attachement, le zèle et la fidélité
peuvent mériter une pareille récompense, elle lui
était bien due, et ce qui prouve qu'il en était
digne. Il n'en abusa jamais. Ils avaient rarement

des querelles, et elles finissaient toujours bien. Il
en vint pourtant une qui finit mal : sa maîtresse
lui dit dans la colère un mot outrageant qu'il ne
put digérer. Il ne consulta que son désespoir, et
trouvant sous sa main une fiole de laudanum, il
l'avala, puis fut se coucher tranquillement,
comptant ne se réveiller jamais. Heureusement
Mme de Warens, inquiète, agitée elle-même,
errant dans sa maison, trouva la fiole vide et de-
vina le reste. En volant à son secours, elle poussa
des cris qui m'attirèrent; elle m'avoua tout, im-
plora mon assistance, et parvint avec beaucoup de
peine à lui faire vomir l'opium. Témoin de cette
scène, j'admirai ma bêtise de n'avoir jamais eu
le moindre soupçon des liaisons qu'elle m'appre-
nait. Mais Claude Anet était si discret, que de
plus clairvoyants auraient pu s'y méprendre. Le
raccommodement fut tel que j'en fus vivement
touché moi-même, et depuis ce temps, ajoutant
pour lui le respect à l'estime, je devins en quelque
façon son élève, et ne m'en trouvai pas plus mal.

Je n'appris pourtant pas sans peine que quel-
qu'un pouvait vivre avec elle dans une plus
grande intimité que moi. Je n'avais pas songé
même à désirer pour moi cette place, mais il
m'était dur de la voir remplir par un autre; cela
était fort naturel. Cependant, au lieu de prendre
en aversion celui qui me l'avait soufflée, je sentis
réellement s'étendre à lui l'attachement que j'avais
pour elle. Je désirais sur toute chose qu'elle fût
heureuse et, puisqu'elle avait besoin de lui pour

l'être, j'étais content qu'il fût heureux aussi. De son côté, il entrait parfaitement dans les vues de sa maîtresse, et prit en sincère amitié l'ami qu'elle s'était choisi. Sans affecter avec moi l'autorité que son poste le mettait en droit de prendre, il prit naturellement celle que son jugement lui donnait sur le mien. Je n'osais rien faire qu'il parût désapprouver, et il ne désapprouvait que ce qui était mal. Nous vivions ainsi dans une union qui nous rendait tous heureux, et que la mort seule a pu détruire. Une des preuves de l'excellence du caractère de cette aimable femme est que tous ceux qui l'aimaient s'aimaient entre eux. La jalousie, la rivalité même cédait au sentiment dominant qu'elle inspirait, et je n'ai vu jamais aucun de ceux qui l'entouraient se vouloir du mal l'un à l'autre. Que ceux qui me lisent suspendent un moment leur lecture à cet éloge, et s'ils trouvent en y pensant quelque autre femme dont ils puissent en dire autant, qu'ils s'attachent à elle pour le repos de leur vie, fût-elle au reste la dernière des catins.

Ici commence, depuis mon arrivée à Chambéry jusqu'à mon départ pour Paris, en 1741, un intervalle de huit ou neuf ans, durant lequel j'aurai peu d'événements à dire, parce que ma vie a été aussi simple que douce, et cette uniformité était précisément ce dont j'avais le plus grand besoin pour achever de former mon caractère, que des troubles continuels empêchaient de se fixer. C'est durant ce précieux intervalle que mon éducation,

mêlée et sans suite, ayant pris de la consistance, m'a fait ce que je n'ai plus cessé d'être à travers les orages qui m'attendaient. Ce progrès fut insensible et lent, chargé de peu d'événements mémorables; mais il mérite cependant d'être suivi et développé.

Au commencement je n'étais guère occupé que de mon travail; la gêne du bureau ne me laissait pas songer à autre chose. Le peu de temps que j'avais de libre se passait auprès de la bonne Maman, et n'ayant pas même celui de lire, la fantaisie ne m'en prenait pas. Mais quand ma besogne, devenue une espèce de routine, occupa moins mon esprit, il reprit ses inquiétudes; la lecture me redevint nécessaire, et comme si ce goût se fût toujours irrité par la difficulté de m'y livrer, il serait redevenu passion comme chez mon maître, si d'autres goûts venus à la traverse n'eussent fait diversion à celui-là.

Quoiqu'il ne fallût pas à nos opérations une arithmétique bien transcendante, il en fallait assez pour m'embarrasser quelquefois. Pour vaincre cette difficulté, j'achetai des livres d'arithmétique, et je l'appris bien, car je l'appris seul. L'arithmétique pratique s'étend plus loin qu'on ne pense quand on y veut mettre l'exacte précision. Il y a des opérations d'une longueur extrême, au milieu desquelles j'ai vu quelquefois de bons géomètres s'égarer. La réflexion jointe à l'usage donne des idées nettes, et alors on trouve des méthodes abrégées, dont l'invention flatte l'amour-propre, dont la justesse

satisfait l'esprit, et qui font faire avec plaisir un travail ingrat par lui-même. Je m'y enfonçai si bien qu'il n'y avait point de question soluble par les seuls chiffres qui m'embarrassât, et maintenant que tout ce que j'ai su s'efface journellement de ma mémoire, cet acquis y demeure encore en partie au bout de trente ans d'interruption. Il y a quelques jours que, dans un voyage que j'ai fait à Davenport, chez mon hôte, assistant à la leçon d'arithmétique de ses enfants, j'ai fait sans faute, avec un plaisir incroyable, une opération des plus composées. Il me semblait, en posant mes chiffres, que j'étais encore à Chambéry dans mes heureux jours. C'était revenir de loin sur mes pas.

Le lavis des mappes de nos géomètres m'avait aussi rendu le goût du dessin. J'achetai des couleurs, et je me mis à faire des fleurs et des paysages. C'est dommage que je me sois trouvé peu de talent pour cet art; l'inclination y était tout entière. Au milieu de mes crayons et de mes pinceaux j'aurais passé des mois entiers sans sortir. Cette occupation devenant pour moi trop attachante, on était obligé de m'en arracher. Il en est ainsi de tous les goûts auxquels je commence à me livrer; ils augmentent, deviennent passion, et bientôt je ne vois plus rien au monde que l'amusement dont je suis occupé. L'âge ne m'a pas guéri de ce défaut, il ne l'a pas diminué même, et maintenant que j'écris ceci, me voilà comme un vieux radoteur engoué d'une autre étude inutile où je n'entends rien, et que ceux mêmes qui s'y sont livrés dans leur jeunesse sont

forcés d'abandonner à l'âge où je la veux com-
mencer.

C'était alors qu'elle eût été à sa place. L'occasion
était belle, et j'eus quelque tentation d'en profiter.
Le contentement que je voyais dans les yeux d'Anet,
revenant chargé de plantes nouvelles, me mit deux
ou trois fois sur le point d'aller herboriser avec lui.
Je suis presque assuré que si j'y avais été une seule
fois, cela m'aurait gagné, et je serais peut-être
aujourd'hui un grand botaniste : car je ne connais
point d'étude au monde qui s'associe mieux avec
mes goûts naturels que celle des plantes, et la vie
que je mène depuis dix ans à la campagne n'est
guère qu'une herborisation continuelle, à la vérité
sans objet et sans progrès; mais n'ayant alors aucune
idée de la botanique, je l'avais prise en une sorte
de mépris et même de dégoût; je ne la regardais
que comme une étude d'apothicaire. Maman, qui
l'aimait, n'en faisait pas elle-même un autre usage;
elle ne recherchait que les plantes usuelles, pour les
appliquer à ses drogues. Ainsi la botanique, la
chimie et l'anatomie, confondues dans mon esprit
sous le nom de médecine, ne servaient qu'à me
fournir des sarcasmes plaisants toute la journée,
et à m'attirer des soufflets de temps en temps.
D'ailleurs, un goût différent et trop contraire à
celui-là croissait par degrés, et bientôt absorba tous
les autres. Je parle de la musique. Il faut assuré-
ment que je sois né pour cet art, puisque j'ai com-
mencé de l'aimer dès mon enfance, et qu'il est le
seul que j'aie aimé constamment dans tous les

temps. Ce qu'il y a d'étonnant est qu'un art pour lequel j'étais né m'ait néanmoins tant coûté de peine à apprendre, et avec des succès si lents qu'après une pratique de toute ma vie, jamais je n'ai pu parvenir à chanter sûrement tout à livre ouvert. Ce qui me rendait surtout alors cette étude agréable était que je la pouvais faire avec Maman. Ayant des goûts d'ailleurs fort différents, la musique était pour nous un point de réunion dont j'aimais à faire usage. Elle ne s'y refusait pas; j'étais alors à peu près aussi avancé qu'elle; en deux ou trois fois nous déchiffrions un air. Quelquefois, la voyant empressée autour d'un fourneau, je lui disais : « Maman, voici un duo charmant qui m'a bien l'air de faire sentir l'empyreume à vos drogues. — Ah! par ma foi, me disait-elle, si tu me les fais brûler, je te les ferai manger. » Tout en disputant, je l'entraînais à son clavecin : on s'y oubliait; l'extrait de genièvre ou d'absinthe était calciné : elle m'en barbouillait le visage, et tout cela était délicieux.

On voit qu'avec peu de temps de reste j'avais beaucoup de choses à quoi l'employer. Il me vint pourtant encore un amusement de plus qui fit bien valoir tous les autres.

Nous occupions un cachot si étouffé, qu'on avait besoin quelquefois d'aller prendre l'air sur la terre. Anet engagea Maman à louer, dans un faubourg, un jardin pour y mettre des plantes. A ce jardin était jointe une guinguette assez jolie qu'on meubla suivant l'ordonnance. On y mit un lit; nous

allions souvent y dîner, et j'y couchais quelque-
fois. Insensiblement je m'engouai de cette petite
retraite; j'y mis quelques livres, beaucoup d'es-
tampes; je passais une partie de mon temps à
l'orner et à y préparer à Maman quelque surprise
agréable lorsqu'elle s'y venait promener. Je la
quittais pour venir m'occuper d'elle, pour y penser
avec plus de plaisir; autre caprice que je n'excuse
ni n'explique, mais que j'avoue parce que la chose
était ainsi. Je me souviens qu'une fois Mme de
Luxembourg me parlait en raillant d'un homme
qui quittait sa maîtresse pour lui écrire. Je lui dis
que j'aurais bien été cet homme-là, et j'aurais pu
ajouter que je l'avais été quelquefois. Je n'ai pour-
tant jamais senti près de Maman ce besoin de
m'éloigner d'elle pour l'aimer davantage : car tête
à tête avec elle j'étais aussi parfaitement à mon
aise que si j'eusse été seul, et cela ne m'est jamais
arrivé près de personne autre, ni homme ni femme,
quelque attachement que j'aie eu pour eux. Mais
elle était si souvent entourée, et de gens qui me
convenaient si peu, que le dépit et l'ennui me chas-
saient dans mon asile, où je l'avais comme je la
voulais, sans crainte que les importuns vinssent
nous y suivre.

Tandis qu'ainsi partagé entre le travail, le plai-
sir et l'instruction, je vivais dans le plus doux re-
pos, l'Europe n'était pas si tranquille que moi. La
France et l'Empereur venaient de s'entre-déclarer
la guerre; le roi de Sardaigne était entré dans la
querelle, et l'armée française filait en Piémont pour

entrer dans le Milanais. Il en passa une colonne par Chambéry, et entre autres le régiment de Champagne, dont était colonel M. le duc de la Trimouille, auquel je fus présenté, qui me promit beaucoup de choses, et qui sûrement n'a jamais repensé à moi. Notre petit jardin était précisément au haut du faubourg par lequel entraient les troupes, de sorte que je me rassasiais du plaisir d'aller les voir passer, et je me passionnais pour le succès de cette guerre comme s'il m'eût beaucoup intéressé. Jusque-là je ne m'étais pas encore avisé de songer aux affaires publiques, et je me mis à lire les gazettes pour la première fois, mais avec une telle partialité pour la France, que le cœur me battait de joie à ses moindres avantages et que ses revers m'affligeaient comme s'ils fussent tombés sur moi. Si cette folie n'eût été que passagère, je ne daignerais pas en parler; mais elle s'est tellement enracinée dans mon cœur sans aucune raison, que lorsque j'ai fait dans la suite, à Paris, l'anti-despote et le fier républicain, je sentais en dépit de moi-même une prédilection secrète pour cette même nation que je trouvais servile et pour ce gouvernement que j'affectais de fronder. Ce qu'il y avait de plaisant était qu'ayant honte d'un penchant si contraire à mes maximes, je n'osais l'avouer à personne, et je raillais les Français de leurs défaites, tandis que le cœur m'en saignait plus qu'à eux. Je suis sûrement le seul qui, vivant chez une nation qui le traitait bien, et qu'il adorait, se soit fait chez elle un faux air de la dédaigner. Enfin,

ce penchant s'est trouvé si désintéressé de ma part,
si fort, si constant, si invincible, que même depuis
ma sortie du royaume, depuis que le gouverne-
ment, les magistrats, les auteurs s'y sont à l'envi
déchaînés contre moi, depuis qu'il est devenu du
bon air de m'accabler d'injustices et d'outrages,
je n'ai pu me guérir de ma folie. Je les aime en
dépit de moi, quoiqu'ils me maltraitent. En voyant
déjà commencer la décadence de l'Angleterre que
j'ai prédite au milieu de ses triomphes, je me laisse
bercer au fol espoir que la nation française, à son
tour victorieuse, viendra peut-être un jour me déli-
vrer de la triste captivité où je vis.

J'ai cherché longtemps la cause de cette par-
tialité, et je n'ai pu la trouver que dans l'occasion
qui la vit naître. Un goût croissant pour la litté-
rature m'attachait aux livres français, aux auteurs
de ces livres, et au pays de ces auteurs. Au moment
même que défilait sous mes yeux l'armée française,
je lisais *Les grands capitaines* de Brantôme. J'avais
la tête pleine des Clisson, des Bayard, des Lau-
trec, des Coligny, des Montmorency, des La Tri-
mouille, et je m'affectionnais à leurs descendants
comme aux héritiers de leur mérite et de leur
courage. A chaque régiment qui passait, je croyais
revoir ces fameuses bandes noires qui jadis avaient
tant fait d'exploits en Piémont. Enfin j'appliquais
à ce que je voyais les idées que je puisais dans les
livres; mes lectures continuées et toujours tirées de
la même nation nourrissaient mon affection pour
elle, et m'en firent enfin une passion aveugle que

rien n'a pu surmonter. J'ai eu dans la suite occa-
sion de remarquer dans mes voyages que cette im-
pression ne m'était pas particulière, et qu'agissant
plus ou moins dans tous les pays sur la partie de
la nation qui aimait la lecture et qui cultivait les
lettres, elle balançait la haine générale qu'inspire
l'air avantageux des Français. Les romans plus que
les hommes leur attachent les femmes de tous les
pays, leurs chefs-d'œuvre dramatiques affectionnent
la jeunesse à leurs théâtres. La célébrité de celui
de Paris y attire des foules d'étrangers qui en re-
viennent enthousiastes; enfin l'excellent goût de
leur littérature leur soumet tous les esprits qui en
ont, et dans la guerre si malheureuse dont ils
sortent, j'ai vu leurs auteurs et leurs philosophes
soutenir la gloire du nom français ternie par leurs
guerriers.

J'étais donc Français ardent, et cela me rendit
nouvelliste. J'allais avec la foule des gobe-mouches
attendre sur la place l'arrivée des courriers, et,
plus bête que l'âne de la fable, je m'inquiétais
beaucoup pour savoir de quel maître j'aurais
l'honneur de porter le bât; car on prétendait
alors que nous appartiendrions à la France, et
l'on faisait de la Savoie un échange pour le Mila-
nais. Il faut pourtant convenir que j'avais quel-
ques sujets de crainte; car si cette guerre eût mal
tourné pour les alliés, la pension de Maman cou-
rait un grand risque. Mais j'étais plein de confiance
dans mes bons amis, et pour le coup, malgré
la surprise de M. de Broglie, cette confiance ne

fut pas trompée, grâce au roi de Sardaigne, à qui je n'avais pas pensé.

Tandis qu'on se battait en Italie, on chantait en France. Les opéras de Rameau commençaient à faire du bruit, et relevèrent ses ouvrages théoriques que leur obscurité laissait à la portée de peu de gens. Par hasard, j'entendis parler de son *Traité de l'harmonie,* et je n'eus point de repos que je n'eusse acquis ce livre. Par un autre hasard, je tombai malade. La maladie était inflammatoire; elle fut vive et courte, mais ma convalescence fut longue, et je ne fus d'un mois en état de sortir. Durant ce temps, j'ébauchai, je dévorai mon *Traité de l'harmonie;* mais il était si long, si diffus, si mal arrangé que je sentis qu'il me fallait un temps considérable pour l'étudier et le débrouiller. Je suspendais mon application et je récréais mes yeux avec de la musique. Les cantates de Bernier, sur lesquelles je m'exerçais, ne me sortaient pas de l'esprit. J'en appris par cœur quatre ou cinq, entre autres celle des *Amours dormants,* que je n'ai pas revue depuis ce temps-là, et que je sais encore presque tout entière, de même que *L'Amour piqué par une abeille,* très jolie cantate de Clérambault, que j'appris à peu près dans le même temps.

Pour m'achever, il arriva de la Val-d'Aost un jeune organiste appelé l'abbé Palais, bon musicien, bon homme, et qui accompagnait très bien du clavecin. Je fais connaissance avec lui; nous voilà inséparables. Il était élève d'un moine italien,

grand organiste. Il me parlait de ses principes; je les comparais avec ceux de mon Rameau; je remplissais ma tête d'accompagnements, d'accords, d'harmonie. Il fallait se former l'oreille à tout cela : je proposai à Maman un petit concert tous les mois; elle y consentit. Me voilà si plein de ce concert que, ni jour ni nuit, je ne m'occupais d'autre chose; et réellement cela m'occupait, et beaucoup, pour rassembler la musique, les concertants, les instruments, tirer les parties, etc. Maman chantait; le P. Canton, dont j'ai déjà parlé, et dont j'ai à parler encore, chantait aussi; un maître à danser appelé Roche, et son fils jouaient du violon; Canavas, musicien piémontais, qui travaillait au cadastre, et qui depuis s'est marié à Paris, jouait du violoncelle; l'abbé Palais accompagnait au clavecin; j'avais l'honneur de conduire la musique, sans oublier le bâton du bûcheron. On peut juger combien tout cela était beau! pas tout à fait comme chez M. de Treytorens; mais il ne s'en fallait guère.

Le petit concert de Mme de Warens, nouvelle convertie, et vivant, disait-on, des charités du roi, faisait murmurer la séquelle dévote; mais c'était un amusement agréable pour plusieurs honnêtes gens. On ne devinerait pas qui je mets à leur tête en cette occasion? Un moine, mais un moine homme de mérite, et même aimable, dont les infortunes m'ont dans la suite bien vivement affecté, et dont la mémoire, liée à celle de mes beaux jours, m'est encore chère. Il s'agit du P. Caton, cordelier, qui

conjointement avec le comte Dortan, avait fait
saisir à Lyon la musique du pauvre *petit chat,* ce
qui n'est pas le plus beau trait de sa vie. Il était
bachelier de Sorbonne : il avait vécu longtemps
à Paris dans le plus grand monde et très faufilé
surtout chez le marquis d'Entremont, alors am-
bassadeur de Sardaigne. C'était un grand homme,
bien fait, le visage plein, les yeux à fleur de tête,
des cheveux noirs qui faisaient sans affectation le
crochet à côté du front; l'air à la fois noble,
ouvert, modeste, se présentant simplement et bien;
n'ayant ni le maintien cafard ou effronté des
moines, ni l'abord cavalier d'un homme à la mode,
quoiqu'il le fût, mais l'assurance d'un honnête
homme qui, sans rougir de sa robe, s'honore lui-
même et se sent toujours à sa place parmi les
honnêtes gens. Quoique le P. Caton n'eût pas
beaucoup d'études pour un docteur, il en avait
beaucoup pour un homme du monde; et n'étant
point pressé de montrer son acquis, il le plaçait
si à propos qu'il en paraissait davantage. Ayant
beaucoup vécu dans la société, il s'était plus attaché
aux talents agréables qu'à un solide savoir. Il
avait de l'esprit, faisait des vers, parlait bien,
chantait mieux, avait la voix belle, touchait l'orgue
et le clavecin. Il n'en fallait pas tant pour être
recherché; aussi l'était-il; mais cela lui fit si peu
négliger les soins de son état, qu'il parvint, malgré
des concurrents très jaloux, à être élu définiteur
de sa province, ou, comme on dit, un des grands
colliers de l'ordre.

Ce P. Caton fit connaissance avec Maman chez
le marquis d'Entremont. Il entendit parler de nos
concerts, il en voulut être; il en fut, et les rendit
brillants. Nous fûmes bientôt liés par notre goût
commun pour la musique, qui chez l'un et chez
l'autre était une passion très vive; avec cette diffé-
rence qu'il était vraiment musicien, et que je
n'étais qu'un barbouillon. Nous allions avec Cana-
vas et l'abbé Palais faire de la musique dans sa
chambre, et quelquefois à son orgue les jours de
fête. Nous dînions souvent à son petit couvert,
car ce qu'il avait encore d'étonnant pour un moine
est qu'il était généreux, magnifique, et sensuel sans
grossièreté. Les jours de nos concerts il soupait chez
Maman. Ces soupers étaient très gais, très agré-
ables; on y disait le mot et la chose; on y chantait
des duos; j'étais à mon aise; j'avais de l'esprit, des
saillies; le P. Caton était charmant. Maman était
adorable, l'abbé Palais, avec sa voix de bœuf, était
le plastron. Moments si doux de la folâtre jeunesse,
qu'il y a de temps que vous êtes partis!

Comme je n'aurai plus à parler de ce pauvre
P. Caton, que j'achève ici en deux mots sa triste
histoire. Les autres moines, jaloux ou plutôt
furieux de lui voir un mérite et une élégance de
mœurs qui n'avait rien de la crapule monastique,
le prirent en haine, parce qu'il n'était pas aussi
haïssable qu'eux. Les chefs se liguèrent contre lui,
et ameutèrent les moinillons envieux de sa place,
et qui n'osaient auparavant le regarder. On lui fit
mille affronts, on le destitua, on lui ôta sa chambre,

qu'il avait meublée avec goût, quoique avec sim-
plicité, on le relégua je ne sais où; enfin ces mi-
sérables l'accablèrent de tant d'outrages, que son
âme honnête et fière avec justice n'y put résister,
et après avoir fait les délices des sociétés les plus
aimables, il mourut de douleur sur un vil grabat,
dans quelque fond de cellule ou de cachot, re-
gretté, pleuré de tous les honnêtes gens dont il fut
connu, et qui ne lui ont trouvé d'autre défaut que
d'être moine.

Avec ce petit train de vie, je fis si bien en très
peu de temps qu'absorbé tout entier par la mu-
sique, je me trouvai hors d'état de penser à autre
chose. Je n'allais plus à mon bureau qu'à contre-
cœur; la gêne et l'assiduité au travail m'en firent
un supplice insupportable, et j'en vins enfin à
vouloir quitter mon emploi pour me livrer totale-
ment à la musique. On peut croire que cette folie
ne passa pas sans opposition. Quitter un poste
honnête et d'un revenu fixe pour courir après des
écoliers incertains, était un parti trop peu sensé
pour plaire à Maman. Même en supposant mes
progrès futurs aussi grands que je me les figurais,
c'était borner bien modestement mon ambition que
de me réduire pour la vie à l'état de musicien. Elle
qui ne formait que des projets magnifiques, et qui
ne me prenait plus tout à fait au mot de M. d'Au-
bonne, me voyait avec peine occupé sérieusement
d'un talent qu'elle trouvait si frivole, et me ré-
pétait souvent ce proverbe de province, un peu
moins juste à Paris, que *qui bien chante et bien*

danse fait un métier qui peu avance. Elle me voyait d'un côté entraîné par un goût irrésistible; ma passion de musique devenait une fureur, et il était à craindre que mon travail, se sentant de mes distractions, ne m'attirât un congé qu'il valait beaucoup mieux prendre de moi-même. Je lui représentais encore que cet emploi n'avait pas long-temps à durer, qu'il me fallait un talent pour vivre, et qu'il était plus sûr d'achever d'acquérir par la pratique celui auquel mon goût me portait, et qu'elle m'avait choisi, que de me mettre à la merci des protections, ou de faire de nouveaux essais qui pouvaient mal réussir, et me laisser, après avoir passé l'âge d'apprendre, sans ressource pour gagner mon pain. Enfin j'extorquai son consentement plus à force d'importunités et de caresses que de raisons dont elle se contentât. Aussitôt je courus remercier fièrement M. Coccelli, directeur général du cadastre, comme si j'avais fait l'acte le plus héroïque, et je quittai volontairement mon emploi, sans sujet, sans raison, sans prétexte, avec autant et plus de joie que je n'en avais eu à le prendre il n'y avait pas deux ans.

Cette démarche, toute folle qu'elle était, m'attira dans le pays une sorte de considération qui me fut utile. Les uns me supposèrent des ressources que je n'avais pas; d'autres, me voyant livré tout à fait à la musique, jugèrent de mon talent par mon sacrifice, et crurent qu'avec tant de passion pour cet art je devais le posséder supérieurement. Dans le royaume des aveugles les borgnes sont rois;

je passai là pour un bon maître, parce qu'il n'y en avait pas de mauvais. Ne manquant pas, au reste, d'un certain goût de chant, favorisé d'ailleurs par mon âge et par ma figure, j'eus bientôt plus d'écolières qu'il ne m'en fallait pour remplacer ma paye de secrétaire.

Il est certain que pour l'agrément de la vie on ne pouvait passer plus rapidement d'une extrémité à l'autre. Au cadastre, occupé huit heures par jour du plus maussade travail, avec des gens encore plus maussades, enfermé dans un triste bureau empuanti de l'haleine et de la sueur de tous ces manants, la plupart fort mal peignés et fort malpropres, je me sentais quelquefois accablé jusqu'au vertige par l'attention, l'odeur, la gêne et l'ennui. Au lieu de cela, me voilà tout à coup jeté parmi le beau monde, admis, recherché dans les meilleures maisons; partout un accueil gracieux, caressant, un air de fête : d'aimables demoiselles bien parées m'attendent, me reçoivent avec empressement; je ne vois que des objets charmants, je ne sens que la rose et la fleur d'orange; on chante, on cause, on rit, on s'amuse; je ne sors de là que pour aller ailleurs en faire autant. On conviendra qu'à égalité dans les avantages il n'y avait pas à balancer dans le choix. Aussi me trouvai-je si bien du mien qu'il ne m'est arrivé jamais de m'en repentir, et je ne m'en repens pas même en ce moment, où je pèse au poids de la raison les actions de ma vie, et où je suis délivré des motifs peu sensés qui m'ont entraîné.

Voilà presque l'unique fois qu'en n'écoutant que
mes penchants je n'ai pas vu tromper mon attente.
L'accueil aisé, l'esprit liant, l'humeur facile des
habitants du pays me rendit le commerce du monde
aimable, et le goût que j'y pris alors m'a bien
prouvé que si je n'aime pas à vivre parmi les hommes,
c'est moins ma faute que la leur.

C'est dommage que les Savoyards ne soient pas
riches, ou peut-être serait-ce dommage qu'ils le
fussent; car tels qu'ils sont, c'est le meilleur et le
plus sociable peuple que je connaisse. S'il est une
petite ville au monde où l'on goûte la douceur de
la vie dans un commerce agréable et sûr, c'est
Chambéry. La noblesse de la province, qui s'y ras-
semble, n'a que ce qu'il faut de bien pour vivre; elle
n'en a pas assez pour parvenir; et ne pouvant se
livrer à l'ambition, elle suit par ·nécessité le conseil
de Cynéas. Elle dévoue sa jeunesse à l'état mili-
taire, puis revient vieillir paisiblement chez soi.
L'honneur et la raison président à ce partage. Les
femmes sont belles, et pourraient se passer de
l'être; elles ont tout ce qui peut faire valoir la
beauté, et même y suppléer. Il est singulier
qu'appelé par mon état à voir beaucoup de jeunes
filles, je ne me rappelle pas d'en avoir vu à Cham-
béry une seule qui ne fût pas charmante. On dira
que j'étais disposé à les trouver telles, et l'on peut
avoir raison; mais je n'avais pas besoin d'y mettre
du mien pour cela. Je ne puis, en vérité, me rap-
peler sans plaisir le souvenir de mes jeunes éco-
lières. Que ne puis-je, en nommant ici les plus

aimables, les rappeler de même, et moi avec elles,
à l'âge heureux où nous étions lors des moments
aussi doux qu'innocents que j'ai passés auprès
d'elles! La première fut Mlle de Mellarède, ma
voisine, sœur de l'élève de M. Gaime. C'était une
brune très vive, mais d'une vivacité caressante,
pleine de grâces, et sans étourderie. Elle était un
peu maigre, comme sont la plupart des filles à son
âge; mais ses yeux brillants, sa taille fine et son
air attirant n'avaient pas besoin d'embonpoint
pour plaire. J'y allais le matin, et elle était encore
ordinairement en déshabillé, sans autre coiffure
que ses cheveux négligemment relevés, ornés de
quelque fleur qu'on mettait à mon arrivée, et
qu'on ôtait à mon départ pour se coiffer. Je ne
crains rien tant dans le monde qu'une jolie per-
sonne en déshabillé; je la redouterais cent fois
moins parée. Mlle de Menthon, chez qui j'allais
l'après-midi, l'était toujours, et me faisait une
impression tout aussi douce, mais différente. Ses
cheveux étaient d'un blond cendré : elle était très
mignonne, très timide et très blanche; une voix
nette, juste et flûtée, mais qui n'osait se développer.
Elle avait au sein la cicatrice d'une brûlure d'eau
bouillante, qu'un fichu de chenille bleue ne
cachait pas extrêmement. Cette marque attirait
quelquefois de ce côté mon attention, qui bientôt
n'était plus pour la cicatrice. Mlle de Challes, une
autre de mes voisines, était une fille faite; grande,
belle carrure, de l'embonpoint; elle avait été très
bien. Ce n'était plus une beauté, mais c'était une

personne à citer pour la bonne grâce, pour l'humeur égale, pour le bon naturel. Sa sœur, Mme de Charly, la plus belle femme de Chambéry, n'apprenait plus la musique, mais elle la faisait apprendre à sa fille, toute jeune encore, mais dont la beauté naissante eût promis d'égaler celle de sa mère, si malheureusement elle n'eût été un peu rousse. J'avais à la Visitation une petite demoiselle française, dont j'ai oublié le nom, mais qui mérite une place dans la liste de mes préférences. Elle avait pris le ton lent et traînant des religieuses, et sur ce ton traînant elle disait des choses très saillantes qui ne semblaient pas aller avec son maintien. Au reste, elle était paresseuse, n'aimait pas à prendre la peine de montrer son esprit, et c'était une faveur qu'elle n'accordait pas à tout le monde. Ce ne fut qu'après un mois ou deux de leçons et de négligence qu'elle s'avisa de cet expédient pour me rendre plus assidu; car je n'ai jamais pu prendre sur moi de l'être. Je me plaisais à mes leçons quand j'y étais, mais je n'aimais pas être obligé de m'y rendre ni que l'heure me commandât. En toute chose la gêne et l'assujettissement me sont insupportables; ils me feraient prendre en haine le plaisir même. On dit que chez les mahométans un homme passe au point du jour dans les rues pour ordonner aux maris de rendre le devoir à leurs femmes. Je serais un mauvais Turc à ces heures-là.

J'avais quelques écolières aussi dans la bourgeoisie, et une entre autres qui fut la cause indirecte d'un changement de relation dont j'ai à

parler, puisque enfin je dois tout dire. Elle était fille d'un épicier, et se nommait Mlle Lard, vrai modèle d'une statue grecque, et que je citerais pour la plus belle fille que j'aie jamais vue, s'il y avait quelque véritable beauté sans vie et sans âme. Son indolence, sa froideur, son insensibilité allaient à un point incroyable. Il était également impossible de lui plaire et de la fâcher, et je suis persuadé que, si on eût fait sur elle quelque entreprise, elle aurait laissé faire, non par goût, mais par stupidité. Sa mère, qui n'en voulait pas courir le risque, ne la quittait pas d'un pas. En lui faisant apprendre à chanter, en lui donnant un jeune maître, elle faisait tout de son mieux pour l'émoustiller; mais cela ne réussit point. Tandis que le maître agaçait la fille, la mère agaçait le maître, et cela ne réussissait pas beaucoup mieux. Mme Lard ajoutait à sa vivacité naturelle toute celle que sa fille aurait dû avoir. C'était un petit minois éveillé, chiffonné, marqué de petite vérole. Elle avait de petits yeux très ardents, et un peu rouges, parce qu'elle y avait presque toujours mal. Tous les matins, quand j'arrivais, je trouvais prêt mon café à la crème, et, la mère ne manquait jamais de m'accueillir par un baiser bien appliqué sur la bouche, et que par curiosité j'aurais voulu rendre à la fille, pour voir comment elle l'aurait pris. Au reste, tout cela se faisait si simplement et si fort sans conséquence, que, quand M. Lard était là, les agaceries et les baisers n'en allaient pas moins leur train. C'était une bonne pâte d'homme, le vrai père de sa fille,

et que sa femme ne trompait pas, parce qu'il n'en
était pas besoin.

Je me prêtais à toutes ces caresses avec ma
balourdise ordinaire, les prenant tout bonnement
pour des marques de pure amitié. J'en étais pour-
tant importuné quelquefois; car la vive Mme Lard
ne laissait pas d'être exigeante, et si dans la journée
j'avais passé devant la boutique sans m'arrêter, il
y aurait eu du bruit. Il fallait, quand j'étais pressé,
que je prisse un détour pour passer dans une autre
rue, sachant bien qu'il n'était pas aussi aisé de
sortir de chez elle que d'y entrer.

Mme Lard s'occupait trop de moi pour que je
ne m'occupasse point d'elle. Ses attentions me tou-
chaient beaucoup; j'en parlais à Maman comme
d'une chose sans mystère, et quand il y en aurait
eu, je ne lui en aurais pas moins parlé; car lui
faire un secret de quoi que ce fût ne m'eût pas été
possible : mon cœur était ouvert devant elle comme
devant Dieu. Elle ne prit pas tout à fait la chose
avec la même simplicité que moi. Elle vit des
avances où je n'avais vu que des amitiés; elle jugea
que Mme Lard, se faisant un point d'honneur de
me laisser moins sot qu'elle ne m'avait trouvé, par-
viendrait de manière ou d'autre à se faire entendre,
et outre qu'il n'était pas juste qu'une autre femme
se chargeât de l'instruction de son élève, elle avait
des motifs plus dignes d'elle pour me garantir
des pièges auxquels mon âge et mon état m'ex-
posaient. Dans le même temps, on m'en tendit un
d'une espèce plus dangereuse, auquel j'échappai,

mais qui lui fit sentir que les dangers qui me me-
naçaient sans cesse rendaient nécessaires tous les
préservatifs qu'elle y pouvait apporter.

Mme la comtesse de Menthon, mère d'une de
mes écolières, était une femme de beaucoup d'es-
prit, et passait pour n'avoir pas moins de méchan-
ceté. Elle avait été cause, à ce qu'on disait, de bien
des brouilleries, et d'une entre autres qui avait eu
des suites fatales à la maison d'Entremont. Maman
avait été assez liée avec elle pour connaître son
caractère; ayant très innocemment inspiré du goût
à quelqu'un sur qui Mme de Menthon avait des
prétentions, elle resta chargée auprès d'elle du
crime de cette préférence, quoiqu'elle n'eût été ni
recherchée ni acceptée; et Mme de Menthon cher-
cha depuis lors à jouer à sa rivale plusieurs tours,
dont aucun ne réussit. J'en rapporterai un des plus
comiques, par manière d'échantillon. Elles étaient
ensemble à la campagne avec plusieurs gentils-
hommes du voisinage, et entre autres l'aspirant en
question. Mme de Menthon dit un jour à un de
ces messieurs que Mme de Warens n'était qu'une
précieuse, qu'elle n'avait point de goût, qu'elle
se mettait mal, qu'elle couvrait sa gorge comme
une bourgeoise. Quant à ce dernier article, lui dit
l'homme, qui était un plaisant, elle a ses raisons, et
je sais qu'elle a un gros vilain rat empreint sur le
sein, mais si ressemblant qu'on dirait qu'il court.
La haine ainsi que l'amour rend crédule. Mme de
Menthon résolut de tirer parti de cette découverte,
et un jour que Maman était au jeu avec l'ingrat

favori de la dame, celle-ci prit son temps pour
passer derrière sa rivale, puis, renversant à demi sa
chaise, elle découvrit adroitement son mouchoir.
Mais au lieu du gros rat, le monsieur ne vit qu'un
objet fort différent, qu'il n'était pas plus aisé
d'oublier que de voir, et cela ne fit pas le compte
de la dame.

Je n'étais pas un personnage à occuper Mme de
Menthon, qui ne voulait que des gens brillants
autour d'elle. Cependant elle fit quelque attention
à moi, non pour ma figure, dont assurément elle ne
se souciait point du tout, mais pour l'esprit qu'on
me supposait, et qui m'eût pu rendre utile à ses
goûts. Elle en avait un assez vif pour la satire. Elle
aimait à faire des chansons et des vers sur les gens
qui lui déplaisaient. Si elle m'eût trouvé assez de
talent pour lui aider à tourner ses vers, et assez de
complaisance pour les écrire, entre elle et moi nous
aurions bientôt mis Chambéry sens dessus dessous.
On serait remonté à la source de ces libelles :
Mme de Menthon se serait tirée d'affaire en me
sacrifiant, et j'aurais été enfermé le reste de mes
jours peut-être, pour m'apprendre à faire le Phé-
bus avec les dames.

Heureusement rien de tout cela n'arriva.
Mme de Menthon me retint à dîner deux ou trois
fois pour me faire causer, et trouva que je n'étais
qu'un sot. Je le sentais moi-même, et j'en gémissais,
enviant les talents de mon ami Venture, tandis que
j'aurais dû remercier ma bêtise des périls dont elle
me sauvait. Je demeurai pour Mme de Menthon le

maître à chanter de sa fille, et rien de plus : mais je
vécus tranquille et toujours bien voulu dans Cham-
béry. Cela valait mieux que d'être un bel esprit
pour elle et un serpent pour le reste du pays.

Quoi qu'il en soit, Maman vit que, pour
m'arracher aux périls de ma jeunesse, il était temps
de me traiter en homme, et c'est ce qu'elle fit, mais
de la façon la plus singulière dont jamais femme
se soit avisée en pareille occasion. Je lui trouvai
l'air plus grave et le propos plus moral qu'à son
ordinaire. A la gaieté folâtre dont elle entre-
mêlait ordinairement ses instructions succéda tout
à coup un ton toujours soutenu, qui n'était ni
familier, ni sévère, mais qui semblait préparer une
explication. Après avoir cherché vainement en moi-
même la raison de ce changement, je la lui de-
mandai; c'était ce qu'elle attendait. Elle me pro-
posa une promenade au petit jardin pour le len-
demain : nous y fûmes dès le matin. Elle avait pris
ses mesures pour qu'on nous laissât seuls toute la
journée; elle l'employa à me préparer aux bontés
qu'elle voulait avoir pour moi, non, comme une
autre femme, par du manège et des agaceries; mais
par des entretiens pleins de sentiment et de raison,
plus faits pour m'instruire que pour me séduire,
et qui parlaient plus à mon cœur qu'à mes sens.
Cependant, quelque excellents et utiles que fus-
sent les discours qu'elle me tint, et quoiqu'ils ne
fussent rien moins que froids et tristes, je n'y fis
pas toute l'attention qu'ils méritaient, et je ne les
gravai pas dans ma mémoire comme j'aurais fait

en tout autre temps. Son début, cet air de prépa-
ratif m'avait donné de l'inquiétude : tandis qu'elle
parlait, rêveur et distrait malgré moi, j'étais moins
occupé de ce qu'elle disait que de chercher à quoi
elle en voulait venir, et sitôt que je l'eus compris,
ce qui ne me fut pas facile, la nouveauté de cette
idée, qui depuis que je vivais auprès d'elle ne
m'était pas venue une seule fois dans l'esprit,
m'occupant alors tout entier, ne me laissa plus le
maître de penser à ce qu'elle me disait. Je ne
pensais qu'à elle et je ne l'écoutais pas.

Vouloir rendre les jeunes gens attentifs à ce
qu'on leur veut dire, en leur montrant au bout un
objet très intéressant pour eux, est un contresens
très ordinaire aux instituteurs, et que je n'ai pas
évité moi-même dans mon *Émile*. Le jeune homme,
frappé de l'objet qu'on lui présente, s'en occupe
uniquement, et saute à pieds joints par-dessus vos
discours préliminaires pour aller d'abord où vous
le menez trop lentement à son gré. Quand on veut
le rendre attentif, il ne faut pas se laisser pénétrer
d'avance, et c'est en quoi Maman fut maladroite.
Par une singularité qui tenait à son esprit systé-
matique, elle prit la précaution très vaine de faire
ses conditions; mais sitôt que j'en vis le prix, je
ne les écoutai pas même, et je me dépêchai de
consentir à tout. Je doute même qu'en pareil cas
il y ait sur la terre entière un homme assez franc
ou assez courageux pour oser marchander, et une
seule femme qui pût pardonner de l'avoir fait. Par
une suite de la même bizarrerie, elle mit à cet

accord les formalités les plus graves, et me donna
pour y penser huit jours, dont je l'assurai fausse-
ment que je n'avais pas besoin : car, pour comble
de singularité, je fus très aise de les avoir, tant
la nouveauté de ces idées m'avait frappé et tant
je sentais un bouleversement dans les miennes qui
me demandait du temps pour les arranger!

On croira que ces huit jours me durèrent huit
siècles. Tout au contraire; j'aurais voulu qu'ils
les eussent durés en effet. Je ne sais comment dé-
crire l'état où je me trouvais, plein d'un certain
effroi mêlé d'impatience, redoutant ce que je dé-
sirais, jusqu'à chercher quelquefois tout de bon
dans ma tête quelque honnête moyen d'éviter
d'être heureux. Qu'on se représente mon tem-
pérament ardent et lascif, mon sang enflammé,
mon cœur enivré d'amour, ma vigueur, ma santé,
mon âge; qu'on pense que dans cet état, altéré
de la soif des femmes, je n'avais encore approché
d'aucune; que l'imagination, le besoin, la vanité,
la curiosité se réunissaient pour me dévorer de
l'ardent désir d'être homme et de le paraître.
Qu'on ajoute surtout, car c'est ce qu'il ne faut
pas qu'on oublie, que mon vif et tendre attache-
ment pour elle, loin de s'attiédir, n'avait fait
qu'augmenter de jour en jour; que je n'étais bien
qu'auprès d'elle; que je ne m'en éloignais que pour
y penser; que j'avais le cœur plein, non seulement
de ses bontés, de son caractère aimable, mais de
son sexe, de sa figure, de sa personne, d'elle, en un
mot, par tous les rapports sous lesquels elle pouvait

m'être chère; et qu'on n'imagine pas que pour dix ou douze ans que j'avais de moins qu'elle, elle fût vieillie ou me parût l'être. Depuis cinq ou six ans que j'avais éprouvé des transports si doux à sa première vue, elle était réellement très peu changée, et ne me le paraissait point du tout. Elle a toujours été charmante pour moi, et l'était encore pour tout le monde. Sa taille seule avait pris un peu plus de rondeur. Du reste, c'était le même œil, le même teint, le même sein, les mêmes traits, les mêmes beaux cheveux blonds, la même gaieté, tout jusqu'à la même voix, cette voix argentée de la jeunesse, qui fit toujours sur moi tant d'impression, qu'encore aujourd'hui je ne puis entendre sans émotion le son d'une jolie voix de fille.

Naturellement, ce que j'avais à craindre dans l'attente de la possession d'une personne si chérie était de l'anticiper, et de ne pouvoir assez gouverner mes désirs et mon imagination pour rester maître de moi-même. On verra que, dans un âge avancé, la seule idée de quelques légères faveurs qui m'attendaient près de la personne aimée, allumait mon sang à tel point qu'il m'était impossible de faire impunément le court trajet qui me séparait d'elle. Comment, par quel prodige, dans la fleur de ma jeunesse, eus-je si peu d'empressement pour la première jouissance? Comment pus-je en voir approcher l'heure avec plus de peine que de plaisir? Comment, au lieu des délices qui devaient m'enivrer, sentais-je presque de la répugnance et des craintes? Il n'y a point à douter que, si j'avais

pu me dérober à mon bonheur avec bienséance, je ne l'eusse fait de tout mon cœur. J'ai promis des bizarreries dans l'histoire de mon attachement pour elle; en voilà sûrement une à laquelle on ne s'attendait pas.

Le lecteur, déjà révolté, juge qu'étant possédée par un autre homme, elle se dégradait à mes yeux en se partageant, et qu'un sentiment de mésestime attiédissait ceux qu'elle m'avait inspirés : il se trompe. Ce partage, il est vrai, me faisait une cruelle peine, tant par une délicatesse fort naturelle, que parce qu'en effet je le trouvais peu digne d'elle et de moi; mais quant à mes sentiments pour elle, il ne les altérait point, et je peux jurer que jamais je ne l'aimai plus tendrement que quand je désirais si peu la posséder. Je connaissais trop son cœur chaste et son tempérament de glace pour croire un moment que le plaisir des sens eût aucune part à cet abandon d'elle-même : j'étais parfaitement sûr que le seul soin de m'arracher à des dangers autrement presque inévitables, et de me conserver tout entier à moi et à mes devoirs, lui en faisait enfreindre un qu'elle ne regardait pas du même œil que les autres femmes, comme il sera dit ci-après. Je la plaignais et je me plaignais. J'aurais voulu lui dire : « Non, Maman, il n'est pas nécessaire; je vous réponds de moi sans cela. » Mais je n'osais; premièrement parce que ce n'était pas une chose à dire, et puis parce qu'au fond je sentais que cela n'était pas vrai, et qu'en effet il n'y avait qu'une femme qui pût me garantir des autres

femmes et me mettre à l'épreuve des tentations. Sans désirer de la posséder, j'étais bien aise qu'elle m'ôtât le désir d'en posséder d'autres, tant je regardais tout ce qui pouvait me distraire d'elle comme un malheur.

La longue habitude de vivre ensemble et d'y vivre innocemment, loin d'affaiblir mes sentiments pour elle, les avait renforcés, mais leur avait en même temps donné une autre tournure qui les rendait plus affectueux, plus tendres peut-être, mais moins sensuels. A force de l'appeler Maman, à force d'user avec elle de la familiarité d'un fils, je m'étais accoutumé à me regarder comme tel. Je crois que voilà la véritable cause du peu d'empressement que j'eus de la posséder, quoiqu'elle me fût si chère. Je me souviens très bien que mes premiers sentiments, sans être plus vifs, étaient plus voluptueux. A Annecy, j'étais dans l'ivresse; à Chambéry, je n'y étais plus. Je l'aimais toujours aussi passionnément qu'il fût possible; mais je l'aimais plus pour elle et moins pour moi, ou du moins je cherchais plus mon bonheur que mon plaisir auprès d'elle : elle était pour moi plus qu'une sœur, plus qu'une mère, plus qu'une amie, plus même qu'une maîtresse, et c'était pour cela qu'elle n'était pas une maîtresse. Enfin, je l'aimais trop pour la convoiter : voilà ce qu'il y a de plus clair dans mes idées.

Ce jour, plutôt redouté qu'attendu, vint enfin. Je promis tout, et je ne mentis pas. Mon cœur confirmait mes engagements sans en désirer le prix.

Je l'obtins pourtant. Je me vis pour la première fois dans les bras d'une femme, et d'une femme que j'adorais. Fus-je heureux? Non, je goûtai le plaisir. Je ne sais quelle invincible tristesse en empoisonnait le charme. J'étais comme si j'avais commis un inceste. Deux ou trois fois, en la pressant avec transport dans mes bras, j'inondai son sein de mes larmes. Pour elle, elle n'était ni triste ni vive; elle était caressante et tranquille. Comme elle était peu sensuelle et n'avait point recherché la volupté, elle n'en eut pas les délices et n'en a jamais eu les remords.

Je le répète : toutes ses fautes lui vinrent de ses erreurs, jamais de ses passions. Elle était bien née, son cœur était pur, elle aimait les choses honnêtes, ses penchants étaient droits et vertueux, son goût était délicat; elle était faite pour une élégance de mœurs qu'elle a toujours aimée, et qu'elle n'a jamais suivie, parce qu'au lieu d'écouter son cœur, qui la menait bien, elle écouta sa raison, qui la menait mal. Quand des principes faux l'ont égarée, ses vrais sentiments les ont toujours démentis : mais malheureusement elle se piquait de philosophie, et la morale qu'elle s'était faite gâta celle que son cœur lui dictait.

M. de Tavel, son premier amant, fut son maître de philosophie, et les principes qu'il lui donna furent ceux dont il avait besoin pour la séduire. La trouvant attachée à son mari, à ses devoirs, toujours froide, raisonnante, et inattaquable par les sens, il l'attaqua par des sophismes, et parvint

à lui montrer ses devoirs auxquels elle était si
attachée comme un bavardage de catéchisme fait
uniquement pour amuser les enfants, l'union des
sexes comme l'acte le plus indifférent en soi, la
fidélité conjugale comme une apparence obliga-
toire dont toute la moralité regardait l'opinion, le
repos des maris comme la seule règle du devoir des
femmes, en sorte que des infidélités ignorées, nulles
pour celui qu'elles offensaient, l'étaient aussi pour
la conscience; enfin il lui persuada que la chose
en elle-même n'était rien, qu'elle ne prenait
d'existence que par le scandale, et que toute
femme qui paraissait sage par cela seul l'était en
effet. C'est ainsi que le malheureux parvint à son
but en corrompant la raison d'un enfant dont il
n'avait pu corrompre le cœur. Il en fut puni par
la plus dévorante jalousie, persuadé qu'elle le trai-
tait lui-même comme il lui avait appris à traiter
son mari. Je ne sais s'il se trompait sur ce point.
Le ministre Perret passa pour son successeur. Ce
que je sais, c'est que le tempérament froid de
cette jeune femme, qui l'aurait dû garantir de ce
système, fut ce qui l'empêcha dans la suite d'y
renoncer. Elle ne pouvait concevoir qu'on donnât
tant d'importance à ce qui n'en avait point pour
elle. Elle n'honora jamais du nom de vertu une
abstinence qui lui coûtait si peu.

Elle n'eût donc guère abusé de ce faux prin-
cipe pour elle-même; mais elle en abusa pour
autrui, et cela par une autre maxime presque
aussi fausse, mais plus d'accord avec la bonté de

son cœur. Elle a toujours cru que rien n'attachait tant un homme à une femme que la possession, et quoiqu'elle n'aimât ses amis que d'amitié, c'était d'une amitié si tendre, qu'elle employait tous les moyens qui dépendaient d'elle pour se les attacher plus fortement. Ce qu'il y a d'extraordinaire est qu'elle a presque toujours réussi. Elle était si réellement aimable que, plus l'intimité dans laquelle on vivait avec elle était grande, plus on y trouvait de nouveaux sujets de l'aimer. Une autre chose digne de remarque est qu'après sa première faiblesse elle n'a guère favorisé que des malheureux; les gens brillants ont tous perdu leur peine auprès d'elle : mais il fallait qu'un homme qu'elle commençait par plaindre fût bien peu aimable si elle ne finissait par l'aimer. Quand elle se fit des choix peu dignes d'elle, bien loin que ce fût par des inclinations basses, qui n'approchèrent jamais de son noble cœur, ce fut uniquement par son cœur trop généreux, trop humain, trop compatissant, trop sensible, qu'elle ne gouverna pas toujours avec assez de discernement.

Si quelques principes faux l'ont égarée, combien n'en avait-elle pas d'admirables dont elle ne se départait jamais! Par combien de vertus ne rachetait-elle pas ses faiblesses, si l'on peut appeler de ce nom des erreurs où les sens avaient si peu de part! Ce même homme qui la trompa sur un point l'instruisit excellemment sur mille autres; et ses passions, qui n'étaient pas fougueuses, lui permettant de suivre toujours ses lumières, elle

allait bien quand ses sophismes ne l'égaraient pas.
Ses motifs étaient louables jusque dans ses fautes;
en s'abusant elle pouvait mal faire, mais elle ne
pouvait vouloir rien qui fût mal. Elle abhorrait
la duplicité, le mensonge; elle était juste, équi-
table, humaine, désintéressée, fidèle à sa parole,
à ses amis, à ses devoirs qu'elle reconnaissait
pour tels, incapable de vengeance et de haine, et
ne concevant pas même qu'il y eût le moindre
mérite à pardonner. Enfin, pour revenir à ce
qu'elle avait de moins excusable, sans estimer ses
faveurs ce qu'elles valaient, elle n'en fit jamais un
vil commerce; elle les prodiguait, mais elle ne les
vendait pas, quoiqu'elle fût sans cesse aux expé-
dients pour vivre; et j'ose dire que si Socrate put
estimer Aspasie, il eût respecté Mme de Warens.

Je sais d'avance qu'en lui donnant un caractère
sensible et un tempérament froid, je serai accusé
de contradiction comme à l'ordinaire, et avec au-
tant de raison. Il se peut que la nature ait eu
tort et que cette combinaison n'ait pas dû être;
je sais seulement qu'elle a été. Tous ceux qui
ont connu Mme de Warens, et dont un si grand
nombre existe encore, ont pu savoir qu'elle était
ainsi. J'ose même ajouter qu'elle n'a connu qu'un
seul vrai plaisir au monde : c'était d'en faire à
ceux qu'elle aimait. Toutefois, permis à chacun
d'argumenter là-dessus tout à son aise, et de prou-
ver doctement que cela n'est pas vrai. Ma fonc-
tion est de dire la vérité, mais non pas de la faire
croire.

J'appris peu à peu tout ce que je viens de dire dans les entretiens qui suivirent notre union, et qui seuls la rendirent délicieuse. Elle avait eu raison d'espérer que sa complaisance me serait utile; j'en tirai pour mon instruction de grands avantages. Elle m'avait jusqu'alors parlé de moi seul comme à un enfant. Elle commença de me traiter en homme, et me parla d'elle. Tout ce qu'elle me disait m'était si intéressant, je m'en sentais si touché, que, me repliant sur moi-même, j'appliquais à mon profit ses confidences plus que je n'avais fait ses leçons. Quand on sent vraiment que le cœur parle, le nôtre s'ouvre pour recevoir ses épanchements; et jamais toute la morale d'un pédagogue ne vaudra le bavardage affectueux et tendre d'une femme sensée pour qui l'on a de l'attachement.

L'intimité dans laquelle je vivais avec elle l'ayant mise à portée de m'apprécier plus avantageusement qu'elle n'avait fait, elle jugea que malgré mon air gauche, je valais la peine d'être cultivé pour le monde, et que, si je m'y montrais un jour sur un certain pied, je serais en état d'y faire mon chemin. Sur cette idée, elle s'attachait non seulement à former mon jugement, mais mon extérieur, mes manières, à me rendre aimable autant qu'estimable, et s'il est vrai qu'on puisse allier les succès dans le monde avec la vertu, ce que pour moi je ne crois pas, je suis sûr au moins qu'il n'y a pour cela d'autre route que celle qu'elle avait prise, et qu'elle voulait m'enseigner.

Car Mme de Warens connaissait les hommes et savait supérieurement l'art de traiter avec eux sans mensonge et sans imprudence, sans les tromper et sans les fâcher. Mais cet art était dans son caractère bien plus que dans ses leçons; elle savait mieux le mettre en pratique que l'enseigner, et j'étais l'homme du monde le moins propre à l'apprendre. Aussi tout ce qu'elle fit à cet égard fut-il, peu s'en faut, peine perdue, de même que le soin qu'elle prit de me donner des maîtres pour la danse et pour les armes. Quoique leste et bien pris dans ma taille, je ne pus apprendre à danser un menuet. J'avais tellement pris, à cause de mes cors, l'habitude de marcher du talon, que Roche ne put me la faire perdre, et jamais avec l'air assez ingambe, je n'ai pu sauter un médiocre fossé. Ce fut encore pis à la salle d'armes. Après trois mois de leçons je tirais encore à la muraille, hors d'état de faire assaut, et jamais je n'eus le poignet assez souple, ou le bras assez ferme, pour retenir mon fleuret quand il plaisait au maître de le faire sauter. Ajoutez que j'avais un dégoût mortel pour cet exercice et pour le maître qui tâchait de me l'enseigner. Je n'aurais jamais cru qu'on pût être si fier de l'art de tuer un homme. Pour mettre son vaste génie à ma portée, il ne s'exprimait que par des comparaisons tirées de la musique qu'il ne savait point. Il trouvait des analogies frappantes entre les bottes de tierce et de quarte et les intervalles musicaux du même nom. Quand il voulait faire une feinte,

il me disait de prendre garde à ce dièse, parce que anciennement les dièses s'appelaient *des feintes;* quand il m'avait fait sauter de la main mon fleuret, il disait en ricanant que c'était *une pause.* Enfin je ne vis de ma vie un pédant plus insupportable que ce pauvre homme avec son plumet et son plastron.

Je fis donc peu de progrès dans mes exercices, que je quittai bientôt par pur dégoût; mais j'en fis davantage dans un art plus utile, celui d'être content de mon sort, et de n'en pas désirer un plus brillant pour lequel je commençais à sentir que je n'étais pas né. Livré tout entier au désir de rendre à Maman la vie heureuse, je me plaisais toujours plus auprès d'elle, et quand il fallait m'en éloigner pour courir en ville, malgré ma passion pour la musique, je commençais à sentir la gêne de mes leçons.

J'ignore si Claude Anet s'aperçut de l'intimité de notre commerce. J'ai lieu de croire qu'il ne lui fut pas caché. C'était un garçon très clair-voyant, mais très discret, qui ne parlait jamais contre sa pensée, mais qui ne la disait pas tou-jours. Sans me faire le moindre semblant qu'il fût instruit, par sa conduite il paraissait l'être, et cette conduite ne venait sûrement pas de bassesse d'âme, mais de ce qu'étant entré dans les prin-cipes de sa maîtresse, il ne pouvait désapprouver qu'elle agît conséquemment. Quoique aussi jeune qu'elle, il était si mûr et si grave, qu'il nous re-gardait presque comme deux enfants dignes d'in-

dulgence, et nous le regardions l'un et l'autre comme un homme respectable dont nous avions l'estime à ménager. Ce ne fut qu'après qu'elle lui fut infidèle que je connus bien tout l'attachement qu'elle avait pour lui. Comme elle savait que je ne pensais, ne sentais, ne respirais que par elle, elle me montrait combien elle l'aimait, afin que je l'aimasse de même, et elle appuyait encore moins sur son amitié pour lui que sur son estime, parce que c'était le sentiment que je pouvais partager le plus pleinement. Combien de fois elle attendrit nos cœurs et nous fit embrasser avec larmes, en nous disant que nous étions nécessaires tous deux au bonheur de sa vie! Et que les femmes qui liront ceci ne sourient pas malignement. Avec le tempérament qu'elle avait, ce besoin n'était pas équivoque : c'était uniquement celui de son cœur.

Ainsi s'établit entre nous trois une société sans autre exemple peut-être sur la terre. Tous nos vœux, nos soins, nos cœurs étaient en commun. Rien n'en passait au-delà de ce petit cercle. L'habitude de vivre ensemble et d'y vivre exclusivement devint si grande que, si dans nos repas un des trois manquait ou qu'il vînt un quatrième, tout était dérangé, et, malgré nos liaisons particulières, les tête-à-tête nous étaient moins doux que la réunion. Ce qui prévenait entre nous la gêne était une extrême confiance réciproque, et ce qui prévenait l'ennui était que nous étions tous fort occupés. Maman, toujours projetante

et toujours agissante, ne nous laissait guère oisifs
ni l'un ni l'autre, et nous avions encore chacun
pour notre compte de quoi bien remplir notre
temps. Selon moi, le désœuvrement n'est pas
moins le fléau de la société que celui de la soli-
tude. Rien ne rétrécit plus l'esprit, rien n'en-
gendre plus de riens, de rapports, de paquets,
de tracasseries, de mensonges, que d'être éternelle-
ment renfermés vis-à-vis les uns des autres dans
une chambre, réduits pour tout ouvrage à la
nécessité de babiller continuellement. Quand tout
le monde est occupé, l'on ne parle que quand on
a quelque chose à dire; mais quand on ne fait
rien, il faut absolument parler toujours, et voilà
de toutes les gênes la plus incommode et la plus
dangereuse. J'ose même aller plus loin, et je sou-
tiens que pour rendre un cercle vraiment
agréable, il faut non seulement que chacun y
fasse quelque chose, mais quelque chose qui de-
mande un peu d'attention. Faire des nœuds, c'est
ne rien faire, et il faut tout autant de soin pour amu-
ser une femme qui fait des nœuds que celle qui
tient les bras croisés. Mais quand elle brode, c'est
autre chose; elle s'occupe assez pour remplir les
intervalles du silence. Ce qu'il y a de choquant,
de ridicule, est de voir pendant ce temps une
douzaine de flandrins se lever, s'asseoir, aller, ve-
nir, pirouetter sur leurs talons, retourner deux
cents fois les magots de la cheminée, et fatiguer
leur minerve à maintenir un intarissable flux
de paroles : la belle occupation! Ces gens-là, quoi

qu'ils fassent, seront toujours à charge aux autres et à eux-mêmes. Quand j'étais à Motiers, j'allais faire des lacets chez mes voisines; si je retournais dans le monde, j'aurais toujours dans ma poche un bilboquet, et j'en jouerais toute la journée pour me dispenser de parler quand je n'aurais rien à dire. Si chacun en faisait autant, les hommes deviendraient moins méchants, leur commerce deviendrait plus sûr, et, je pense, plus agréable. Enfin, que les plaisants rient, s'ils veulent, mais je soutiens que la seule morale à la portée du présent siècle est la morale du bilboquet.

Au reste, on ne nous laissait guère le soin d'éviter l'ennui par nous-mêmes; et les importuns nous en donnaient trop par leur affluence, pour nous en laisser quand nous restions seuls. L'impatience qu'ils m'avaient donnée autrefois n'était pas diminuée, et toute la différence était que j'avais moins de temps pour m'y livrer. La pauvre Maman n'avait point perdu son ancienne fantaisie d'entreprises et de systèmes. Au contraire, plus ses besoins domestiques devenaient pressants, plus, pour y pourvoir, elle se livrait à ses visions. Moins elle avait de ressources présentes, plus elle s'en forgeait dans l'avenir. Le progrès des ans ne faisait qu'augmenter en elle cette manie; et à mesure qu'elle perdait le goût des plaisirs du monde et de la jeunesse, elle le remplaçait par celui des secrets et des projets. La maison ne désemplissait pas de charlatans, de fabricants, de souffleurs, d'entrepreneurs de toute espèce, qui, distribuant

par millions la fortune, finissaient par avoir be-
soin d'un écu. Aucun ne sortait de chez elle à
vide, et l'un de mes étonnements est qu'elle ait
pu suffire aussi longtemps à tant de profusions
sans en épuiser la source, et sans lasser ses créan-
ciers.

Le projet dont elle était le plus occupée au temps
dont je parle, et qui n'était pas le plus déraison-
nable qu'elle eût formé, était de faire établir à
Chambéry un Jardin royal de plantes, avec un
démonstrateur appointé, et l'on comprend d'avance
à qui cette place était destinée. La position
de cette ville au milieu des Alpes était très fa-
vorable à la botanique, et Maman, qui facilitait
toujours un projet par un autre, y joignait celui
d'un collège de pharmacie, qui véritablement
paraissait très utile dans un pays aussi pauvre, où
les apothicaires sont presque les seuls médecins.
La retraite du protomédecin Grossi à Chambéry,
après la mort du roi Victor, lui parut favoriser
beaucoup cette idée, et la lui suggéra peut-être.
Quoi qu'il en soit, elle se mit à cajoler Grossi, qui
pourtant n'était pas très cajolable; car c'était bien
le plus caustique et le plus brutal monsieur que
j'aie jamais connu. On en jugera par deux ou trois
traits que je vais citer pour échantillon.

Un jour, il était en consultation avec d'autres
médecins, un entre autres qu'on avait fait venir
d'Annecy, et qui était le médecin ordinaire du
malade. Ce jeune homme, encore mal appris pour
un médecin, osa n'être pas de l'avis de monsieur

le proto. Celui-ci, pour toute réponse, lui de-
manda, quand il s'en retournait, par où il passait,
et quelle voiture il prenait. L'autre, après l'avoir
satisfait, lui demande à son tour s'il y a quelque
chose pour son service. « Rien, rien, dit Grossi,
sinon que je veux m'aller mettre à une fenêtre, sur
votre passage, pour avoir le plaisir de voir passer
un âne à cheval. » Il était aussi avare que riche et
dur. Un de ses amis lui voulut un jour emprunter
de l'argent avec de bonnes sûretés : « Mon ami,
lui dit-il, en lui serrant le bras et grinçant les dents,
quand saint Pierre descendrait du ciel pour m'em-
prunter dix pistoles, et qu'il me donnerait la
Trinité pour caution, je ne les lui prêterais pas. »
Un jour, invité à dîner chez M. le comte Picon,
gouverneur de Savoie, et très dévot, il arrive avant
l'heure, et Son Excellence, alors occupé à dire le
rosaire, lui en propose l'amusement. Ne sachant
trop que répondre, il fait une grimace affreuse, et
se met à genoux. Mais à peine avait-il récité deux
Ave, que, n'y pouvant plus tenir, il se lève brusque-
ment, prend sa canne et s'en va sans mot dire.
Le comte Picon court après et lui crie : « Monsieur
Grossi! Monsieur Grossi! Restez donc, vous avez
là-bas à la broche une excellente bartavelle. —
Monsieur le comte! lui répond l'autre en se re-
tournant, vous me donneriez un ange rôti que je
ne resterais pas. » Voilà quel était M. le proto-
médecin Grossi, que Maman entreprit et vint à
bout d'apprivoiser. Quoique extrêmement occupé,
il s'accoutuma à venir très souvent chez elle, prit

Anet en amitié, marqua faire cas de ses connais-
sances, en parlait avec estime, et, ce qu'on n'aurait
pas attendu d'un pareil ours, affectait de le traiter
avec considération, pour effacer les impressions du
passé. Car, quoique Anet ne fût plus sur le pied
d'un domestique, on savait qu'il l'avait été, et il
ne fallait pas moins que l'exemple et l'autorité
de M. le protomédecin pour donner, à son égard,
le ton qu'on n'aurait pas pris de tout autre. Claude
Anet, avec un habit noir, une perruque bien
peignée, un maintien grave et décent, une conduite
sage et circonspecte, des connaissances assez éten-
dues en matière médicale et en botanique, et la
faveur du chef de la faculté, pouvait raisonnable-
ment espérer de remplir avec applaudissement la
place de démonstrateur royal des plantes, si l'éta-
blissement projeté avait lieu, et réellement Grossi
en avait goûté le plan, l'avait adopté, et n'atten-
dait, pour le proposer à la cour, que le moment
où la paix permettrait de songer aux choses utiles,
et laisserait disposer de quelque argent pour y
pourvoir.

Mais ce projet, dont l'exécution m'eût proba-
blement jeté dans la botanique, pour laquelle il me
semble que j'étais né, manqua par un de ces coups
inattendus qui renversent les desseins les mieux
concertés. J'étais destiné à devenir, par degrés, un
exemple des misères humaines. On dirait que la
Providence, qui m'appelait à ces grandes épreuves,
écartait de la main tout ce qui m'eût empêché d'y
arriver. Dans une course qu'Anet avait faite au

haut des montagnes, pour aller chercher du
génipi, plante rare qui ne croît que sur les
Alpes, et dont M. Grossi avait besoin, ce pauvre
garçon s'échauffa tellement, qu'il gagna une pleu-
résie, dont le génipi ne put le sauver, quoiqu'il y
soit, dit-on, spécifique, et malgré tout l'art de
Grossi, qui certainement était un très habile
homme, malgré 'les soins infinis que nous prîmes
de lui, sa bonne maîtresse et moi, il mourut le
cinquième jour entre nos mains, après la plus
cruelle agonie, durant laquelle il n'eut d'autres
exhortations que les miennes; et je les lui pro-
diguai avec des élans de douleur et de zèle qui, s'il
était en état de m'entendre, devaient être de quel-
que consolation pour lui. Voilà comment je perdis
le plus solide ami que j'eus en toute ma vie,
homme estimable et rare, en qui la nature tint
lieu d'éducation, qui nourrit dans la servitude
toutes les vertus des grands hommes, et à qui, peut-
être, il ne manqua, pour se montrer tel à tout le
monde, que de vivre et d'être placé.

Le lendemain j'en parlais avec Maman dans
l'affliction la plus vive et la plus sincère, et tout
d'un coup, au milieu de l'entretien, j'eus la vile et
indigne pensée que j'héritais de ses nippes, et sur-
tout d'un bel habit noir qui m'avait donné dans
la vue. Je le pensai, par conséquent je le dis; car
près d'elle c'était pour moi la même chose. Rien ne
lui fit mieux sentir la perte qu'elle avait faite
que ce lâche et odieux mot, le désintéressement et
la noblesse d'âme étant des qualités que le défunt

avait éminemment possédées. La pauvre femme, sans rien répondre, se tourna de l'autre côté et se mit à pleurer. Chères et précieuses larmes! Elles furent entendues et coulèrent toutes dans mon cœur; elles y lavèrent jusqu'aux dernières traces d'un sentiment bas et malhonnête; il n'y en est jamais entré depuis ce temps-là.

Cette perte causa à Maman autant de préjudice que de douleur. Depuis ce moment ses affaires ne cessèrent d'aller en décadence. Anet était un garçon exact et rangé, qui maintenait l'ordre dans la maison de sa maîtresse. On craignait sa vigilance, et le gaspillage était moindre. Elle-même craignait sa censure, et se contenait davantage dans ses dissipations. Ce n'était pas assez pour elle de son attachement, elle voulait conserver son estime, et elle redoutait le juste reproche qu'il osait quelquefois lui faire qu'elle prodiguait le bien d'autrui autant que le sien. Je pensais comme lui, je le disais même; mais je n'avais pas le même ascendant sur elle, et mes discours n'en imposaient pas comme les siens. Quand il ne fut plus, je fus bien forcé de prendre sa place, pour laquelle j'avais aussi peu d'aptitude que de goût; je la remplis mal. J'étais peu soigneux, j'étais fort timide; tout en grondant à part moi, je laissais tout aller comme il allait. D'ailleurs j'avais bien obtenu la même confiance, mais non pas la même autorité. Je voyais le désordre, j'en gémissais, je m'en plaignais, et je n'étais pas écouté. J'étais trop jeune et trop vif pour avoir le droit d'être raisonnable, et quand je voulais me

mêler de faire le censeur, Maman me donnait de petits soufflets de caresses, m'appelait son petit mentor, et me forçait à reprendre le rôle qui me convenait.

Le sentiment profond de la détresse où ses dépenses peu mesurées devaient nécessairement la jeter tôt ou tard me fit une impression d'autant plus forte, qu'étant devenu l'inspecteur de sa maison, je jugeais par moi-même de l'inégalité de la balance entre le *doit* et l'*avoir*. Je date de cette époque le penchant à l'avarice que je me suis toujours senti depuis ce temps-là. Je n'ai jamais été follement prodigue que par bourrasques; mais jusqu'alors je ne m'étais jamais beaucoup inquiété si j'avais peu ou beaucoup d'argent. Je commençai à faire cette attention et à prendre du souci de ma bourse. Je devenais vilain par un motif très noble; car en vérité, je ne songeais qu'à ménager à Maman quelque ressource dans la catastrophe que je prévoyais. Je craignais que ses créanciers ne fissent saisir sa pension, qu'elle ne fût tout à fait supprimée, et je m'imaginais, selon mes vues étroites, que mon petit magot lui serait alors d'un grand secours. Mais pour le faire, et surtout pour le conserver, il fallait me cacher d'elle; car il n'eût pas convenu, tandis qu'elle était aux expédients, qu'elle eût su que j'avais de l'argent mignon. J'allais donc cherchant par-ci, par-là, de petites caches où je fourrais quelques louis en dépôt, comptant augmenter ce dépôt sans cesse jusqu'au moment de le mettre à ses pieds. Mais j'étais si

maladroit dans le choix de mes cachettes, qu'elle
les éventait toujours; puis, pour m'apprendre
qu'elle les avait trouvées, elle ôtait l'or que j'y
avais mis, et en mettait davantage en autres espèces:
Je venais tout honteux rapporter à la bourse
commune mon petit trésor, et jamais elle ne man-
quait de l'employer en nippes ou meubles à mon
profit, comme épée d'argent, montre, ou autre
chose pareille.

Bien convaincu qu'accumuler ne me réussirait
jamais, et serait pour elle une mince ressource, je
sentis enfin que je n'en avais point d'autre contre
le malheur que je craignais que de me mettre en
état de pourvoir par moi-même à sa subsistance,
quand, cessant de pourvoir à la mienne, elle verrait
le pain prêt à lui manquer. Malheureusement,
jetant mes projets du côté de mes goûts, je m'obsti-
nais à chercher follement ma fortune dans la mu-
sique, et sentant naître des idées et des chants dans
ma tête, je crus qu'aussitôt que je serais en état
d'en tirer parti j'allais devenir un homme célèbre,
un Orphée moderne dont les sons devaient attirer
tout l'argent du Pérou. Ce dont il s'agissait pour
moi, commençant à lire passablement la musique,
était d'apprendre la composition. La difficulté était
de trouver quelqu'un pour me l'enseigner; car avec
mon Rameau seul, je n'espérais pas y parvenir par
moi-même, et depuis le départ de M. Le Maître, il
n'y avait personne en Savoie qui entendît rien à
l'harmonie.

Ici l'on va voir encore une de ces inconséquences

dont ma vie est remplie, et qui m'ont fait si sou-
vent aller contre mon but, lors même que j'y
pensais tendre directement. Venture m'avait beau-
coup parlé de l'abbé Blanchard, son maître de
composition, homme de mérite et d'un grand ta-
lent, qui pour lors était maître de musique de la
cathédrale de Besançon, et qui l'est maintenant de
la chapelle de Versailles. Je me mis en tête
d'aller à Besançon prendre leçon de l'abbé Blan-
chard, et cette idée me parut si raisonnable, que
je parvins à la faire trouver telle à Maman. La
voilà travaillant à mon petit équipage, et cela avec
la profusion qu'elle mettait à toute chose. Ainsi,
toujours avec le projet de prévenir une banque-
route et de réparer dans l'avenir l'ouvrage de sa
dissipation, je commençai dans le moment même
par lui causer une dépense de huit cents francs :
j'accélérais sa ruine pour me mettre en état d'y
remédier. Quelque folle que fût cette conduite,
l'illusion était entière de ma part, et même de la
sienne. Nous étions persuadés l'un et l'autre, moi
que je travaillais utilement pour elle, elle que je
travaillais utilement pour moi.

J'avais compté trouver Venture encore à Annecy,
et lui demander une lettre pour l'abbé Blanchard.
Il n'y était plus. Il fallut, pour tout renseignement,
me contenter d'une messe à quatre parties de sa
composition et de sa main, qu'il m'avait laissée.
Avec cette recommandation, je vais à Besançon,
passant par Genève, où je fus voir mes parents,
et par Nyon, où je fus voir mon père, qui me

reçut comme à son ordinaire et se chargea de me
faire parvenir ma malle, qui ne venait qu'après
moi, parce que j'étais à cheval. J'arrive à Besançon.
L'abbé Blanchard me reçoit bien, me promet ses
instructions, et m'offre ses services. Nous étions
prêts à commencer quand j'apprends par une lettre
de mon père que ma malle a été saisie et confisquée
aux Rousses, bureau de France sur les frontières
de Suisse. Effrayé de cette nouvelle, j'emploie les
connaissances que je m'étais faites à Besançon pour
savoir le motif de cette confiscation; car, bien sûr
de n'avoir point de contrebande, je ne pouvais
concevoir sur quel prétexte on l'avait pu fonder. Je
l'apprends enfin : il faut le dire, car c'est un fait
curieux.

Je voyais à Chambéry un vieux Lyonnais, fort
bon homme, appelé M. Duvivier, qui avait travaillé
au *visa* sous la Régence, et qui, faute d'emploi
était venu travailler au cadastre. Il avait vécu
dans le monde; il avait des talents, quelque savoir,
de la douceur, de la politesse; il savait la musique,
et comme j'étais de chambrée avec lui, nous nous
étions liés de préférence au milieu des ours mal
léchés qui nous entouraient. Il avait à Paris des
correspondances qui lui fournissaient ces petits
riens, ces nouveautés éphémères, qui courent on
ne sait pourquoi, qui meurent on ne sait comment,
sans que jamais personne y repense quand on a
cessé d'en parler. Comme je le menais quelquefois
dîner chez Maman, il me faisait sa cour en quelque
sorte, et, pour se rendre agréable, il tâchait de me

faire aimer ces fadaises pour lesquelles j'eus tou-
jours un tel dégoût, qu'il ne m'est arrivé de la vie
d'en lire une à moi seul. Pour lui complaire, je
prenais ces précieux torche-cul, je les mettais dans
ma poche, et je n'y songeais plus que pour le seul
usage auquel ils étaient bons. Malheureusement un
de ces maudits papiers resta dans la poche de veste
d'un habit neuf que j'avais porté deux ou trois
fois, pour être en règle avec les commis. Ce papier
était une parodie janséniste, assez plate, de la belle
scène du *Mithridate* de Racine. Je n'en avais pas
lu dix vers, et l'avais laissé par oubli dans ma poche.
Voilà ce qui fit confisquer mon équipage. Les
commis firent à la tête de l'inventaire de cette
malle un magnifique procès-verbal, où, supposant
que cet écrit venait de Genève pour être imprimé
et distribué en France, ils s'étendaient en saintes
invectives contre les ennemis de Dieu et de l'Église,
et en éloges de leur pieuse vigilance, qui avait
arrêté l'exécution de ce projet infernal. Ils trou-
vèrent sans doute que mes chemises sentaient aussi
l'hérésie; car, en vertu de ce terrible papier, tout
fut confisqué, sans que jamais, comme que j'aie pu
m'y prendre, j'aie eu ni raison ni nouvelle de ma
pauvre pacotille. Les gens des fermes à qui l'on
s'adressa demandaient tant d'instructions, de ren-
seignements, de certificats, de mémoires, que, me
perdant mille fois dans ce labyrinthe, je fus
contraint de tout abandonner. J'ai un vrai regret
de n'avoir pas conservé le procès-verbal du bureau
des Rousses. C'était une pièce à figurer avec distinc-

tion parmi celles dont le recueil doit accompagner
cet écrit.

Cette perte me fit revenir à Chambéry, tout de
suite, sans avoir rien fait avec l'abbé Blanchard, et,
tout bien pesé, voyant le malheur me suivre dans
toutes mes entreprises, je résolus de m'attacher uni-
quement à Maman, de courir sa fortune, et de ne
plus m'inquiéter inutilement d'un avenir auquel
je ne pouvais rien. Elle me reçut comme si j'avais
rapporté des trésors, remonta peu à peu ma petite
garde-robe, et mon malheur, assez grand pour
l'un et pour l'autre, fut presque aussitôt oublié
qu'arrivé.

Quoique ce malheur m'eût refroidi sur mes projets
de musique, je ne laissais pas d'étudier toujours
mon Rameau; et à force d'efforts je parvins enfin
à l'entendre et à faire quelques petits essais de
composition dont le succès m'encouragea. Le comte
de Bellegarde, fils du marquis d'Entremont, était
revenu de Dresde, après la mort du roi Auguste. Il
avait vécu longtemps à Paris : il aimait extrême-
ment la musique, et avait pris en passion celle de
Rameau. Son frère, le comte de Nangy, jouait du
violon, Mme la comtesse de la Tour, leur sœur,
chantait un peu. Tout cela mit à Chambéry la
musique à la mode, et l'on établit une manière de
concert public, dont on voulut d'abord me donner
la direction; mais on s'aperçut bientôt qu'elle
passait mes forces, et l'on s'arrangea autrement. Je
ne laissai pas d'y donner quelques petits morceaux
de ma façon, et entre autres une cantate qui plut

beaucoup. Ce n'était pas une pièce bien faite, mais elle était pleine de chants nouveaux et de choses d'effet que l'on n'attendait pas de moi. Ces messieurs ne purent croire que, lisant si mal la musique, je fusse en état d'en composer de passable, et ils ne doutèrent pas que je ne me fusse fait honneur du travail d'autrui. Pour vérifier la chose, un matin M. de Nangy vint me trouver avec une cantate de Clérambault, qu'il avait transposée, disait-il, pour la commodité de la voix, et à laquelle il fallait faire une autre basse, la transposition rendant celle de Clérambault impraticable sur l'instrument. Je répondis que c'était un travail considérable, et qui ne pouvait être fait sur-le-champ. Il crut que je cherchais une défaite, et me pressa de lui faire au moins la basse d'un récitatif. Je la fis donc, mal sans doute, parce qu'en toute chose il me faut, pour bien faire, mes aises et la liberté; mais je la fis du moins dans les règles, et comme il était présent, il ne put douter que je ne susse les éléments de la composition. Ainsi je ne perdis pas mes écolières, mais je me refroidis un peu sur la musique, voyant qu'on faisait un concert et que l'on s'y passait de moi.

Ce fut à peu près dans ce temps-là que, la paix étant faite, l'armée française repassa les monts. Plusieurs officiers vinrent voir Maman, entre autres M. le comte de Lautrec, colonel du régiment d'Orléans, depuis plénipotentiaire à Genève, et enfin maréchal de France, auquel elle me présenta. Sur ce qu'elle lui dit, il parut s'intéresser beaucoup à

moi, et me promit beaucoup de choses, dont il ne s'est souvenu que la dernière année de sa vie, lorsque je n'avais plus besoin de lui. Le jeune marquis de Sennecterre, dont le père était alors ambassadeur à Turin, passa dans le même temps à Chambéry. Il dîna chez Mme de Menthon; j'y dînais aussi ce jour-là. Après le dîner il fut question de musique; il la savait très bien. L'opéra de *Jephté* était alors dans sa nouveauté; il en parla, on le fit apporter. Il me fit frémir, en me proposant d'exécuter à nous deux cet opéra, et tout en ouvrant le livre, il tomba sur ce morceau célèbre, à deux chœurs :

> La terre, l'enfer, le Ciel même,
> Tout tremble devant le Seigneur.

Il me dit : « Combien voulez-vous faire de parties? Je ferai pour ma part ces six-là. » Je n'étais pas encore accoutumé à cette pétulance française; et quoique j'eusse quelquefois ânonné des partitions, je ne comprenais pas comment le même homme pouvait faire en même temps six parties, ni même deux. Rien ne m'a plus coûté dans l'exercice de la musique que de sauter ainsi légèrement d'une partie à l'autre, et d'avoir l'œil à la fois sur toute une partition. A la manière dont je me tirai de cette entreprise, M. de Sennecterre dut être tenté de croire que je ne savais pas la musique. Ce fut peut-être pour vérifier ce doute qu'il me proposa de noter une chanson

qu'il voulait donner à Mlle de Menthon. Je ne
pouvais m'en défendre. Il chanta la chanson; je
l'écrivis, même sans la faire beaucoup répéter. Il
la lut ensuite, et trouva, comme il était vrai, qu'elle
était très correctement notée. Il avait vu mon
embarras, il prit plaisir à faire valoir ce petit suc-
cès. C'était pourtant une chose très simple. Au
fond, je savais fort bien la musique; je ne man-
quais que de cette vivacité du premier coup d'œil
que je n'eus jamais sur rien, et qui ne s'acquiert
en musique que par une pratique consommée. Quoi
qu'il en soit, je fus sensible à l'honnête soin qu'il
prit d'effacer dans l'esprit des autres, et dans le
mien, la petite honte que j'avais eue; et douze ou
quinze ans après, me rencontrant avec lui dans
diverses maisons de Paris, je fus tenté plusieurs fois
de lui rappeler cette anecdote, et de lui montrer
que j'en gardais le souvenir. Mais il avait perdu
les yeux depuis ce temps-là : je craignis de renou-
veler ses regrets en lui rappelant l'usage qu'il en
avait su faire, et je me tus.

Je touche au moment qui commence à lier mon
existence passée avec la présente. Quelques ami-
tiés de ce temps-là, prolongées jusqu'à celui-ci, me
sont devenues bien précieuses. Elles m'ont souvent
fait regretter cette heureuse obscurité où ceux qui
se disaient mes amis l'étaient et m'aimaient pour
moi, par pure bienveillance, non par la vanité
d'avoir des liaisons avec un homme connu, ou par
le désir secret de trouver ainsi plus d'occasions de
lui nuire. C'est d'ici que je date ma première

connaissance avec mon vieux ami Gauffecourt, qui m'est toujours resté, malgré les efforts qu'on a faits pour me l'ôter. Toujours resté! non. Hélas! je viens de le perdre. Mais il n'a cessé de m'aimer qu'en cessant de vivre, et notre amitié n'a fini qu'avec lui. M. de Gauffecourt était un des hommes les plus aimables qui aient existé. Il était impossible de le voir sans l'aimer, et de vivre avec lui sans s'y attacher tout à fait. Je n'ai vu de ma vie une physionomie plus ouverte, plus caressante, qui eût plus de sérénité, qui marquât plus de sentiment et d'esprit, qui inspirât plus de confiance. Quelque réservé qu'on pût être, on ne pouvait, dès la première vue, se défendre d'être aussi familier avec lui que si on l'eût connu depuis vingt ans, et moi qui avais tant de peine d'être à mon aise avec les nouveaux visages, j'y fus avec lui du premier moment. Son ton, son accent, son propos, accompagnaient parfaitement sa physionomie. Le son de sa voix était net, plein, bien timbré, une belle voix de basse, étoffée et mordante, qui remplissait l'oreille et sonnait au cœur. Il est impossible d'avoir une gaieté plus égale et plus douce, des grâces plus vraies et plus simples, des talents plus naturels et cultivés avec plus de goût. Joignez à cela un cœur aimant, mais aimant un peu trop tout le monde, un caractère officieux avec peu de choix, servant ses amis avec zèle, ou plutôt se faisant l'ami des gens qu'il pouvait servir, et sachant faire très adroitement ses propres affaires en faisant très chaudement celles d'autrui. Gauffecourt

était fils d'un simple horloger, et avait été horloger lui-même. Mais sa figure et son mérite l'appelaient dans une autre sphère, où il ne tarda pas d'entrer. Il fit connaissance avec M. de la Closure, résident de France à Genève, qui le prit en amitié. Il lui procura à Paris d'autres connaissances qui lui furent utiles, et par lesquelles il parvint à avoir la fourniture des sels du Valais, qui lui valait vingt mille livres de rente. Sa fortune, assez belle, se borna là du côté des hommes; mais du côté des femmes la presse y était : il eut à choisir, et fit ce qu'il voulut. Ce qu'il y eut de plus rare et de plus honorable pour lui fut qu'ayant des liaisons dans tous les états, il fut partout chéri, recherché de tout le monde, sans jamais être envié ni haï de personne, et je crois qu'il est mort sans avoir eu de sa vie un seul ennemi. Heureux homme! Il venait tous les ans aux bains d'Aix, où se rassemble la bonne compagnie des pays voisins. Lié avec toute la noblesse de Savoie, il venait d'Aix à Chambéry voir le comte de Bellegarde, et son père le marquis d'Entremont, chez qui Maman fit et me fit faire connaissance avec lui. Cette connaissance, qui semblait devoir n'aboutir à rien, et fut nombre d'années interrompue, se renouvela dans l'occasion que je dirai et devint un véritable attachement. C'est assez pour m'autoriser à parler d'un ami avec qui j'ai été si étroitement lié; mais, quand je ne prendrais aucun intérêt personnel à sa mémoire, c'était un homme si aimable et si heureusement né, que, pour l'honneur de l'espèce humaine, je

la croirais toujours bonne à conserver. Cet homme si charmant avait pourtant ses défauts, ainsi que les autres, comme on pourra voir ci-après; mais s'il ne les eût pas eus, peut-être eût-il été moins aimable. Pour le rendre intéressant autant qu'il pouvait l'être, il fallait qu'on eût quelque chose à lui pardonner.

Une autre liaison du même temps n'est pas éteinte, et me leurre encore de cet espoir du bonheur temporel, qui meurt si difficilement dans le cœur de l'homme. M. de Conzié, gentilhomme savoyard, alors jeune et aimable, eut la fantaisie d'apprendre la musique, ou plutôt de faire connaissance avec celui qui l'enseignait. Avec de l'esprit et du goût pour les belles connaissances, M. de Conzié avait une douceur de caractère qui le rendait très liant, et je l'étais beaucoup moi-même pour les gens en qui je la trouvais. La liaison fut bientôt faite. Le germe de littérature et de philosophie qui commençait à fermenter dans ma tête, et qui n'attendait qu'un peu de culture et d'émulation pour se développer tout à fait, les trouvait en lui. M. de Conzié avait peu de disposition pour la musique; ce fut un bien pour moi; les heures des leçons passaient à toute autre chose qu'à solfier. Nous déjeunions, nous causions, nous lisions quelques nouveautés, et pas un mot de musique. La correspondance de Voltaire avec le prince royal de Prusse faisait du bruit alors : nous nous entretenions souvent de ces deux hommes célèbres, dont l'un, depuis peu sur le trône, s'annonçait déjà tel

qu'il devait dans peu se montrer, et dont l'autre,
aussi décrié qu'il est admiré maintenant, nous fai-
sait plaindre sincèrement le malheur qui semblait
le poursuivre, et qu'on voit si souvent être l'apa-
nage des grands talents. Le prince de Prusse avait
été peu heureux dans sa jeunesse, et Voltaire
semblait fait' pour ne l'être jamais. L'intérêt que
nous prenions à l'un et à l'autre s'étendait à tout
ce qui s'y rapportait. Rien de tout ce qu'écrivait
Voltaire ne nous échappait. Le goût que je pris
à ces lectures m'inspira le désir d'apprendre à
écrire avec élégance, et de tâcher d'imiter le beau
coloris de cet auteur, dont j'étais enchanté.
Quelque temps après parurent ses *Lettres philoso-
phiques*. Quoiqu'elles ne soient assurément pas
son meilleur ouvrage, ce fut celui qui m'attira le
plus vers l'étude, et ce goût naissant ne s'éteignit
plus depuis ce temps-là.

Mais le moment n'était pas venu de m'y livrer
tout de bon. Il me restait encore une humeur un
peu volage, un désir d'aller et venir, qui s'était
plutôt borné qu'éteint, et que nourrissait le train
de la maison de Mme de Warens, trop bruyant
pour mon humeur solitaire. Ce tas d'inconnus qui
lui affluaient journellement de toutes parts, et la
persuasion où j'étais que ces gens-là ne cherchaient
qu'à la duper chacun à sa manière, me faisaient
un vrai tourment de mon habitation. Depuis
qu'ayant succédé à Claude Anet dans la confidence
de sa maîtresse je suivais de plus près l'état de ses
affaires, j'y voyais un progrès en mal dont j'étais

effrayé. J'avais cent fois remontré, prié, pressé;
conjuré, et toujours inutilement. Je m'étais jeté à
ses pieds, je lui avais fortement représenté la catas-
trophe qui la menaçait, je l'avais vivement exhortée
à réformer sa dépense, à commencer par moi,
à souffrir plutôt un peu tandis qu'elle était encore
jeune que, multipliant toujours ses dettes et
ses créanciers, de s'exposer sur ses vieux jours
à leurs vexations et à la misère. Sensible à la sin-
cérité de mon zèle, elle s'attendrissait avec moi,
et me promettait les plus belles choses du monde.
Un croquant arrivait-il? A l'instant tout était
oublié. Après mille épreuves de l'inutilité de mes
remontrances, que me restait-il à faire que de
détourner les yeux du mal que je ne pouvais pré-
venir? Je m'éloignais de la maison dont je ne pou-
vais garder la porte; je faisais de petits voyages à
Nyon, à Genève, à Lyon, qui, m'étourdissant sur
ma peine secrète, en augmentaient en même temps
le sujet par ma dépense. Je puis jurer que j'en
aurais souffert tous les retranchements avec joie
si Maman eût vraiment profité de cette épargne;
mais certain que ce que je me refusais passait à
des fripons, j'abusais de sa facilité pour partager
avec eux, et, comme le chien qui revient de la
boucherie, j'emportais mon lopin du morceau que
je n'avais pu sauver.

Les prétextes ne me manquaient pas pour tous
ces voyages, et Maman seule m'en eût fourni de
reste, tant elle avait partout de liaisons, de négo-
ciations, d'affaires, de commissions à donner à

quelqu'un de sûr. Elle ne demandait qu'à m'en-
voyer, je ne demandais qu'à aller; cela ne pouvait
manquer de faire une vie assez ambulante. Ces
voyages me mirent à portée de faire quelques
bonnes connaissances, qui m'ont été dans la suite
agréables ou utiles; entre autres, à Lyon, celle de
M. Perrichon, que je me reproche de n'avoir pas
assez cultivé, vu les bontés qu'il a eues pour moi;
celle du bon Parisot, dont je parlerai dans son
temps; à Grenoble, celles de Mme Deybens et de
Mme la présidente de Bardonanche, femme de
beaucoup d'esprit, et qui m'eût pris en amitié si
j'avais été à portée de la voir plus souvent;
à Genève, celle de M. de la Closure, résident de
France, qui me parlait souvent de ma mère, dont,
malgré la mort et le temps son cœur n'avait pu
se déprendre; celle des deux Barrillot, dont
le père, qui m'appelait son petit-fils, était d'une
société très aimable, et l'un des plus dignes
hommes que j'aie jamais connus. Durant les
troubles de la République, ces deux citoyens se
jetèrent dans les deux partis contraires : le fils
dans celui de la bourgeoisie, le père dans celui
des magistrats, et lorsqu'on prit les armes en
1737, je vis, étant à Genève, le père et le fils
sortir armés de la même maison, l'un pour monter
à l'hôtel de ville, l'autre pour se rendre à son
quartier, sûrs de se trouver deux heures après, l'un
vis-à-vis de l'autre, exposés à s'entr'égorger. Ce
spectacle affreux me fit une impression si vive que
je jurai de ne tremper jamais dans aucune guerre

civile, et de ne soutenir jamais au-dedans la liberté par les armes, ni de ma personne, ni de mon aveu, si jamais je rentrais dans mes droits de citoyen. Je me rends le témoignage d'avoir tenu ce serment dans une occasion délicate, et l'on trouvera, du moins je le pense, que cette modération fut de quelque prix.

Mais je n'en étais pas encore à cette première fermentation de patriotisme que Genève en armes excita dans mon cœur. On jugera combien j'en étais loin par un fait très grave à ma charge, que j'ai oublié de mettre à sa place, et qui ne doit pas être omis.

Mon oncle Bernard était, depuis quelques années, passé dans la Caroline pour y faire bâtir la ville de Charlestown dont il avait donné le plan. Il y mourut peu après; mon pauvre cousin était aussi mort au service du roi de Prusse, et ma tante perdit ainsi son fils et son mari presque en même temps. Ces pertes réchauffèrent un peu son amitié pour le plus proche parent qui lui restât et qui était moi. Quand j'allais à Genève, je logeais chez elle, et je m'amusais à fureter et feuilleter les livres et papiers que mon oncle avait laissés. J'y trouvai beaucoup de pièces curieuses, et des lettres dont assurément on ne se douterait pas. Ma tante, qui faisait peu de cas de ces paperasses, m'eût laissé tout emporter si j'avais voulu. Je me contentai de deux ou trois livres commentés de la main de mon grand-père Bernard, le ministre, et entre autres les *Œuvres posthumes* de Rohault, in-4°, dont

les marges étaient pleines d'excellentes scholies qui me firent aimer les mathématiques. Ce livre est resté parmi ceux de Mme de Warens; j'ai toujours été fâché de ne l'avoir pas gardé. A ces livres je joignis cinq ou six mémoires manuscrits, et un seul imprimé qui était du fameux Micheli Ducret, homme d'un grand talent, savant, éclairé, mais trop remuant, traité bien cruellement par les magistrats de Genève, et mort dernièrement dans la forteresse d'Arberg, où il était enfermé depuis longues années pour avoir, disait-on, trempé dans la conspiration de Berne.

Ce mémoire était une critique assez judicieuse de ce grand et ridicule plan de fortification qu'on a exécuté en partie à Genève, à la grande risée des gens du métier, qui ne savent pas le but secret qu'avait le Conseil dans l'exécution de cette magnifique entreprise. M. Micheli, ayant été exclu de la Chambre des fortifications pour avoir blâmé ce plan, avait cru, comme membre des Deux Cents, et même comme citoyen, pouvoir en dire son avis plus au long, et c'était ce qu'il avait fait par ce mémoire, qu'il eut l'imprudence de faire imprimer, mais non pas publier; car il n'en fit tirer que le nombre d'exemplaires qu'il envoyait aux Deux Cents, et qui furent tous interceptés à la poste par ordre du Petit Conseil. Je trouvai ce mémoire parmi les papiers de mon oncle, avec la réponse qu'il avait été chargé d'y faire, et j'emportai l'un et l'autre. J'avais fait ce voyage peu après ma sortie du cadastre, et j'étais demeuré en quelque

liaison avec l'avocat Coccelli, qui en était le chef.
Quelque temps après, le directeur de la Douane
s'avisa de me prier de lui tenir un enfant, et
me donna Mme Coccelli pour commère. Les hon-
neurs me tournaient la tête; et, fier d'appartenir
de si près à M. l'avocat, je tâchais de faire l'impor-
tant pour me montrer digne de cette gloire.

Dans cette idée je crus ne pouvoir rien faire de
mieux que de lui faire voir mon mémoire imprimé
de M. Micheli, qui réellement était une pièce
rare, pour lui prouver que j'appartenais à des
notables de Genève qui savaient les secrets de l'État.
Cependant, par une demi-réserve dont j'aurais
peine à rendre raison, je ne lui montrai point la
réponse de mon oncle à ce mémoire, peut-être
parce qu'elle était manuscrite, et qu'il ne fallait
à M. l'avocat que du moulé. Il sentit pourtant
si bien le prix de l'écrit que j'eus la bêtise de lui
confier, que je ne pus jamais le ravoir ni le revoir,
et que, bien convaincu de l'inutilité de mes efforts,
je me fis un mérite de la chose et transformai ce
vol en présent. Je ne doute pas un moment qu'il
n'ait bien fait valoir à la cour de Turin cette
pièce, plus curieuse cependant qu'utile, et qu'il
n'ait eu grand soin de se faire rembourser de ma-
nière ou d'autre de l'argent qu'il lui en avait dû
coûter pour l'acquérir; Heureusement, de tous les
futurs contingents, un des moins probables est
qu'un jour le roi de Sardaigne assiégera Genève.
Mais comme il n'y a pas d'impossibilité à la chose,
j'aurai toujours à reprocher à ma sotte vanité

d'avoir montré les plus grands défauts de cette place à son plus ancien ennemi.

Je passai deux ou trois ans de cette façon entre la musique, les magistères, les projets, les voyages, flottant incessamment d'une chose à l'autre, cherchant à me fixer sans savoir à quoi, mais entraîné pourtant par degrés vers l'étude, voyant des gens de lettres, entendant parler de littérature, me mêlant quelquefois d'en parler moi-même, et prenant plutôt le jargon des livres que la connaissance de leur contenu. Dans mes voyages de Genève, j'allais de temps en temps voir en passant mon ancien bon ami M. Simon, qui fomentait beaucoup à Chambéry un jacobin, professeur de phytoutes fraîches de la république des lettres, tirées de Baillet ou de Colomiès. Je voyais aussi beaucoup de Chambéry un jacobin, professeur de physique, bonhomme de moine, dont j'ai oublié le nom, et qui faisait souvent de petites expériences qui m'amusaient extrêmement. Je voulus à son exemple faire de l'encre de sympathie. Pour cet effet, après avoir rempli une bouteille plus qu'à demi de chaux vive, d'orpiment et d'eau, je la bouchai bien. L'effervescence commença presque à l'instant très violemment. Je courus à la bouteille pour la déboucher, mais je n'y fus pas à temps; elle me sauta au visage comme une bombe. J'avalai de l'orpiment, de la chaux; j'en faillis mourir. Je restai aveugle plus de six semaines, et j'appris ainsi à ne pas me mêler de physique expérimentale sans en savoir les éléments.

Cette aventure m'arriva mal à propos pour ma santé, qui depuis quelque temps s'altérait sensiblement. Je ne sais d'où venait qu'étant bien conformé par le coffre et ne faisant d'excès d'aucune espèce, je déclinais à vue d'œil. J'ai une assez bonne carrure, la poitrine large, mes poumons doivent y jouer à l'aise; cependant j'avais la courte haleine, je me sentais oppressé, je soupirais involontairement, j'avais des palpitations, je crachais du sang; la fièvre lente survint, et je n'en ai jamais été bien quitte. Comment peut-on tomber dans cet état à la fleur de l'âge, sans avoir aucun viscère vicié, sans avoir rien fait pour détruire sa santé?

L'épée use le fourreau, dit-on quelquefois. Voilà mon histoire. Mes passions m'ont fait vivre, et mes passions m'ont tué. Quelles passions? dira-t-on. Des riens : les choses du monde les plus puériles, mais qui m'affectaient comme s'il se fût agi de la possession d'Hélène ou du trône de l'univers. D'abord les femmes. Quand j'en eus une, mes sens furent tranquilles, mais mon cœur ne le fut jamais. Les besoins de l'amour me dévoraient au sein de la jouissance. J'avais une tendre mère, une amie chérie; mais il me fallait une maîtresse. Je me la figurais à sa place; je me la créais de mille façons pour me donner le change à moi-même. Si j'avais cru tenir Maman dans mes bras quand je l'y tenais, mes étreintes n'auraient pas été moins vives, mais tous mes désirs se seraient éteints, j'aurais sangloté de tendresse, mais je n'aurais pas joui. Jouir! Ce sort est-il fait pour l'homme? Ah! si jamais une seule fois

en ma vie j'avais goûté dans leur plénitude toutes les délices de l'amour, je n'imagine pas que ma frêle existence y eût pu suffire; je serais mort sur le fait.

J'étais donc brûlant d'amour sans objet, et c'est peut-être ainsi qu'il épuise le plus. J'étais inquiet, tourmenté du mauvais état des affaires de ma pauvre Maman, et de son imprudente conduite qui ne pouvait manquer d'opérer sa ruine totale en peu de temps. Ma cruelle imagination, qui va toujours au-devant des malheurs, me montrait celui-là sans cesse dans tout son excès et dans toutes ses suites. Je me voyais d'avance forcément séparé par la misère de celle à qui j'avais consacré ma vie, et sans qui je n'en pouvais jouir. Voilà comment j'avais toujours l'âme agitée. Les désirs et les craintes me dévoraient alternativement.

La musique était pour moi une autre passion, moins fougueuse, mais non moins consumante par l'ardeur avec laquelle je m'y livrais, par l'étude opiniâtre des obscurs livres de Rameau, par mon invincible obstination à vouloir en charger ma mémoire, qui s'y refusait toujours, par mes courses continuelles, par les compilations immenses que j'entassais, passant très souvent à copier, les nuits entières. Et pourquoi m'arrêter aux choses permanentes, tandis que toutes les folies qui passaient dans mon inconstante tête, les goûts fugitifs d'un seul jour, un voyage, un concert, un souper, une promenade à faire, un roman à lire, une comédie

à voir, tout ce qui était le moins du monde pré-
médité dans mes plaisirs ou dans mes affaires,
devenait pour moi tout autant de passions vio-
lentes qui, dans leur impétuosité ridicule, me don-
naient le plus vrai tourment? La lecture des malheurs
imaginaires de Cléveland, faite avec fureur et souvent
interrompue, m'a fait faire, je crois, plus de mauvais
sang que les miens.

Il y avait un Genevois nommé M. Bagueret,
lequel avait été employé sous Pierre le Grand à
la cour de Russie; un des plus vilains hommes et
des plus grands fous que j'aie jamais vus, toujours
plein de projets aussi fous que lui, qui faisait tom-
ber les millions comme la pluie, et à qui les zéros
ne coûtaient rien. Cet homme, étant venu à Cham-
béry pour quelque procès au sénat, s'empara de
Maman comme de raison, et, pour ses trésors de
zéro qu'il lui prodiguait généreusement, lui tirait
ses pauvres écus pièce à pièce. Je ne l'aimais point,
il le voyait; avec moi cela n'est pas difficile : il
n'y avait sorte de bassesse qu'il n'employât pour
me cajoler. Il s'avisa de me proposer d'apprendre
les échecs, qu'il jouait un peu. J'essayai presque
malgré moi, et après avoir tant bien que mal
appris la marche, mon progrès fut si rapide,
qu'avant la fin de la première séance je lui don-
nai la tour qu'il m'avait donnée en commençant.
Il ne m'en fallut pas davantage : me voilà forcené
des échecs. J'achète un échiquier; j'achète le cala-
brais; je m'enferme dans ma chambre; j'y passe
les jours et les nuits à vouloir apprendre par cœur

toutes les parties, à les fourrer dans ma tête bon
gré mal gré, à jouer seul sans relâche et sans fin.
Après deux ou trois mois de ce beau travail et
d'efforts inimaginables, je vais au café, maigre,
jaune et presque hébété. Je m'essaie, je rejoue avec
M. Bagueret : il me bat une fois, deux fois, vingt
fois; tant de combinaisons s'étaient brouillées dans
ma tête, et mon imagination s'était si bien amortie
que je ne voyais plus qu'un nuage devant moi. Toutes
les fois qu'avec le livre de Philidor ou celui de
Stamma j'ai voulu m'exercer à étudier des parties,
la même chose m'est arrivée, et, après m'être épuisé
de fatigue, je me suis trouvé plus faible qu'aupa-
ravant. Du reste, que j'aie abandonné les échecs, ou
qu'en jouant je me sois remis en haleine, je n'ai
jamais avancé d'un cran depuis cette première séance,
et je me suis toujours retrouvé au même point
où j'étais en la finissant. Je m'exercerais des mil-
liers de siècles, que je finirais par pouvoir donner
la tour à Bagueret, et rien de plus. Voilà du temps
bien employé! direz-vous. Et je n'y en ai pas
employé peu. Je ne finis ce premier essai que
quand je n'eus plus la force de continuer. Quand
j'allai me montrer sortant de ma chambre, j'avais
l'air d'un déterré, et, suivant le même train, je
n'aurais pas resté déterré longtemps. On conviendra
qu'il est difficile, et surtout dans l'ardeur de la jeu-
nesse, qu'une pareille tête laisse toujours le corps
en santé.

L'altération de la mienne agit sur mon humeur
et tempéra l'ardeur de mes fantaisies. Me sentant

affaiblir, je devins plus tranquille et perdis un peu la fureur des voyages. Plus sédentaire, je fus pris non de l'ennui, mais de la mélancolie; les vapeurs succédèrent aux passions; ma langueur devint tristesse; je pleurais et soupirais à propos de rien; je sentais la vie m'échapper sans l'avoir goûtée; je gémissais sur l'état où je laissais ma pauvre Maman, sur celui où je la voyais prête à tomber; je puis dire que la quitter et la laisser à plaindre était mon unique regret. Enfin je tombai tout à fait malade. Elle me soigna comme jamais mère n'a soigné son enfant, et cela lui fit du bien à elle-même, en faisant diversion aux projets et tenant écartés les projeteurs. Quelle douce mort si alors elle fût venue! Si j'avais peu goûté les biens de la vie, j'en avais peu senti les malheurs. Mon âme paisible pouvait partir sans le sentiment cruel de l'injustice des hommes, qui empoisonne la vie et la mort. J'avais la consolation de me survivre dans la meilleure moitié de moi-même; c'était à peine mourir. Sans les inquiétudes que j'avais sur son sort, je serais mort, comme j'aurais pu m'endormir, et ces inquiétudes mêmes avaient un objet affectueux et tendre qui en tempérait l'amertume. Je lui disais : « Vous voilà dépositaire de tout mon être; faites en sorte qu'il soit heureux. » Deux ou trois fois, quand j'étais le plus mal, il m'arriva de me lever dans la nuit, et de me traîner à sa chambre pour lui donner, sur sa conduite, des conseils, j'ose dire pleins de justesse et de sens, mais où l'intérêt que je prenais à son sort se mar-

quait mieux que toute autre chose. Comme si les
pleurs étaient ma nourriture et mon remède, je
me fortifiais de ceux que je versais auprès d'elle,
avec elle, assis sur son lit, et tenant ses mains dans
les miennes. Les heures coulaient dans ces entre-
tiens nocturnes, et je m'en retournais en meilleur
état que je n'étais venu; content et calme dans les
promesses qu'elle m'avait faites, dans les espérances
qu'elle m'avait données, je m'endormais là-dessus
avec la paix du cœur et la résignation à la Provi-
dence. Plaise à Dieu qu'après tant de sujets de
haïr la vie, après tant d'orages qui ont agité la
mienne et qui ne m'en font plus qu'un fardeau,
la mort qui doit la terminer me soit aussi peu
cruelle qu'elle me l'eût été dans ce moment-là.

A force de soins, de vigilance et d'incroyables
peines, elle me sauva, et il est certain qu'elle seule
pouvait me sauver. J'ai peu de foi à la médecine
des médecins, mais j'en ai beaucoup à celle des
vrais amis; les choses dont notre bonheur dépend
se font toujours beaucoup mieux que toutes les
autres. S'il y a dans la vie un sentiment délicieux,
c'est celui que nous éprouvâmes d'être rendus l'un
à l'autre. Notre attachement mutuel n'en aug-
menta pas, cela n'était pas possible; mais il prit
je ne sais quoi de plus intime, de plus touchant
dans sa grande simplicité. Je devenais tout à fait
son œuvre, tout à fait son enfant, et plus que si
elle eût été ma vraie mère. Nous commençâmes,
sans y songer, à ne plus nous séparer l'un de l'autre,
à mettre en quelque sorte toute notre existence

en commun, et sentant que réciproquement nous nous étions non seulement nécessaires, mais suffi- sants, nous nous accoutumâmes à ne plus penser à rien d'étranger à nous, à borner absolument notre bonheur et tous nos désirs à cette possession mutuelle, et peut-être unique parmi les humains, qui n'était point, comme je l'ai dit, celle de l'amour, mais une possession plus essentielle, qui, sans tenir aux sens, au sexe, à l'âge, à la figure, tenait à tout ce par quoi l'on est soi, et qu'on ne peut perdre qu'en cessant d'être.

A quoi tint-il que cette précieuse crise n'amenât le bonheur du reste de ses jours et des miens? Ce ne fut pas à moi, je m'en rends le consolant témoi- gnage. Ce ne fut pas non plus à elle, du moins à sa volonté. Il était écrit que bientôt l'invincible naturel reprendrait son empire. Mais ce fatal retour ne se fit pas tout d'un coup. Il y eut, grâce au Ciel, un intervalle, court et précieux intervalle, qui n'a pas fini par ma faute, et dont je ne me reprocherai pas d'avoir mal profité!

Quoique guéri de ma grande maladie, je n'avais pas repris ma vigueur. Ma poitrine n'était pas rétablie; un reste de fièvre durait toujours, et me tenait en langueur. Je n'avais plus de goût à rien qu'à finir mes jours près de celle qui m'était chère, à la maintenir dans ses bonnes résolutions, à lui faire sentir en quoi consistait le vrai charme d'une vie heureuse, à rendre la sienne telle, autant qu'il dépendait de moi. Mais je voyais, je sentais même que dans une maison sombre et triste la conti-

nuelle solitude du tête-à-tête deviendrait à la fin
triste aussi. Le remède à cela se présenta comme de
lui-même. Maman m'avait ordonné le lait, et vou-
lait que j'allasse le prendre à la campagne. J'y
consentis, pourvu qu'elle y vînt avec moi. Il n'en
fallut pas davantage pour la déterminer; il ne
s'agit plus que du choix du lieu. Le jardin du
faubourg n'était pas proprement à la campagne;
entouré de maisons et d'autres jardins, il n'avait
point les attraits d'une retraite champêtre. D'ail-
leurs, après la mort d'Anet, nous avions quitté ce
jardin pour raison d'économie, n'ayant plus à
cœur d'y tenir des plantes, et d'autres vues nous
faisant peu regretter ce réduit.

Profitant maintenant du dégoût que je lui trou-
vai pour la ville, je lui proposai de l'abandonner
tout à fait, et de nous établir dans une solitude
agréable, dans quelque petite maison assez éloi-
gnée pour dérouter les importuns. Elle l'eût fait,
et ce parti, que son bon ange et le mien me suggé-
raient, nous eût vraisemblablement assuré des jours
heureux et tranquilles jusqu'au moment où la mort
devait nous séparer. Mais cet état n'était pas celui
où nous étions appelés. Maman devait éprouver
toutes les peines de l'indigence et du mal-être, après
avoir passé sa vie dans l'abondance, pour la lui
faire quitter avec moins de regret; et moi, par un
assemblage de maux de toute espèce, je devais être
un jour en exemple à quiconque, inspiré du seul
amour du bien public et de la justice, ose, fort de
sa seule innocence, dire ouvertement la vérité aux

hommes sans s'étayer par des cabales, sans s'être fait des partis pour se protéger.

Une malheureuse crainte la retint. Elle n'osa quitter sa vilaine maison, de peur de fâcher le propriétaire. « Ton projet de retraite est charmant, me dit-elle, et fort de mon goût; mais dans cette retraite il faut vivre. En quittant ma prison, je risque de perdre mon pain, et quand nous n'en aurons plus dans les bois, il en faudra bien retourner chercher à la ville. Pour avoir moins besoin d'y venir, ne la quittons pas tout à fait. Payons cette petite pension au comte de Saint-Laurent, pour qu'il me laisse la mienne. Cherchons quelque réduit assez loin de la ville pour vivre en paix, et assez près pour y revenir toutes les fois qu'il sera nécessaire. » Ainsi fut fait. Après avoir un peu cherché, nous nous fixâmes aux Charmettes, une terre de M. de Conzié, à la porte de Chambéry, mais retirée et solitaire comme si l'on était à cent lieues. Entre deux coteaux assez élevés est un petit vallon nord et sud au fond duquel coule une rigole entre des cailloux et des arbres. Le long de ce vallon, à mi-côte, sont quelques maisons éparses, fort agréables pour quiconque aime un asile un peu sauvage et retiré. Après avoir essayé deux ou trois de ces maisons, nous choisîmes enfin la plus jolie, appartenant à un gentilhomme qui était au service, appelé M. Noiret. La maison était très logeable. Au-devant un jardin en terrasse, une vigne au-dessus, un verger au-dessous, vis-à-vis un petit bois de châtaigniers, une fontaine à portée; plus

haut dans la montagne, des prés pour l'entretien du bétail; enfin tout ce qu'il fallait pour le petit ménage champêtre que nous y voulions établir. Autant que je puis me rappeler les temps et les dates, nous en prîmes possession vers la fin de l'été de 1736. J'étais transporté, le premier jour que nous y couchâmes. « O Maman! dis-je à cette chère amie en l'embrassant et l'inondant de larmes d'attendrissement et de joie, ce séjour est celui du bonheur et de l'innocence. Si nous ne les trouvons pas ici l'un avec l'autre, il ne les faut chercher nulle part. »

LIVRE SIXIÈME

1737-1740

Hoc erat in votis : modus agri non ita magnus,
Hortus ubi, et tecto vicinus jugis aquae fons,
Et paululum sylvae super his foret...

JE ne puis pas ajouter : *Auctius atque di melius fecere,* mais n'importe, il ne m'en fallait pas davantage; il ne m'en fallait pas même la propriété, c'était assez pour moi de la jouissance : et il y a longtemps que j'ai dit et senti que le propriétaire et le possesseur sont souvent deux personnes très différentes, même en laissant à part les maris et les amants.

Ici commence le court bonheur de ma vie; ici viennent les paisibles, mais rapides moments qui m'ont donné le droit de dire que j'ai vécu. Moments précieux et si regrettés! ah! recommencez pour moi votre aimable cours, coulez plus lentement dans mon souvenir, s'il est possible, que vous

ne fîtes réellement dans votre fugitive succession.
Comment ferai-je pour prolonger à mon gré ce
récit si touchant et si simple, pour redire toujours
les mêmes choses, et n'ennuyer pas plus mes lec-
teurs en les répétant que je ne m'ennuyais moi-
même en les recommençant sans cesse? Encore si tout
cela consistait en faits, en actions, en paroles, je
pourrais le décrire et le rendre en quelque façon;
mais comment dire ce qui n'était ni dit, ni fait, ni
pensé même, mais goûté, mais senti, sans que je
puisse énoncer d'autre objet de mon bonheur que
ce sentiment même? Je me levais avec le soleil, et
j'étais heureux; je me promenais, et j'étais heu-
reux; je voyais Maman, et j'étais heureux; je la
quittais, et j'étais heureux; je parcourais les bois,
les coteaux, j'errais dans les vallons, je lisais, j'étais
oisif; je travaillais au jardin, je cueillais les fruits,
j'aidais au ménage, et le bonheur me suivait par-
tout : il n'était dans aucune chose assignable, il
était tout en moi-même, il ne pouvait me quitter
un seul instant.

Rien de tout ce qui m'est arrivé durant cette
époque chérie, rien de ce que j'ai fait, dit et pensé
tout le temps qu'elle a duré n'est échappé de ma
mémoire. les temps qui précèdent et qui suivent
me reviennent par intervalles; je me les rappelle
inégalement et confusément : mais je me rappelle
celui-là tout entier comme s'il durait encore. Mon
imagination, qui dans ma jeunesse allait toujours
en avant, et maintenant rétrograde, compense par
ces doux souvenirs l'espoir que j'ai pour jamais

perdu. Je ne vois plus rien dans l'avenir qui me tente ; les seuls retours du passé peuvent me flatter, et ces retours si vifs et si vrais dans l'époque dont je parle me font souvent vivre heureux malgré mes malheurs.

Je donnerai de ces souvenirs un seul exemple qui pourra faire juger de leur force et de leur vérité. Le premier jour que nous allâmes coucher aux Charmettes, Maman était en chaise à porteurs, et je la suivais à pied. Le chemin monte : elle était assez pesante, et craignant de trop fatiguer ses porteurs, elle voulut descendre à peu près à moitié chemin pour faire le reste à pied. En marchant elle vit quelque chose de bleu dans la haie, et me dit : « Voilà de la pervenche encore en fleur. » Je n'avais jamais vu de la pervenche, je ne me baissai pas pour l'examiner, et j'ai la vue trop courte pour distinguer à terre les plantes de ma hauteur. Je jetai seulement en passant un coup d'œil sur celle-là, et près de trente ans se sont passés sans que j'aie revu de la pervenche ou que j'y aie fait attention. En 1764, étant à Cressier avec mon ami M. du Peyrou, nous montions une petite montagne au sommet de laquelle il y a un joli salon qu'il appelle avec raison Belle-Vue. Je commençais alors d'herboriser un peu. En montant et regardant parmi les buissons, je pousse un cri de joie : « *Ah ! voilà de la pervenche !* » et c'en était en effet. Du Peyrou s'aperçut du transport, mais il en ignorait la cause ; il l'apprendra, je l'espère, lorsqu'un jour il lira ceci. Le lecteur peut juger, par l'impression

d'un si petit objet, de celle que m'ont faite tous
ceux qui se rapportent à la même époque.

Cependant l'air de la campagne ne me rendit
point ma première santé. J'étais languissant; je le
devins davantage. Je ne pus supporter le lait; il
fallut le quitter. C'était alors la mode de l'eau
pour tout remède; je me mis à l'eau, et si peu dis-
crètement, qu'elle faillit me guérir, non de mes
maux, mais de la vie. Tous les matins, en me
levant, j'allais à la fontaine avec un grand gobelet,
et j'en buvais successivement, en me promenant,
la valeur de deux bouteilles. Je quittai tout à fait
le vin à mes repas. L'eau que je buvais était un
peu crue et difficile à passer, comme sont la plu-
part des eaux des montagnes. Bref, je fis si bien,
qu'en moins de deux mois je me détruisis tota-
lement l'estomac, que j'avais eu très bon jus-
qu'alors. Ne digérant plus, je compris qu'il ne
fallait plus espérer de guérir. Dans ce même temps
il m'arriva un accident aussi singulier par lui-
même que par ses suites, qui ne finiront qu'avec
moi.

Un matin que je n'étais pas plus mal qu'à l'ordi-
naire, en dressant une petite table sur son pied,
je sentis dans tout mon corps une révolution subite
et presque inconcevable. Je ne saurais mieux la
comparer qu'à une espèce de tempête qui s'éleva
dans mon sang, et gagna dans l'instant tous mes
membres. Mes artères se mirent à battre d'une si
grande force, que non seulement je sentais leur
battement, mais que je l'entendais même, et sur-

tout celui des carotides. Un grand bruit d'oreilles se joignit à cela, et ce bruit était triple ou plutôt quadruple, savoir : un bourdonnement grave et sourd, un murmure plus clair comme d'une eau courante, un sifflement très aigu et le battement que je viens de dire, et dont je pouvais aisément compter les coups sans me tâter le pouls ni toucher mon corps de mes mains. Ce bruit interne était si grand qu'il m'ôta la finesse d'ouïe que j'avais auparavant, et me rendit non tout à fait sourd, mais dur d'oreille comme je le suis depuis ce temps-là.

On peut juger de ma surprise et de mon effroi. Je me crus mort; je me mis au lit; le médecin fut appelé; je lui contai mon cas en frémissant et le jugeant sans remède. Je crois qu'il en pensa de même; mais il fit son métier. Il m'enfila de longs raisonnements où je ne compris rien du tout; puis en conséquence de sa sublime théorie, il commença *in anima vili* la cure expérimentale qu'il lui plut de tenter. Elle était si pénible, si dégoûtante, et opérait si peu, que je m'en lassai bientôt; et au bout de quelques semaines, voyant que je n'étais ni mieux ni pis, je quittai le lit et repris ma vie ordinaire avec mon battement d'artères et mes bourdonnements, qui, depuis ce temps-là, c'est-à-dire depuis trente ans, ne m'ont pas quitté une minute.

J'avais été jusqu'alors grand dormeur. La totale privation du sommeil qui se joignit à tous ces symptômes, et qui les a constamment accompagnés

jusqu'ici, acheva de me persuader qu'il me restait peu de temps à vivre. Cette persuasion me tranquillisa pour un temps sur le soin de guérir. Ne pouvant prolonger ma vie, je résolus de tirer du peu qu'il m'en restait tout le parti qu'il était possible; et cela se pouvait, par une singulière faveur de la nature, qui, dans un état si funeste, m'exemptait des douleurs qu'il semblait devoir m'attirer. J'étais importuné de ce bruit, mais je n'en souffrais pas : il n'était accompagné d'aucune autre incommodité habituelle que de l'insomnie durant les nuits, et en tout temps d'une courte haleine qui n'allait pas jusqu'à l'asthme et ne se faisait sentir que quand je voulais courir ou agir un peu fortement.

Cet accident, qui devait tuer mon corps, ne tua que mes passions, et j'en bénis le Ciel chaque jour par l'heureux effet qu'il produisit sur mon âme. Je puis bien dire que je ne commençai de vivre que quand je me regardai comme un homme mort. Donnant leur véritable prix aux choses que j'allais quitter, je commençai de m'occuper de soins plus nobles, comme par anticipation sur ceux que j'aurais bientôt à remplir et que j'avais fort négligés jusqu'alors. J'avais souvent travesti la religion à ma mode, mais je n'avais jamais été tout à fait sans religion. Il m'en coûta moins de revenir à ce sujet, si triste pour tant de gens, mais si doux pour qui s'en fait un objet de consolation et d'espoir. Maman me fut, en cette occasion, beaucoup plus utile que tous les théologiens ne me l'auraient été.

Elle, qui mettait toute chose en système, n'avait pas manqué d'y mettre aussi la religion; et ce système était composé d'idées très disparates, les unes très saines, les autres très folles, de sentiments relatifs à son caractère et de préjugés venus de son éducation. En général, les croyants font Dieu comme ils sont eux-mêmes, les bons le font bon, les méchants le font méchant; les dévots, haineux et bilieux, ne voient que l'enfer, parce qu'ils voudraient damner tout le monde; les âmes aimantes et douces n'y croient guère; et l'un des étonnements dont je ne reviens point est de voir le bon Fénelon en parler dans son *Télémaque* comme s'il y croyait tout de bon : mais j'espère qu'il mentait alors; car enfin, quelque véridique qu'on soit, il faut bien mentir quelquefois quand on est évêque. Maman ne mentait pas avec moi; et cette âme sans fiel, qui ne pouvait imaginer un Dieu vindicatif et toujours courroucé, ne voyait que clémence et miséricorde où les dévots ne voient que justice et punition. Elle disait souvent qu'il n'y aurait point de justice en Dieu d'être juste envers nous, parce que, ne nous ayant pas donné ce qu'il faut pour l'être, ce serait redemander plus qu'il n'a donné. Ce qu'il y avait de bizarre était que, sans croire à l'enfer, elle ne laissait pas de croire au purgatoire. Cela venait de ce qu'elle ne savait que faire des âmes des méchants, ne pouvant ni les damner ni les mettre avec les bons jusqu'à ce qu'ils le fussent devenus, et il faut avouer qu'en effet, et dans ce monde et dans l'autre, les méchants sont toujours bien embarrassants.

Autre bizarrerie. On voit que toute la doctrine
du péché originel et de la rédemption est détruite
par ce système, que la base du christianisme vulgaire
en est ébranlée, et que le catholicisme au moins ne
peut subsister. Maman, cependant, était bonne
catholique, ou prétendait l'être, et il est sûr qu'elle
le prétendait de très bonne foi. Il lui semblait
qu'on expliquait trop littéralement et trop dure-
ment l'Écriture. Tout ce qu'on y lit des tourments
éternels lui paraissait comminatoire ou figuré. La
mort de Jésus-Christ lui paraissait un exemple de
charité vraiment divine pour apprendre aux
hommes à aimer Dieu et à s'aimer entre eux de
même. En un mot, fidèle à la religion qu'elle avait
embrassée, elle en admettait sincèrement toute la
profession de foi; mais quand on venait à la discus-
sion de chaque article, il se trouvait qu'elle voyait
tout autrement que l'Église, toujours en s'y soumet-
tant. Elle avait là-dessus une simplicité de cœur, une
franchise plus éloquente que des ergoteries, et qui
souvent embarrassait jusqu'à son confesseur, car
elle ne lui déguisait rien. « Je suis bonne catholique,
lui disait-elle, je veux toujours l'être; j'adopte de
toutes les puissances de mon âme les décisions de
sainte mère Église. Je ne suis pas maîtresse de ma
foi, mais je le suis de ma volonté. Je la soumets
sans réserve, et je veux tout croire. Que me deman-
dez-vous de plus? »

Quand il n'y aurait point eu de morale chré-
tienne, je crois qu'elle l'aurait suivie, tant elle
s'adaptait bien à son caractère. Elle faisait tout ce

qui était ordonné; mais elle l'eût fait de même
quand il n'aurait pas été ordonné. Dans les choses
indifférentes elle aimait à obéir, et s'il ne lui eût
pas été permis, prescrit même, de faire gras, elle
aurait fait maigre entre Dieu et elle, sans que la
prudence eût eu besoin d'y entrer pour rien. Mais
toute cette morale était subordonnée aux prin-
cipes de M. de Tavel, ou plutôt elle prétendait
n'y rien voir de contraire. Elle eût couché tous
les jours avec vingt hommes en repos de conscience,
et sans même en avoir plus de scrupule que de
désir. Je sais que force dévotes ne sont pas sur ce
point plus scrupuleuses; mais la différence est
qu'elles sont séduites par leurs passions, et qu'elle
ne l'était que par ses sophismes. Dans les conver-
sations les plus touchantes, et j'ose dire les plus
édifiantes, elle fût tombée sur ce point sans changer
ni d'air ni de ton, sans se croire en contradiction
avec elle-même. Elle l'eût même interrompue au
besoin pour le fait, et puis l'eût reprise avec la
même sérénité qu'auparavant : tant elle était
intimement persuadée que tout cela n'était qu'une
maxime de police sociale, dont toute personne
sensée pouvait faire l'interprétation, l'application,
l'exception, selon l'esprit de la chose, sans le
moindre risque d'offenser Dieu. Quoique sur ce
point je ne fusse assurément pas de son avis,
j'avoue que je n'osais le combattre, honteux du
rôle peu galant qu'il m'eût fallu faire pour cela.
J'aurais bien cherché d'établir la règle pour les
autres, en tâchant de m'en excepter; mais outre

que son tempérament prévenait assez l'abus de ses
principes, je sais qu'elle n'était pas femme à
prendre le change, et que réclamer l'exception
pour moi c'était la lui laisser pour tous ceux qu'il
lui plairait. Au reste, je compte ici par occasion
cette inconséquence avec les autres, quoiqu'elle ait
eu toujours peu d'effet dans sa conduite, et
qu'alors elle n'en eût point du tout : mais j'ai
promis d'exposer fidèlement ses principes, et je
veux tenir cet engagement. Je reviens à moi.

Trouvant en elle toutes les maximes dont j'avais
besoin pour garantir mon âme des terreurs de la
mort et de ses suites, je puisais avec sécurité dans
cette source de confiance. Je m'attachais à elle plus
que je n'avais jamais fait; j'aurais voulu trans-
porter toute en elle ma vie que je sentais prête à
m'abandonner. De ce redoublement d'attachement
pour elle, de la persuasion qu'il me restait peu de
temps à vivre, de ma profonde sécurité sur mon
sort à venir, résultait un état habituel très calme,
et sensuel même, en ce qu'amortissant toutes les
passions qui portent au loin nos craintes et nos
espérances, il me laissait jouir sans inquiétude et
sans trouble du peu de jours qui m'étaient laissés.
Une chose contribuait à les rendre plus agréables,
c'était le soin de nourrir son goût pour la cam-
pagne par tous les amusements que j'y pouvais
rassembler. En lui faisant aimer son jardin, sa
basse-cour, ses pigeons, ses vaches, je m'affectionnais
moi-même à tout cela; et ces petites occupa-
tions, qui remplissaient ma journée sans troubler

ma tranquillité, me valurent mieux que le lait et tous les remèdes pour conserver ma pauvre machine, et la rétablir même, autant que cela se pouvait.

Les vendanges, la récolte des fruits nous amusèrent le reste de cette année, et nous attachèrent de plus en plus à la vie rustique, au milieu des bonnes gens dont nous étions entourés. Nous vîmes arriver l'hiver avec grand regret, et nous retournâmes à la ville comme nous serions allés en exil; moi surtout, qui, doutant de revoir le printemps, croyais dire adieu pour toujours aux Charmettes. Je ne les quittai pas sans baiser la terre et les arbres, et sans me retourner plusieurs fois en m'en éloignant. Ayant quitté depuis longtemps mes écolières, ayant perdu le goût des amusements et des sociétés de la ville, je ne sortais plus, je ne voyais plus personne, excepté Maman, et M. Salomon, devenu depuis peu son médecin et le mien, honnête homme, homme d'esprit, grand cartésien, qui parlait assez bien du système du monde, et dont les entretiens agréables et instructifs me valurent mieux que toutes ses ordonnances. Je n'ai jamais pu supporter ce sot et niais remplissage des conversations ordinaires; mais des conversations utiles et solides m'ont toujours fait grand plaisir, et je ne m'y suis jamais refusé. Je pris beaucoup de goût à celles de M. Salomon, il me semblait que j'anticipais avec lui sur ces hautes connaissances que mon âme allait acquérir quand elle aurait perdu ses entraves. Ce goût que j'avais pour lui

s'étendit aux sujets qu'il traitait, et je commençai de rechercher les livres qui pouvaient m'aider à le mieux entendre. Ceux qui mêlaient la dévotion aux sciences m'étaient les plus convenables, tels étaient particulièrement ceux de l'Oratoire et de Port-Royal. Je me mis à les lire, ou plutôt à les dévorer. Il m'en tomba dans les mains un du P. Lamy, intitulé : *Entretiens sur les Sciences.* C'était une espèce d'introduction à la connaissance des livres qui en traitent. Je le lus et relus cent fois; je résolus d'en faire mon guide. Enfin je me sentis entraîné peu à peu, malgré mon état, ou plutôt par mon état, vers l'étude avec une force irrésistible, et tout en regardant chaque jour comme le dernier de mes jours, j'étudiais avec autant d'ardeur que si j'avais dû toujours vivre. On disait que cela me faisait du mal; je crois, moi, que cela me fit du bien, et non seulement à mon âme, mais à mon corps; car cette application pour laquelle je me passionnais me devint si délicieuse, que, ne pensant plus à mes maux, j'en étais beaucoup moins affecté. Il est pourtant vrai que rien ne me procurait un soulagement réel; mais, n'ayant pas de douleurs vives, je m'accoutumais à languir, à ne pas dormir, à penser au lieu d'agir, et enfin à regarder le dépérissement successif et lent de ma machine comme un progrès inévitable que la mort seule pouvait arrêter.

Non seulement cette opinion me détacha de tous les vains soins de la vie, mais elle me délivra de l'importunité des remèdes auxquels on m'avait jus-

qu'alors soumis malgré moi. Salomon, convaincu que ses drogues ne pouvaient me sauver, m'en épargna le déboire, et se contenta d'amuser la douleur de ma pauvre Maman avec quelques-unes de ces ordonnances indifférentes qui leurrent l'espoir du malade et maintiennent le crédit du médecin. Je quittai l'étroit régime; je repris l'usage du vin et tout le train de vie d'un homme en santé, selon la mesure de mes forces, sobre sur toute chose, mais ne m'abstenant de rien. Je sortis même, et recommençai d'aller voir mes connaissances, surtout M. de Conzié, dont le commerce me plaisait fort. Enfin, soit qu'il me parût beau d'apprendre jusqu'à ma dernière heure, soit qu'un reste d'espoir de vivre se cachât au fond de mon cœur, l'attente de la mort, loin de ralentir mon goût pour l'étude, semblait l'animer, et je me pressais d'amasser un peu d'acquis pour l'autre monde, comme si j'avais cru n'y avoir que celui que j'aurais emporté. Je pris en affection la boutique d'un libraire appelé Bouchard, où se rendaient quelques gens de lettres; et le printemps que j'avais cru ne pas revoir étant proche, je m'assortis de quelques livres pour les Charmettes, en cas que j'eusse le bonheur d'y retourner.

J'eus ce bonheur, et j'en profitai de mon mieux. La joie avec laquelle je vis les premiers bourgeons est inexprimable. Revoir le printemps était pour moi ressusciter en paradis. A peine les neiges commençaient à fondre que nous quittâmes notre cachot, et nous fûmes assez tôt aux Charmettes

pour y avoir les prémices du rossignol. Dès lors je ne crus plus mourir, et réellement il est singulier que je n'ai jamais fait de grandes maladies à la campagne. J'y ai beaucoup souffert, mais je n'y ai jamais été alité. Souvent, j'ai dit, me sentant plus mal qu'à l'ordinaire : « Quand vous me verrez prêt à mourir, portez-moi à l'ombre d'un chêne, je vous promets que j'en reviendrai. »

Quoique faible, je repris mes fonctions champêtres, mais d'une manière proportionnée à mes forces. J'eus un vrai chagrin de ne pouvoir faire le jardin tout seul; mais quand j'avais donné six coups de bêche, j'étais hors d'haleine, la sueur me ruisselait, je n'en pouvais plus. Quand j'étais baissé, mes battements redoublaient, et le sang me montait à la tête avec tant de force qu'il fallait bien vite me redresser. Contraint de me borner à des soins moins fatigants, je pris entre autres celui du colombier, et je m'y affectionnai si fort, que j'y passais souvent plusieurs heures de suite sans m'ennuyer un moment. Le pigeon est fort timide et difficile à apprivoiser. Cependant je vins à bout d'inspirer aux miens tant de confiance, qu'ils me suivaient partout, et se laissaient prendre quand je voulais. Je ne pouvais paraître au jardin ni dans la cour sans en avoir à l'instant deux ou trois sur les bras, sur la tête, et enfin, malgré le plaisir que j'y prenais, ce cortège me devint si incommode, que je fus obligé de leur ôter cette familiarité. J'ai toujours pris un singulier plaisir à apprivoiser les animaux, surtout ceux qui sont craintifs et sau-

vages. Il me paraissait charmant de leur inspirer
une confiance que je n'ai jamais trompée. Je
voulais qu'ils m'aimassent en liberté.

J'ai dit que j'avais apporté des livres; j'en fis
usage, mais d'une manière moins propre à m'ins-
truire qu'à m'accabler. La fausse idée que j'avais
des choses me persuadait que pour lire un livre
avec fruit il fallait avoir toutes les connaissances
qu'il supposait, bien éloigné de penser que souvent
l'auteur ne les avait pas lui-même, et qu'il les
puisait dans d'autres livres à mesure qu'il en avait
besoin. Avec cette folle idée, j'étais arrêté à chaque
instant, forcé de courir incessamment d'un livre
à l'autre, et quelquefois avant d'être à la dixième
page de celui que je voulais étudier, il m'eût
fallu épuiser des bibliothèques. Cependant je
m'obstinai si bien à cette extravagante méthode,
que j'y perdis un temps infini, et faillis à me
brouiller la tête au point de ne pouvoir plus ni
rien voir ni rien savoir. Heureusement je m'aperçus
que j'enfilais une fausse route qui m'égarait dans
un labyrinthe immense, et j'en sortis avant d'y
être tout à fait perdu.

Pour peu qu'on ait un vrai goût pour les
sciences, la première chose qu'on sent en s'y livrant,
c'est leur liaison, qui fait qu'elles s'attirent,
s'aident, s'éclairent mutuellement, et que l'une ne
peut se passer de l'autre. Quoique l'esprit humain
ne puisse suffire à toutes, et qu'il en faille toujours
préférer une comme la principale, si l'on n'a quelque
notion des autres, dans la sienne même on

se trouve souvent dans l'obscurité. Je sentis que
ce que j'avais entrepris était bon et utile en lui-
même, qu'il n'y avait que la méthode à changer.
Prenant d'abord l'encyclopédie, j'allais la divi-
sant dans ses branches. Je vis qu'il fallait faire
tout le contraire, les prendre chacune séparément,
et les poursuivre chacune à part jusqu'au point
où elles se réunissent. Ainsi je revins à la synthèse
ordinaire, mais j'y revins en homme qui sait ce
qu'il fait. La méditation me tenait en cela lieu de
connaissance, et une réflexion très naturelle aidait
à me bien guider. Soit que je vécusse ou que je
mourusse, je n'avais point de temps à perdre. Ne
rien savoir à près de vingt-cinq ans, et vouloir
tout apprendre, c'est s'engager à bien mettre le
temps à profit. Ne sachant à quel point le sort ou
la mort pouvait arrêter mon zèle, je voulais à tout
événement acquérir des idées de toutes choses,
tant pour sonder mes dispositions naturelles que
pour juger par moi-même de ce qui méritait le
mieux d'être cultivé.

Je trouvai dans l'exécution de ce plan un autre
avantage auquel je n'avais pas pensé, celui de
mettre beaucoup de temps à profit. Il faut que je
ne sois pas né pour l'étude, car une longue appli-
cation me fatigue à tel point qu'il m'est impossible
de m'occuper une demi-heure de suite avec force du
même sujet, surtout en suivant les idées d'autrui;
car il m'est arrivé quelquefois de me livrer plus
longtemps aux miennes, et même avec assez de succès.
Quand j'ai suivi durant quelques pages un auteur

qu'il faut lire avec application, mon esprit l'aban-
donne et se perd dans les nuages. Si je m'obstine, je
m'épuise inutilement; les éblouissements me
prennent, je ne vois plus rien. Mais que des sujets
différents se succèdent, même sans interruption,
l'un me délasse de l'autre, et sans avoir besoin
de relâche, je les suis plus aisément. Je mis à profit
cette observation dans mon plan d'études, et je les
entremêlai tellement, que je m'occupais tout le
jour, et ne me fatiguais jamais. Il est vrai que les
soins champêtres et domestiques faisaient des diver-
sions utiles; mais dans ma ferveur croissante, je
trouvai bientôt le moyen d'en ménager encore le
temps pour l'étude, et de m'occuper à la fois de
deux choses, sans songer que chacune en allait
moins bien.

Dans tant de menus détails qui me charment et
dont j'excède souvent mon lecteur, je mets pour-
tant une discrétion dont il ne se douterait guère,
si je n'avais soin de l'en avertir. Ici, par exemple,
je me rappelle avec délices tous les différents essais
que je fis pour distribuer mon temps de façon
que j'y trouvasse à la fois autant d'agréments et
d'utilité qu'il était possible; et je puis dire que ce
temps où je vivais dans la retraite, et toujours ma-
lade, fut celui de ma vie où je fus le moins oisif et le
moins ennuyé. Deux ou trois mois se passèrent ainsi à
tâter la pente de mon esprit, et à jouir, dans la
plus belle saison de l'année, et dans un lieu qu'elle
rendait enchanté, du charme de la vie dont je
sentais si bien le prix, de celui d'une société aussi

libre que douce, si l'on peut donner le nom de société à une aussi parfaite union, et de celui des belles connaissances que je me proposais d'acquérir; car c'était pour moi comme si je les avais déjà possédées, ou plutôt c'était mieux encore, puisque le plaisir d'apprendre entrait pour beaucoup dans mon bonheur.

Il faut passer sur ces essais, qui tous étaient pour moi des jouissances, mais trop simples pour pouvoir être expliquées. Encore un coup, le vrai bonheur ne se décrit pas, il se sent, et se sent d'autant mieux qu'il peut le moins se décrire, parce qu'il ne résulte pas d'un recueil de faits, mais qu'il est un état permanent. Je me répète souvent, mais je me répéterais bien davantage si je disais la même chose autant de fois qu'elle me vient dans l'esprit. Quand enfin mon train de vie, souvent changé, eut pris un cours uniforme, voici à peu près quelle en fut la distribution.

Je me levais tous les matins avant le soleil. Je montais par un verger voisin dans un très joli chemin qui était au-dessus de la vigne, et suivait la côte jusqu'à Chambéry. Là, tout en me promenant, je faisais ma prière, qui ne consistait pas en un vain balbutiement de lèvres, mais dans une sincère élévation de cœur à l'auteur de cette aimable nature dont les beautés étaient sous mes yeux. Je n'ai jamais aimé à prier dans la chambre; il me semble que les murs et tous ces petits ouvrages des hommes s'interposent entre Dieu et moi. J'aime à le contempler dans ses œuvres tandis

que mon cœur s'élève à lui. Mes prières étaient
pures, je puis le dire, et dignes par là d'être
exaucées. Je ne demandais pour moi, et pour celle
dont mes vœux ne me séparaient jamais, qu'une
vie innocente et tranquille, exempte du vice, de la
douleur, des pénibles besoins, la mort des justes,
et leur sort dans l'avenir. Du reste, cet acte se
passait plus en admiration et en contemplation
qu'en demandes, et je savais qu'auprès du dispen-
sateur des vrais biens le meilleur moyen d'obtenir
ceux qui nous sont nécessaires est moins de les
demander que de les mériter. Je revenais en me
promenant par un assez grand tour, occupé à consi-
dérer avec intérêt et volupté les objets champêtres
dont j'étais environné, les seuls dont l'œil et le
cœur ne se lassent jamais. Je regardais de loin s'il
était jour chez Maman : quand je voyais son
contrevent ouvert, je tressaillais de joie et j'ac-
courais. S'il était fermé, j'entrais au jardin en
attendant qu'elle fût éveillée, m'amusant à repasser
ce que j'avais appris la veille, ou à jardiner. Le
contrevent s'ouvrait, j'allais l'embrasser dans son
lit, souvent encore à moitié endormie, et cet em-
brassement aussi pur que tendre tirait de son
innocence même un charme qui n'est jamais joint
à la volupté des sens.

Nous déjeunions ordinairement avec du café au
lait. C'était le temps de la journée où nous étions
le plus tranquilles, où nous causions le plus à notre
aise. Ces séances, pour l'ordinaire assez longues,
m'ont laissé un goût vif pour les déjeuners, et je

préfère infiniment l'usage d'Angleterre et de Suisse, où le déjeuner est un vrai repas qui rassemble tout le monde, à celui de France, où chacun déjeune seul dans sa chambre, ou le plus souvent ne déjeune point du tout. Après une heure ou deux de causerie, j'allais à mes livres jusqu'au dîner. Je commençais par quelque livre de philosophie, comme la *Logique* de Port-Royal, l'*Essai* de Locke, Malebranche, Leibnitz, Descartes, etc. Je m'aperçus bientôt que tous ces auteurs étaient entre eux en contradiction presque perpétuelle, et je formai le chimérique projet de les accorder, qui me fatigua beaucoup et me fit perdre bien du temps. Je me brouillais la tête, et je n'avançais point. Enfin, renonçant encore à cette méthode, j'en pris une infiniment meilleure, et à laquelle j'attribue tout le progrès que je puis avoir fait, malgré mon défaut de capacité; car il est certain que j'en eus toujours fort peu pour l'étude. En lisant chaque auteur, je me fis une loi d'adopter et suivre toutes ses idées sans y mêler les miennes ni celles d'un autre, et sans jamais disputer avec lui. Je me dis : « Commençons par me faire un magasin d'idées, vraies ou fausses, mais nettes, en attendant que ma tête en soit assez fournie pour pouvoir les comparer et choisir. » Cette méthode n'est pas sans inconvénient, je le sais, mais elle m'a réussi dans l'objet de m'instruire. Au bout de quelques années passées à ne penser exactement que d'après autrui, sans réfléchir pour ainsi dire et presque sans raisonner, je me suis trouvé un

assez grand fonds d'acquis pour me suffire à moi-
même, et penser sans le secours d'autrui. Alors,
quand les voyages et les affaires m'ont ôté les
moyens de consulter les livres, je me suis amusé
à repasser et comparer ce que j'avais lu, à peser
chaque chose à la balance de la raison, et à juger
quelquefois mes maîtres. Pour avoir commencé tard
à mettre en exercice ma faculté judiciaire, je n'ai
pas trouvé qu'elle eût perdu sa vigueur; et quand
j'ai publié mes propres idées, on ne m'a pas
accusé d'être un disciple servile et de jurer *in verba
magistri*.

Je passais de là à la géométrie élémentaire; car
je n'ai jamais été plus loin, m'obstinant à vouloir
vaincre mon peu de mémoire, à force de revenir
cent et cent fois sur mes pas et de recommencer
incessamment la même marche. Je ne goûtai pas
celle d'Euclide, qui cherche plutôt la chaîne des
démonstrations que la liaison des idées; je préférai
la Géométrie du P. Lamy, qui dès lors devint un
de mes auteurs favoris, et dont je relis encore avec
plaisir les ouvrages. L'algèbre suivait, et ce fut
toujours le P. Lamy que je pris pour guide. Quand
je fus plus avancé, je pris la *Science du calcul* du
P. Reynaud, puis son *Analyse démontrée,* que je
n'ai fait qu'effleurer. Je n'ai jamais été assez loin
pour bien sentir l'application de l'algèbre à la
géométrie. Je n'aimais point cette manière d'opérer
sans voir ce qu'on fait, et il me semblait que
résoudre un problème de géométrie par les équa-
tions, c'était jouer un air en tournant une manivelle.

La première fois que je trouvai par le calcul que le carré d'un binôme était composé du carré de chacune de ses parties, et du double produit de l'une par l'autre, malgré la justesse de ma multiplication, je n'en voulus rien croire jusqu'à ce que j'eusse fait la figure. Ce n'était pas que je n'eusse un grand goût pour l'algèbre en n'y considérant que la quantité abstraite; mais appliquée à l'étendue, je voulais voir l'opération sur les lignes; autrement je n'y comprenais plus rien.

Après cela venait le latin. C'était mon étude la plus pénible et dans laquelle je n'ai jamais fait de grands progrès. Je me mis d'abord à la méthode latine de Port-Royal, mais sans fruit. Ces vers ostrogoths me faisaient mal au cœur, et ne pouvaient entrer dans mon oreille. Je me perdais dans ces foules de règles, et en apprenant la dernière j'oubliais tout ce qui avait précédé. Une étude de mots n'est pas ce qu'il faut à un homme sans mémoire, et c'était précisément pour forcer ma mémoire à prendre de la capacité que je m'obstinais à cette étude. Il fallut l'abandonner à la fin. J'entendais assez la construction pour pouvoir lire un auteur facile, à l'aide d'un dictionnaire. Je suivis cette route, et je m'en trouvai bien. Je m'appliquai à la traduction, non par écrit, mais mentale, et je m'en tins là. A force de temps et d'exercice, je suis parvenu à lire assez couramment les auteurs latins, mais jamais à pouvoir ni parler ni écrire dans cette langue; ce qui m'a souvent mis dans l'embarras quand je me suis

trouvé, je ne sais comment, enrôlé parmi les gens
de lettres. Un autre inconvénient, conséquent à
cette manière d'apprendre, est que je n'ai jamais
su la prosodie, encore moins les règles de la versi-
fication. Désirant pourtant de sentir l'harmonie
de la langue en vers et en prose, j'ai fait bien des
efforts pour y parvenir; mais je suis convaincu que
sans maître cela est presque impossible. Ayant
appris la composition du plus facile de tous les
vers, qui est l'hexamètre, j'eus la patience de
scander presque tout Virgile, et d'y marquer les
pieds et la quantité; puis, quand j'étais en doute
si une syllabe était longue ou brève, c'était mon
Virgile que j'allais consulter. On sent que cela me
faisait faire bien des fautes, à cause des altérations
permises par les règles de la versification. Mais s'il
y a de l'avantage à étudier seul, il y a aussi de
grands inconvénients, et surtout une peine incroyable.
Je sais cela mieux que qui que ce soit.

Avant midi je quittais mes livres, et, si le dîner
n'était pas prêt, j'allais faire visite à mes amis les
pigeons, ou travailler au jardin en attendant
l'heure.

Quand je m'entendais appeler, j'accourais fort
content et muni d'un grand appétit; car c'est
encore une chose à noter que, quelque malade que
je puisse être, l'appétit ne me manque jamais. Nous
dînions très agréablement, en causant de nos
affaires, en attendant que Maman pût manger.
Deux ou trois fois la semaine, quand il faisait beau,
nous allions derrière la maison prendre le café

dans un cabinet frais et touffu, que j'avais garni de
houblon, et qui nous faisait grand plaisir durant
la chaleur; nous passions là une petite heure à
visiter nos légumes, nos fleurs, à des entretiens rela-
tifs à notre manière de vivre, et qui nous en
faisaient mieux goûter la douceur. J'avais une
autre petite famille au bout du jardin : c'étaient
des abeilles. Je ne manquais guère, et souvent
Maman avec moi, d'aller leur rendre visite; je
m'intéressais beaucoup à leur ouvrage, je m'amu-
sais infiniment à les voir revenir de la picorée, leurs
petites cuisses quelquefois si chargées qu'elles
avaient peine à marcher. Les premiers jours la
curiosité me rendit indiscret, et elles me piquèrent
deux ou trois fois; mais ensuite nous fîmes si bien
connaissance, que, quelque près que je vinsse, elles
me laissaient faire, et quelque pleines que fussent
les ruches prêtes à jeter leur essaim, j'en étais
quelquefois entouré, j'en avais sur les mains, sur
le visage sans qu'aucune me piquât jamais. Tous
les animaux se défient de l'homme, et n'ont pas
tort : mais sont-ils sûrs une fois qu'il ne leur
veut pas nuire, leur confiance devient si grande
qu'il faut être plus que barbare pour en abuser.

Je retournais à mes livres : mais mes occupa-
tions de l'après-midi devaient moins porter le nom
de travail et d'étude que de récréation et d'amuse-
ment. Je n'ai jamais pu supporter l'application du
cabinet après mon dîner, et en général toute peine
me coûte durant la chaleur du jour. Je m'occupais
pourtant, mais sans gêne et presque sans règle, à

lire sans étudier. La chose que je suivais le plus
exactement était l'histoire et la géographie, et
comme cela ne demandait point de contention
d'esprit, j'y fis autant de progrès que le permet-
tait mon peu de mémoire. Je voulus étudier le
P. Petau, et je m'enfonçai dans les ténèbres de la
chronologie; mais je me dégoûtai de la partie cri-
tique qui n'a ni fond ni rive, et je m'affectionnai
par préférence à l'exacte mesure des temps et à la
marche des corps célestes. J'aurais même pris du
goût pour l'astronomie si j'avais eu des instru-
ments, mais il fallut me contenter de quelques
éléments pris dans des livres, et de quelques obser-
vations grossières faites avec une lunette d'ap-
proche, seulement pour connaître la situation géné-
rale du ciel : car ma vue courte ne me permet
pas de distinguer, à yeux nus, assez nettement les
astres. Je me rappelle à ce sujet une aventure dont
le souvenir m'a souvent fait rire. J'avais acheté un
planisphère céleste pour étudier les constellations.
J'avais attaché ce planisphère sur un châssis, et les
nuits où le ciel était serein, j'allais dans le jardin
poser mon châssis sur quatre piquets de ma hauteur,
le planisphère tourné en dessous, et pour l'éclairer
sans que le vent soufflât ma chandelle, je la mis dans
un seau à terre entre les quatre piquets; puis
regardant alternativement le planisphère avec mes
yeux et les astres avec ma lunette, je m'exerçais à
connaître les étoiles et à discerner les constella-
tions. Je crois avoir dit que le jardin de M. Noi-
ret était en terrasse; on voyait du chemin tout ce

qui s'y faisait. Un soir, des paysans passant assez tard me virent dans un grotesque équipage occupé à mon opération. La lueur qui donnait sur mon planisphère, et dont ils ne voyaient pas la cause parce que la lumière était cachée à leurs yeux par les bords du seau, ces quatre piquets, ce grand papier barbouillé de figures, ce cadre, et le jeu de ma lunette, qu'ils voyaient aller et venir, donnaient à cet objet un air de grimoire qui les effraya. Ma parure n'était pas propre à les rassurer; un chapeau clabaud par-dessus mon bonnet, et un pet-en-l'air ouaté de Maman qu'elle m'avait obligé de mettre, offraient à leurs yeux l'image d'un vrai sorcier, et comme il était près de minuit, ils ne doutèrent point que ce ne fût le commencement du sabbat. Peu curieux d'en voir davantage, ils se sauvèrent très alarmés, éveillèrent leurs voisins pour leur conter leur vision, et l'histoire courut si bien, que dès le lendemain chacun sut dans le voisinage que le sabbat se tenait chez M. Noiret. Je ne sais ce qu'eût produit enfin cette rumeur, si l'un des paysans, témoin de mes conjurations, n'en eût le même jour porté sa plainte à deux jésuites qui venaient nous voir, et qui, sans savoir de quoi il s'agissait, les désabusèrent par provision. Ils nous contèrent l'histoire; je leur en dis la cause, et nous rîmes beaucoup. Cependant il fut résolu, crainte de récidive, que j'observerais désormais sans lumière, et que j'irais consulter le planisphère dans la maison. Ceux qui ont lu, dans les *Lettres de la Montagne,* ma magie de Venise

trouveront, je m'assure, que j'avais de longue main une grande vocation pour être sorcier.

Tel était mon train de vie aux Charmettes quand je n'étais occupé d'aucuns soins champêtres; car ils avaient toujours la préférence, et dans ce qui n'excédait pas mes forces, je travaillais comme un paysan; mais il est vrai que mon extrême faiblesse ne me laissait guère alors sur cet article que le mérite de la bonne volonté. D'ailleurs je voulais faire à la fois deux ouvrages, et par cette raison je n'en faisais bien aucun. Je m'étais mis dans la tête de me donner par force de la mémoire; je m'obstinais à vouloir beaucoup apprendre par cœur. Pour cela je portais toujours avec moi quelque livre qu'avec une peine incroyable j'étudiais et repassais tout en travaillant. Je ne sais pas comment l'opiniâtreté de ces vains et continuels efforts ne m'a pas enfin rendu stupide. Il faut que j'aie appris et rappris bien vingt fois les églogues de Virgile, dont je ne sais pas un seul mot. J'ai perdu ou dépareillé des multitudes de livres par l'habitude que j'avais d'en porter partout avec moi, au colombier, au jardin, au verger, à la vigne. Occupé d'autre chose, je posais mon livre au pied d'un arbre ou sur la haie; partout j'oubliais de le reprendre, et souvent au bout de quinze jours, je le retrouvais pourri ou rongé des fourmis et des limaçons. Cette ardeur d'apprendre devint une manie qui me rendait comme hébété, tout occupé que j'étais sans cesse à marmotter quelque chose entre mes dents.

Les écrits de Port-Royal et de l'Oratoire, étant ceux que je lisais le plus fréquemment, m'avaient rendu demi-janséniste, et, malgré toute ma confiance, leur dure théologie m'épouvantait quelquefois. La terreur de l'enfer, que jusque-là j'avais très peu craint, troublait peu à peu ma sécurité, et si Maman ne m'eût tranquillisé l'âme, cette effrayante doctrine m'eût enfin tout à fait bouleversé. Mon confesseur, qui était aussi le sien, contribuait pour sa part à me maintenir dans une bonne assiette. C'était le P. Hemet, jésuite, bon et sage vieillard dont la mémoire me sera toujours en vénération. Quoique jésuite, il avait la simplicité d'un enfant, et sa morale, moins relâchée que douce, était précisément ce qu'il me fallait pour balancer les tristes impressions du jansénisme. Ce bon homme et son compagnon, le P. Coppier, venaient souvent nous voir aux Charmettes, quoique le chemin fût fort rude et assez long pour des gens de leur âge. Leurs visites me faisaient grand bien : que Dieu veuille le rendre à leurs âmes, car ils étaient trop vieux alors pour que je les présume en vie encore aujourd'hui. J'allais aussi les voir à Chambéry; je me familiarisais peu à peu avec leur maison; leur bibliothèque était à mon service; le souvenir de cet heureux temps se lie avec celui des jésuites au point de me faire aimer l'un par l'autre, et quoique leur doctrine m'ait toujours paru dangereuse, je n'ai jamais pu trouver en moi le pouvoir de les haïr sincèrement.

Je voudrais savoir s'il passe quelquefois dans les

cœurs des autres hommes des puérilités pareilles à celles qui passent quelquefois dans le mien. Au milieu de mes études et d'une vie innocente autant qu'on la puisse mener, et malgré tout ce qu'on m'avait pu dire, la peur de l'enfer m'agitait encore souvent. Je me demandais : « En quel état suis-je? Si je mourais à l'instant même, serais-je damné? » Selon mes jansénistes la chose était indubitable, mais selon ma conscience il me paraissait que non. Toujours craintif, et flottant dans cette cruelle incertitude, j'avais recours, pour en sortir, aux expédients les plus risibles, et pour lesquels je ferais volontiers enfermer un homme si je lui en voyais faire autant. Un jour, rêvant à ce triste sujet, je m'exerçais machinalement à lancer des pierres contres les troncs des arbres, et cela avec mon adresse ordinaire, c'est-à-dire sans presque en toucher aucun. Tout au milieu de ce bel exercice, je m'avisai de m'en faire une espèce de pronostic pour calmer mon inquiétude. Je me dis : « Je m'en vais jeter cette pierre contre l'arbre qui est vis-à-vis de moi; si je le touche, signe de salut; si je le manque, signe de damnation. » Tout en disant ainsi, je jette ma pierre d'une main tremblante et avec un horrible battement de cœur, mais si heureusement, qu'elle va frapper au beau milieu de l'arbre, ce qui véritablement n'était pas difficile, car j'avais eu soin de le choisir fort gros et fort près. Depuis lors je n'ai plus douté de mon salut. Je ne sais, en me rappelant ce trait, si je dois rire ou gémir sur moi-même. Vous autres grands

hommes, qui riez sûrement, félicitez-vous; mais n'insultez pas à ma misère, car je vous jure que je la sens bien.

Au reste, ces troubles, ces alarmes, inséparables peut-être de la dévotion, n'étaient pas un état permanent. Communément j'étais assez tranquille, et l'impression que l'idée d'une mort prochaine faisait sur mon âme était moins de la tristesse qu'une langueur paisible, et qui même avait ses douceurs. Je viens de retrouver parmi de vieux papiers une espèce d'exhortation que je me faisais à moi-même, et où je me félicitais de mourir à l'âge où l'on trouve assez de courage en soi pour envisager la mort, et sans avoir éprouvé de grands maux, ni de corps ni d'esprit, durant ma vie. Que j'avais bien raison! Un pressentiment me faisait craindre de vivre pour souffrir. Il semblait que je prévoyais le sort qui m'attendait sur mes vieux jours. Je n'ai jamais été si près de la sagesse que durant cette heureuse époque. Sans grands remords sur le passé, délivré des soucis de l'avenir, le sentiment qui dominait constamment dans mon âme était de jouir du présent. Les dévots ont pour l'ordinaire une petite sensualité très vive qui leur fait savourer avec délices les plaisirs innocents qui leur sont permis. Les mondains leur en font un crime, je ne sais pourquoi, ou plutôt je le sais bien : c'est qu'ils envient aux autres la jouissance des plaisirs simples dont eux-mêmes ont perdu le goût. Je l'avais, ce goût, et je trouvais charmant de le satisfaire en sûreté de conscience. Mon cœur, neuf

encore, se livrait à tout avec un plaisir d'enfant, ou plutôt, si je l'ose dire, avec une volupté d'ange, car en vérité ces tranquilles jouissances ont la sérénité de celles du paradis. Des dîners faits sur l'herbe, à Montagnole, des soupers sous le berceau, la récolte des fruits, les vendanges, les veillées à teiller avec nos gens, tout cela faisait pour nous autant de fêtes auxquelles Maman prenait le même plaisir que moi. Des promenades plus solitaires avaient un charme plus grand encore, parce que le cœur s'épanchait plus en liberté. Nous en fîmes une entre autres qui fait époque dans ma mémoire, un jour de Saint-Louis dont Maman portait le nom. Nous partîmes ensemble et seuls de bon matin, après la messe qu'un carme était venu nous dire à la pointe du jour, dans une chapelle attenante à la maison. J'avais proposé d'aller parcourir la côte opposée à celle où nous étions, et que nous n'avions point visitée encore. Nous avions envoyé nos provisions d'avance, car la course devait durer tout le jour. Maman, quoiqu'un peu ronde et grasse, ne marchait pas mal : nous allions de colline en colline et de bois en bois, quelquefois au soleil et souvent à l'ombre, nous reposant de temps en temps, et nous oubliant des heures entières; causant de nous, de notre union, de la douceur de notre sort, et faisant pour sa durée des vœux qui ne furent pas exaucés. Tout semblait conspirer au bonheur de cette journée. Il avait plu depuis peu; point de poussière, et des ruisseaux bien courants; un petit

vent frais agitait les feuilles, l'air était pur, l'horizon sans nuages, la sérénité régnait au ciel comme dans nos cœurs. Notre dîner fut fait chez un paysan, et partagé avec sa famille qui nous bénissait de bon cœur. Ces pauvres Savoyards sont si bonnes gens! Après le dîner nous gagnâmes l'ombre sous de grands arbres, où, tandis que j'amassais des brins de bois sec pour faire notre café, Maman s'amusait à herboriser parmi les broussailles, et avec les fleurs du bouquet que, chemin faisant, je lui avais ramassé, elle me fit remarquer dans leur structure mille choses curieuses qui m'amusèrent beaucoup, et qui devaient me donner du goût pour la botanique; mais le moment n'était pas venu, j'étais distrait par trop d'autres études. Une idée qui vint me frapper fit diversion aux fleurs et aux plantes. La situation d'âme où je me trouvais, tout ce que nous avions dit et fait ce jour-là, tous les objets qui m'avaient frappé me rappelèrent l'espèce de rêve que tout éveillé j'avais fait à Annecy sept ou huit ans auparavant, et dont j'ai rendu compte en son lieu. Les rapports en étaient si frappants, qu'en y pensant j'en fus ému jusqu'aux larmes. Dans un transport d'attendrissement j'embrassai cette chère amie : « Maman, Maman, lui dis-je avec passion, ce jour m'a été promis depuis longtemps, et je ne vois rien au-delà. Mon bonheur, grâce à vous, est à son comble; puisse-t-il ne pas décliner désormais! puisse-t-il durer aussi longtemps que j'en conserverai le goût! Il ne finira qu'avec moi. »

Ainsi coulèrent mes jours heureux, et d'autant
plus heureux que, n'apercevant rien qui les dût
troubler, je n'envisageais en effet leur fin qu'avec
la mienne. Ce n'était pas que la source de mes
soucis fût absolument tarie; mais je lui voyais
prendre un autre cours que je dirigeais de mon
mieux sur des objets utiles, afin qu'elle portât son
remède avec elle. Maman aimait naturellement la
campagne, et ce goût ne s'attiédissait pas avec moi.
Peu à peu elle prit celui des soins champêtres; elle
aimait à faire valoir les terres; et elle avait sur
cela des connaissances dont elle faisait usage avec
plaisir. Non contente de ce qui dépendait de la
maison qu'elle avait prise, elle louait tantôt un
champ, tantôt un pré. Enfin, portant son humeur
entreprenante sur des objets d'agriculture, au lieu
de rester oisive dans sa maison, elle prenait le
train de devenir bientôt une grosse fermière. Je
n'aimais pas trop à la voir ainsi s'étendre, et je
m'y opposais tant que je pouvais, bien sûr qu'elle
serait toujours trompée, et que son humeur libé-
rale et prodigue porterait toujours la dépense au-
delà du produit. Toutefois je me consolais en
pensant que ce produit du moins ne serait pas nul,
et lui aiderait à vivre. De toutes les entreprises
qu'elle pouvait former, celle-là me paraissait la
moins ruineuse, et, sans y envisager comme elle
un objet de profit, j'y envisageais une occupation
continuelle, qui la garantirait des mauvaises
affaires et des escrocs. Dans cette idée je désirais
ardemment de recouvrer autant de force et de

santé qu'il m'en fallait pour veiller à ses affaires,
pour être piqueur de ses ouvriers, ou son premier
ouvrier, et naturellement l'exercice que cela
me faisait faire, m'arrachant souvent à mes livres
et me distrayant sur mon état, devait le rendre
meilleur.

L'hiver suivant, Barrillot revenant d'Italie m'apporta quelques livres, entre autres le *Bontempi* et
la *Cartella per musica* du P. Banchieri, qui me
donnèrent du goût pour l'histoire de la musique et
pour les recherches théoriques de ce bel art. Barrillot
resta quelque temps avec nous, et comme j'étais
majeur depuis plusieurs mois, il fut convenu que
j'irais le printemps suivant à Genève redemander
le bien de ma mère, ou du moins la part qui
m'en revenait, en attendant qu'on sût ce que mon
frère était devenu. Cela s'exécuta comme il avait
été résolu. J'allai à Genève, mon père y vint de
son côté. Depuis longtemps il y revenait sans qu'on
lui cherchât querelle, quoiqu'il n'eût jamais purgé
son décret : mais comme on avait de l'estime pour
son courage et du respect pour sa probité, on feignait d'avoir oublié son affaire, et les magistrats,
occupés du grand projet qui éclata peu après, ne
voulaient pas effaroucher avant le temps la bourgeoisie en lui rappelant mal à propos leur
ancienne partialité.

Je craignais qu'on ne me fît des difficultés sur
mon changement de religion; l'on n'en fit aucune.
Les lois de Genève sont à cet égard moins dures
que celles de Berne, où quiconque change de reli-

gion perd non seulement son état, mais son bien.
Le mien ne me fut donc pas disputé, mais se
trouva, je ne sais comment, réduit à fort peu de
chose. Quoiqu'on fût à peu près sûr que mon
frère était mort, on n'en avait point de preuve
juridique. Je manquais de titres suffisants pour
réclamer sa part, et je la laissai sans regret pour aider
à vivre mon père qui en a joui tant qu'il a vécu.
Sitôt que les formalités de justice furent faites et
que j'eus reçu mon argent, j'en mis quelque partie
en livres, et je volai porter le reste aux pieds
de Maman. Le cœur me battait de joie durant la
route, et le moment où je déposai cet argent dans
ses mains me fut mille fois plus doux que celui
où il entra dans les miennes. Elle le reçut avec
cette simplicité des belles âmes, qui, faisant ces
choses-là sans effort, les voient sans admiration.
Cet argent fut employé presque tout entier à mon
usage, et cela avec une égale simplicité. L'emploi
en eût exactement été le même s'il lui fût venu
d'autre part.

Cependant ma santé ne se rétablissait point; je
dépérissais au contraire à vue d'œil; j'étais pâle
comme un mort et maigre comme un squelette :
mes battements d'artères étaient terribles, mes pal-
pitations plus fréquentes; j'étais continuellement
oppressé, et ma faiblesse enfin devint telle que
j'avais peine à me mouvoir; je ne pouvais presser
le pas sans étouffer, je ne pouvais me baisser sans
avoir de vertiges, je ne pouvais soulever le plus
léger fardeau; j'étais réduit à l'inaction la plus

tourmentante pour un homme aussi remuant que
moi. Il est certain qu'il se mêlait à tout cela beau-
coup de vapeurs. Les vapeurs sont les maladies des
gens heureux, c'était la mienne : les pleurs que
je versais souvent sans raison de pleurer, les
frayeurs vives au bruit d'une feuille ou d'un oiseau,
l'inégalité d'humeur dans le calme de la plus
douce vie, tout cela marquait cet ennui du bien-
être qui fait pour ainsi dire extravaguer la sensi-
bilité. Nous sommes si peu faits pour être heureux
ici-bas, qu'il faut nécessairement que l'âme
ou le corps souffre quand ils ne souffrent pas
tous les deux, et que le bon état de l'un fait
presque toujours tort à l'autre. Quand j'aurais
pu jouir délicieusement de la vie, ma machine
en décadence m'en empêchait, sans qu'on pût dire
où la cause du mal avait son vrai siège. Dans la
suite, malgré le déclin des ans, et des maux très
réels et très graves, mon corps semble avoir repris
des forces pour mieux sentir mes malheurs, et
maintenant que j'écris ceci, infirme et presque
sexagénaire, accablé de douleurs de toute espèce,
je me sens pour souffrir plus de vigueur et de vie
que je n'en eus pour jouir à la fleur de mon âge
et dans le sein du plus vrai bonheur.

Pour m'achever, ayant fait entrer un peu de
physiologie dans mes lectures, je m'étais mis à étu-
dier l'anatomie, et passant en revue la multitude
et le jeu des pièces qui composaient ma machine,
je m'attendais à sentir détraquer tout cela vingt
fois le jour : loin d'être étonné de me trouver

mourant, je l'étais que je pusse encore vivre, et
je ne lisais pas la description d'une maladie que
je ne crusse être la mienne. Je suis sûr que si je
n'avais pas été malade, je le serais devenu par cette
fatale étude. Trouvant dans chaque maladie des
symptômes de la mienne, je croyais les avoir toutes,
et j'en gagnai par-dessus une plus cruelle encore
dont je m'étais cru délivré : la fantaisie de guérir;
c'en est une difficile à éviter quand on se met à
lire des livres de médecine. A force de chercher,
de réfléchir, de comparer, j'allai m'imaginer que la
base de mon mal était un polype au cœur, et
Salomon lui-même parut frappé de cette idée. Rai-
sonnablement je devais partir de cette opinion
pour me confirmer dans ma résolution précédente.
Je ne fis point ainsi. Je tendis tous les ressorts de
mon esprit pour chercher comment on pouvait
guérir d'un polype au cœur, résolu d'entreprendre
cette merveilleuse cure. Dans un voyage qu'Anet
avait fait à Montpellier, pour aller voir le Jardin
des Plantes et le démonstrateur, M. Sauvages, on
lui avait dit que M. Fizes avait guéri un pareil
polype. Maman s'en souvint et m'en parla. Il n'en
fallut pas davantage pour m'inspirer le désir
d'aller consulter M. Fizes. L'espoir de guérir me
fait retrouver du courage et des forces pour
entreprendre ce voyage. L'argent venu de Genève
en fournit le moyen. Maman, loin de m'en détour-
ner, m'y exhorta, et me voilà parti pour Mont-
pellier.

Je n'eus pas besoin d'aller si loin pour trouver

le médecin qu'il me fallait. Le cheval me fatiguant trop, j'avais pris une chaise à Grenoble. A Moirans, cinq ou six autres chaises arrivèrent à la file après la mienne. Pour le coup c'était vraiment l'aventure des brancards. La plupart de ces chaises étaient le cortège d'une nouvelle mariée appelée Mme du Colombier. Avec elle était une autre femme, appelée Mme de Larnage, moins jeune et moins belle que Mme du Colombier, mais non moins aimable, et qui de Romans, où s'arrêtait celle-ci, devait poursuivre sa route jusqu'au Bourg Saint-Andéol, près le Pont du Saint-Esprit. Avec la timidité qu'on me connaît, on s'attend que la connaissance ne fût pas sitôt faite avec des femmes brillantes et la suite qui les entourait; mais enfin, suivant la même route, logeant dans les mêmes auberges, et, sous peine de passer pour un loup-garou, forcé de me présenter à la même table, il fallait bien que cette connaissance se fît. Elle se fit donc, et même plus tôt que je n'aurais voulu; car tout ce fracas ne convenait guère à un malade, et surtout à un malade de mon humeur. Mais la curiosité rend ces coquines de femmes si insinuantes, que pour parvenir à connaître un homme, elles commencent par lui faire tourner la tête. Ainsi arriva de moi. Mme du Colombier, trop entourée de ses jeunes roquets, n'avait guère le temps de m'agacer, et d'ailleurs ce n'en était pas la peine, puisque nous allions nous quitter; mais Mme de Larnage, moins obsédée, avait des provisions à faire pour sa route. Voilà Mme de Larnage

qui m'entreprend, et adieu le pauvre Jean-Jacques,
ou plutôt adieu la fièvre, les vapeurs, le polype;
tout part auprès d'elle, hors certaines palpitations
qui me restèrent et dont elle ne voulait pas me
guérir. Le mauvais état de ma santé fut le pre-
mier texte de notre connaissance. On voyait que
j'étais malade, on savait que j'allais à Montpellier,
et il faut que mon air et mes manières n'annon-
çassent pas un débauché, car il fut clair dans la
suite qu'on ne m'avait pas soupçonné d'aller y
faire un tour de casserole. Quoique l'état de
maladie ne soit pas pour un homme une grande
recommandation près des dames, il me rendit
toutefois intéressant pour celles-ci. Le matin elles
envoyaient savoir de mes nouvelles et m'inviter à
prendre le chocolat avec elles; elles s'informaient
comment j'avais passé la nuit. Une fois, selon ma
louable coutume de parler sans penser, je répon-
dis que je ne savais pas. Cette réponse leur fit
croire que j'étais fou; elles m'examinèrent davan-
tage, et cet examen ne me nuisit pas. J'entendis
une fois Mme du Colombier dire à son amie : « Il
manque de monde, mais il est aimable. » Ce mot
me rassura beaucoup, et fit que je le devins en
effet.

En se familiarisant, il fallait parler de soi, dire
d'où l'on venait, qui l'on était. Cela m'embarras-
sait; car je sentais très bien que, parmi la bonne
compagnie, et avec des femmes galantes, ce mot
de nouveau converti m'allait tuer. Je ne sais par
quelle bizarrerie je m'avisai de passer pour An-

glais, je me donnai pour jacobite, on me prit
pour tel; je m'appelai Dudding, et l'on m'appela
M. Dudding. Un maudit marquis de Torignan qui
était là, malade ainsi que moi, vieux au par-dessus
et d'assez mauvaise humeur, s'avisa de lier conver-
sation avec M. Dudding. Il me parla du roi
Jacques, du prétendant, de l'ancienne cour de
Saint-Germain. J'étais sur les épines : je ne savais
de tout cela que le peu que j'en avais lu dans le
comte Hamilton et dans les gazettes; cependant
je fis de ce peu si bon usage que je me tirai
d'affaire : heureux qu'on ne se fût pas avisé de
me questionner sur la langue anglaise, dont je ne
savais pas un seul mot.

Toute la compagnie se convenait et voyait à
regret le moment de se quitter. Nous faisions des
journées de limaçon. Nous nous trouvâmes un
dimanche à Saint-Marcellin. Mme de Larnage
voulut aller à la messe, j'y fus avec elle : cela
faillit à gâter mes affaires. Je me comportai comme
j'ai toujours fait. Sur ma contenance modeste et
recueillie elle me crut dévot, et prit de moi la
plus mauvaise opinion du monde, comme elle me
l'avoua deux jours après. Il me fallut ensuite
beaucoup de galanterie pour effacer cette mauvaise
impression; ou plutôt Mme de Larnage, en femme
d'expérience et qui ne se rebutait pas aisément,
voulut bien courir les risques de ses avances pour
voir comment je m'en tirerais. Elle m'en fit beau-
coup et de telles, que bien éloigné de présumer
de ma figure, je crus qu'elle se moquait de moi.

Sur cette folie, il n'y eut sorte de bêtises que je ne fisse; c'était pis que le marquis du *Legs*. Mme de Larnage tint bon, me fit tant d'agaceries et me dit des choses si tendres, qu'un homme beaucoup moins sot eût eu bien de la peine à prendre tout cela sérieusement. Plus elle en faisait, plus elle me confirmait dans mon idée, et ce qui me tourmentait davantage était qu'à bon compte je me prenais d'amour tout de bon. Je me disais, et je lui disais en soupirant : « Ah! que tout cela n'est-il vrai! je serais le plus heureux des hommes. » Je crois que ma simplicité de novice ne fit qu'irriter sa fantaisie; elle n'en voulut pas avoir le démenti.

Nous avions laissé à Romans Mme du Colombier et sa suite. Nous continuions notre route le plus lentement et le plus agréablement du monde, Mme de Larnage, le marquis de Torignan, et moi. M. de Torignan, quoique malade et grondeur, était un assez bon homme, mais qui n'aimait pas trop à manger son pain à la fumée du rôti. Mme de Larnage cachait si peu le goût qu'elle avait pour moi, qu'il s'en aperçut plus tôt que moi-même; et ses sarcasmes malins auraient dû me donner au moins la confiance que je n'osais prendre aux bontés de la dame, si, par un travers d'esprit dont moi seul étais capable, je ne m'étais imaginé qu'ils s'entendaient pour me persifler. Cette sotte idée acheva de me renverser la tête, et me fit faire le plus plat personnage dans une situation où mon cœur, étant réellement pris, m'en pouvait dicter un assez brillant. Je ne conçois pas comment Mme de Lar-

nage ne se rebuta pas de ma maussaderie, et ne me congédia pas avec le dernier mépris. Mais c'était une femme d'esprit qui savait discerner son monde, et qui voyait bien qu'il y avait plus de bêtise que de tiédeur dans mes procédés.

Elle parvint enfin à se faire entendre, et ce ne fut pas sans peine. A Valence, nous étions arrivés pour dîner, et, selon notre louable coutume, nous y passâmes le reste du jour. Nous étions logés hors de la ville, à Saint-Jacques ; je me souviendrai toujours de cette auberge, ainsi que de la chambre que Mme de Larnage y occupait. Après le dîner elle voulut se promener : elle savait que M. de Torignan n'était pas allant ; c'était le moyen de se ménager un tête-à-tête dont elle avait bien résolu de tirer parti, car il n'y avait plus de temps à perdre pour en avoir à mettre à profit. Nous nous promenions autour de la ville le long des fossés. Là je repris la longue histoire de mes complaintes, auxquelles elle répondait d'un ton si tendre, me pressant quelquefois contre son cœur le bras qu'elle tenait, qu'il fallait une stupidité pareille à la mienne pour m'empêcher de vérifier si elle parlait sérieusement. Ce qu'il y avait d'impayable était que j'étais moi-même excessivement ému. J'ai dit qu'elle était aimable : l'amour la rendait charmante ; il lui rendait tout l'éclat de la première jeunesse, et elle ménageait ses agaceries avec tant d'art, qu'elle aurait séduit un homme à l'épreuve. J'étais donc fort mal à mon aise et toujours sur le point de m'émanciper ; mais

la crainte d'offenser ou de déplaire, la frayeur plus grande encore d'être hué, sifflé, berné, de fournir une histoire à table, et d'être complimenté sur mes entreprises par l'impitoyable Torignan, me retinrent au point d'être indigné moi-même de ma sotte honte, et de ne la pouvoir vaincre en me la reprochant. J'étais au supplice; j'avais déjà quitté mes propos de Céladon, dont je sentais tout le ridicule en si beau chemin : ne sachant plus quelle contenance tenir ni` que dire, je me taisais; j'avais l'air boudeur, enfin je faisais tout ce qu'il fallait pour m'attirer le traitement que j'avais redouté. Heureusement Mme de Larnage prit un parti plus humain. Elle interrompit brusquement ce silence en passant un bras autour de mon cou, et dans l'instant sa bouche parla trop clairement sur la mienne pour me laisser mon erreur. La crise ne pouvait se faire plus à propos. Je devins aimable. Il en était temps. Elle m'avait donné cette confiance dont le défaut m'a presque toujours empêché d'être moi. Je le fus alors. Jamais mes yeux, mes sens, mon cœur et ma bouche n'ont si bien parlé; jamais je n'ai si pleinement réparé mes torts; et si cette petite conquête avait coûté des soins à Mme de Larnage, j'eus lieu de croire qu'elle n'y avait pas de regret.

Quand je vivrais cent ans, je ne me rappellerais jamais sans plaisir le souvenir de cette charmante femme. Je dis charmante, quoiqu'elle ne fût ni belle ni jeune; mais n'étant non plus ni laide ni vieille, elle n'avait rien dans sa figure qui

empêchât son esprit et ses grâces de faire tout
leur effet. Tout au contraire des autres femmes,
ce qu'elle avait de moins frais était le visage, et
je crois que le rouge le lui avait gâté. Elle avait
ses raisons pour être facile, c'était le moyen de
valoir tout son prix. On pouvait la voir sans
l'aimer, mais non pas la posséder sans l'adorer.
Et cela prouve, ce me semble, qu'elle n'était pas
toujours aussi prodigue de ses bontés qu'elle
le fut avec moi. Elle s'était prise d'un goût
trop prompt et trop vif pour être excusable,
mais où le cœur entrait du moins autant que
les sens; et durant le temps court et délicieux
que je passai auprès d'elle j'eus lieu de croire,
aux ménagements forcés qu'elle m'imposait,
que, quoique sensuelle et voluptueuse, elle aimait
encore mieux ma santé que ses plaisirs.

Notre intelligence n'échappa pas au marquis de
Torignan. Il n'en tirait pas moins sur moi; au
contraire, il me traitait plus que jamais en pauvre
amoureux transi, martyr des rigueurs de sa dame.
Il ne lui échappa jamais un mot, un sourire, un
regard qui pût me faire soupçonner qu'il nous
eût devinés, et je l'aurais cru notre dupe, si
Mme de Larnage, qui voyait mieux que moi, ne
m'eût dit qu'il ne l'était pas, mais qu'il était ga-
lant homme; et en effet on ne saurait avoir des
attentions plus honnêtes ni se comporter plus
poliment qu'il fit toujours, même envers moi, sauf
ses plaisanteries, surtout depuis mon succès. Il m'en
attribuait l'honneur peut-être, et me supposait

moins sot que je ne l'avais paru. Il se trompait,
comme on a vu : mais n'importe, je profitais de
son erreur, et il est vrai qu'alors les rieurs étant
pour moi, je prêtais le flanc de bon cœur et d'as-
sez bonne grâce à ses épigrammes, et j'y ripostais
quelquefois, même assez heureusement, tout fier de
me faire honneur auprès de Mme de Larnage de
l'esprit qu'elle m'avait donné. Je n'étais plus le
même homme.

Nous étions dans un pays et dans une saison
de bonne chère; nous la faisions partout excel-
lente, grâce aux bons soins de M. de Torignan. Je
me serais pourtant passé qu'il les étendît jusqu'à
nos chambres, mais il envoyait devant son laquais
pour les retenir, et le coquin, soit de son chef, soit
par l'ordre de son maître, le logeait toujours à
côté de Mme de Larnage, et me fourrait à l'autre
bout de la maison. Mais cela ne m'embarrassait
guère, et nos rendez-vous n'en étaient que plus
piquants. Cette vie délicieuse dura quatre ou cinq
jours, pendant lesquels je me gorgeai, je m'enivrai
des plus douces voluptés. Je les goûtai pures, vives,
sans aucun mélange de peine : ce sont les pre-
mières et les seules que j'aie ainsi goûtées, et je
puis dire que je dois à Mme de Larnage de ne
pas mourir sans avoir connu le plaisir.

Si ce que je sentais pour elle n'était pas préci-
sément de l'amour, c'était du moins un retour si
tendre pour celui qu'elle me témoignait, c'était
une sensualité si brûlante dans le plaisir, et une
intimité si douce dans les entretiens, qu'elle avait

tout le charme de la passion sans en avoir
le délire qui tourne la tête et fait qu'on ne sait
pas jouir. Je n'ai senti l'amour vrai qu'une seule
fois en ma vie, et ce ne fut pas auprès d'elle. Je
ne l'aimais pas non plus comme j'avais aimé et
comme j'aimais Mme de Warens; mais c'était pour
cela même que je la possédais cent fois mieux.
Près de Maman mon plaisir était toujours troublé
par un sentiment de tristesse, par un secret serre-
ment de cœur que je ne surmontais pas sans
peine; au lieu de me féliciter de la posséder, je
me reprochais de l'avilir. Près de Mme de Larnage,
au contraire, fier d'être homme et d'être heu-
reux, je me livrais à mes sens avec joie, avec
confiance; je partageais l'impression que je faisais
sur les siens; j'étais assez à moi pour contempler
avec autant de vanité que de volupté mon
triomphe et pour tirer de là de quoi le redoubler.

Je ne me souviens pas de l'endroit où nous
quitta le marquis de Torignan, qui était du pays,
mais nous nous trouvâmes seuls avant d'arriver à
Montélimar, et dès lors Mme de Larnage établit
sa femme de chambre dans ma chaise et je passai
dans la sienne avec elle. Je puis assurer que la
route ne nous ennuyait pas de cette manière, et
j'aurais eu bien de la peine à dire comment le
pays que nous parcourions était fait. A Montéli-
mar, elle eut des affaires qui l'y retinrent trois
jours, durant lesquels elle ne me quitta pourtant
qu'un quart d'heure pour une visite qui lui attira
des importunités désolantes et des invitations

qu'elle n'eut garde d'accepter. Elle prétexta des incommodités, qui ne nous empêchèrent pourtant pas d'aller nous promener tous les jours tête à tête dans le plus beau pays et sous le plus beau ciel du monde. Oh! ces trois jours! J'ai dû les regretter quelquefois, il n'en est plus revenu de semblables.

Des amours de voyage ne sont pas faits pour durer. Il fallut nous séparer, et j'avoue qu'il en était temps, non que je fusse rassasié ni prêt à l'être, je m'attachais chaque jour davantage; mais, malgré toute la discrétion de la dame, il ne me restait guère que la bonne volonté, et avant de nous séparer, je voulus jouer de ce reste, ce qu'elle endura par précaution contre les filles de Montpellier. Nous donnâmes le change à nos regrets par des projets pour notre réunion. Il fut décidé que, puisque ce régime me faisait du bien, j'en userais et que j'irais passer l'hiver au Bourg-Saint-Andéol, sous la direction de Mme de Larnage. Je devais seulement rester à Montpellier cinq ou six semaines, pour lui laisser le temps de préparer les choses de manière à prévenir les caquets. Elle me donna d'amples instructions sur ce que je devais savoir, sur ce que je devais dire, sur la manière dont je devais me comporter. En attendant nous devions nous écrire. Elle me parla beaucoup et sérieusement du soin de ma santé; m'exhorta de consulter d'habiles gens, d'être très attentif à tout ce qu'ils me prescriraient, et se chargea, quelque sévère que pût être leur ordonnance, de me la faire exécuter tandis que je serais

auprès d'elle. Je crois qu'elle parlait sincèrement,
car elle m'aimait : elle m'en donna mille preuves
plus sûres que des faveurs. Elle jugea par mon
équipage que je ne nageais pas dans l'opulence;
quoiqu'elle ne fût pas riche elle-même, elle vou-
lut, à notre séparation, me forcer de partager sa
bourse, qu'elle apportait de Grenoble assez bien
garnie, et j'eus beaucoup de peine à m'en
défendre. Enfin je la quittai, le cœur tout plein
d'elle, et lui laissant, ce me semble, un véritable
attachement pour moi.

J'achevai ma route en la .recommençant dans
mes souvenirs, et pour le-coup très content d'être
dans une bonne chaise pour y rêver plus à mon
aise aux plaisirs que j'avais goûtés et à ceux qui
m'étaient promis. Je ne pensais qu'au Bourg-Saint-
Andéol et à la charmante vie qui m'y attendait;
je ne voyais que Mme de Larnage et ses entours :
tout le reste de l'univers n'était rien pour moi,
Maman même était oubliée. Je m'occupais à
combiner dans ma tête tous les détails dans les-
quels Mme de Larnage était entrée, pour me faire
d'avance une idée de sa demeure, de son voisi-
nage, de ses sociétés, de toute sa manière de vivre.
Elle avait une fille dont elle m'avait parlé très
souvent en mère idolâtre. Cette fille avait quinze
ans passés; elle était vive, charmante et d'un
caractère aimable. On m'avait promis que j'en
serais caressé : je n'avais pas oublié cette pro-
messe, et j'étais fort curieux d'imaginer comment
Mlle de Larnage traiterait le bon ami de sa ma-

man. Tels furent les sujets de mes rêveries depuis
le Pont-Saint-Esprit jusqu'à Remoulins. On m'avait
dit d'aller voir le pont du Gard; je n'y manquai
pas. Après un déjeuner d'excellentes figues, je pris
un guide, et j'allai voir le pont du Gard. C'était
le premier ouvrage des Romains que j'eusse vu.
Je m'attendais à voir un monument digne des
mains qui l'avaient construit. Pour le coup l'objet
passa mon attente; et ce fut la seule fois en ma
vie. Il n'appartenait qu'aux Romains de produire
cet effet. L'aspect de ce simple et noble ouvrage
me frappa d'autant plus qu'il est au milieu d'un
désert où le silence et la solitude rendent l'objet
plus frappant et l'admiration plus vive, car ce
prétendu pont n'était qu'un aqueduc. On se de-
mande quelle force a transporté ces pierres
énormes si loin de toute carrière, et a réuni les
bras de tant de milliers d'hommes dans un lieu
où il n'en habite aucun. Je parcourus les trois
étages de ce superbe édifice, que le respect m'em-
pêchait presque d'oser fouler sous mes pieds. Le
retentissement de mes pas sous ces immenses
voûtes me faisait croire entendre la forte voix de
ceux qui les avaient bâties. Je me perdais comme
un insecte dans cette immensité. Je sentais, tout
en me faisant petit, je ne sais quoi qui m'élevait
l'âme, et je me disais en soupirant : « Que ne suis-je
né Romain! » Je restai là plusieurs heures dans une
contemplation ravissante. Je m'en revins distrait
et rêveur, et cette rêverie ne fut pas favorable à
Mme de Larnage. Elle avait bien songé à me pré-

munir contre les filles de Montpellier, mais non contre le pont du Gard. On ne s'avise jamais de tout.

A Nîmes, j'allai voir les arènes. C'est un ouvrage beaucoup plus magnifique que le pont du Gard, et qui me fit beaucoup moins d'impression, soit que mon admiration se fût épuisée sur le premier objet, soit que la situation de l'autre au milieu d'une ville fût moins propre à l'exciter. Ce vaste et superbe cirque est entouré de vilaines petites maisons, et d'autres maisons plus petites et plus vilaines encore en remplissent l'arène, de sorte que le tout ne produit qu'un effet disparate et confus où le regret et l'indignation étouffent le plaisir et la surprise. J'ai vu depuis le cirque de Vérone, infiniment plus petit et moins beau que celui de Nîmes, mais entretenu et conservé avec toute la décence et la propreté possibles, et qui par cela même me fit une impression plus forte et plus agréable. Les Français n'ont soin de rien et ne respectent aucun monument. Ils sont tout feu pour entreprendre et ne savent rien finir ni rien conserver.

J'étais changé à tel point, et ma sensualité mise en exercice s'était si bien éveillée, que je m'arrêtai un jour au *Pont de Lunel* pour y faire bonne chère avec de la compagnie qui s'y trouva. Ce cabaret, le plus estimé de l'Europe, méritait alors de l'être. Ceux qui le tenaient avaient su tirer parti de son heureuse situation pour le tenir abondamment approvisionné et avec choix. C'était

réellement une chose curieuse de trouver dans une
maison seule et isolée au milieu de la campagne
une table fournie en poisson de mer et d'eau
douce, en gibier excellent, en vins fins, servie avec
ces attentions et ces soins qu'on ne trouve que chez
les grands et les riches, et tout cela pour vos trente-
cinq sols. Mais le *Pont de Lunel* ne resta pas long-
temps sur ce pied, et à force d'user sa réputation, la
perdit enfin tout à fait.

J'avais oublié, durant ma route, que j'étais ma-
lade; je m'en souvins en arrivant à Montpellier.
Mes vapeurs étaient bien guéries, mais tous mes
autres maux me restaient et, quoique l'habitude m'y
rendît moins sensible, c'en serait assez pour se
croire mort à qui s'en trouverait attaqué tout d'un
coup. En effet, ils étaient moins douloureux
qu'effrayants, et faisaient plus souffrir l'esprit que
le corps dont ils semblaient annoncer la destruc-
tion. Cela faisait que, distrait par des passions
vives, je ne songeais plus à mon état; mais comme
il n'était pas imaginaire, je le sentais sitôt que
j'étais de sang-froid. Je songeai donc sérieusement
aux conseils de Mme de Larnage et au but de mon
voyage. J'allai consulter les praticiens les plus
illustres, surtout M. Fizes, et, pour surabondance
de précaution, je me mis en pension chez un
médecin. C'était un Irlandais appelé Fitz-Moris,
qui tenait une table assez nombreuse d'étudiants
en médecine, et il y avait cela de commode pour
un malade à s'y mettre, que M. Fitz-Moris se
contentait d'une pension honnête pour la nourri-

ture, et ne prenait rien de ses pensionnaires pour ses soins comme médecin. Il se chargea de l'exécution des ordonnances de M. Fizes, et de veiller sur ma santé. Il s'acquitta fort bien de cet emploi quant au régime; on ne gagnait pas d'indigestion à cette pension-là, et, quoique je ne sois pas fort sensible aux privations de cette espèce, les objets de comparaison étaient si proches que je ne pouvais m'empêcher de trouver quelquefois en moi-même que M. de Torignan était un meilleur pourvoyeur que M. Fitz-Moris. Cependant, comme on ne mourait pas de faim non plus, et que toute cette jeunesse était fort gaie, cette manière de vivre me fit du bien réellement, et m'empêcha de retomber dans mes langueurs. Je passais la matinée à prendre des drogues, surtout je ne sais quelles eaux, je crois les eaux de Vals, et à écrire à Mme de Larnage; car la correspondance allait son train, et Rousseau se chargeait de retirer les lettres de son ami Dudding. A midi, j'allais faire un tour à la Canourgue, avec quelqu'un de nos jeunes commensaux, qui tous étaient de très bons enfants; on se rassemblait, on allait dîner. Après dîner une importante affaire occupait la plupart d'entre nous jusqu'au soir, c'était d'aller hors de la ville jouer le goûter en deux ou trois parties de mail. Je ne jouais pas, je n'en avais ni la force ni l'adresse; mais je pariais, et suivant, avec l'intérêt du pari, nos joueurs et leurs boules à travers des chemins raboteux et pleins de pierres, je faisais un exercice agréable et salutaire qui me convenait tout à fait.

On goûtait dans un cabaret hors la ville. Je n'ai pas besoin de dire que ces goûters étaient gais; mais j'ajouterai qu'ils étaient assez décents, quoique les filles du cabaret fussent jolies. M. Fitz-Moris, grand joueur de mail, était notre président, et je puis dire, malgré la mauvaise réputation des étudiants, que je trouvai plus de mœurs et d'honnêteté parmi toute cette jeunesse qu'il ne serait aisé d'en trouver dans le même nombre d'hommes faits. Ils étaient plus bruyants que crapuleux, et plus gais que libertins, et je me monte si aisément à un train de vie quand il est volontaire, que je n'aurais pas mieux demandé que de voir durer celui-là toujours. Il y avait parmi ces étudiants plusieurs Irlandais avec lesquels je tâchais d'apprendre quelques mots d'anglais par précaution pour le Bourg-Saint-Andéol, car le temps approchait de m'y rendre. Mme de Larnage m'en pressait chaque ordinaire, et je me préparais à lui obéir. Il était clair que mes médecins, qui n'avaient rien compris à mon mal, me regardaient comme un malade imaginaire, et me traitaient sur ce pied avec leur squine, leurs eaux, et leur petit-lait. Tout au contraire des théologiens, les médecins et les philosophes n'admettent pour vrai que ce qu'ils peuvent expliquer, et font de leur intelligence la mesure des possibles. Ces messieurs ne connaissaient rien à mon mal, donc je n'étais pas malade : car comment supposer que des docteurs ne sussent pas tout? Je vis qu'ils ne cherchaient qu'à m'amuser et me faire manger mon argent, et jugeant que

leur substitut du Bourg-Saint-Andéol ferait cela tout aussi bien qu'eux, mais plus agréablement, je résolus de lui donner la préférence, et je quittai Montpellier dans cette sage intention.

Je partis vers la fin de novembre, après six semaines ou deux mois de séjour dans cette ville, où je laissai une douzaine de louis sans aucun profit pour ma santé ni pour mon instruction, si ce n'est un cours d'anatomie commencé sous M. Fitz-Moris, et que je fus obligé d'abandonner par l'horrible puanteur des cadavres qu'on disséquait, et qu'il me fut impossible de supporter.

Mal à mon aise au-dedans de moi sur la résolution que j'avais prise, j'y réfléchissais en m'avançant toujours vers le Pont-Saint-Esprit, qui était également la route du Bourg-Saint-Andéol et de Chambéry. Les souvenirs de Maman, et ses lettres, quoique moins fréquentes que celles de Mme de Larnage, réveillaient dans mon cœur des remords que j'avais étouffés durant ma première route. Ils devinrent si vifs au retour, que, balançant l'amour du plaisir, ils me mirent en état d'écouter la raison seule. D'abord, dans le rôle d'aventurier que j'allais recommencer, je pouvais être moins heureux que la première fois; il ne fallait, dans tout le Bourg-Saint-Andéol, qu'une seule personne qui eût été en Angleterre, qui connût les Anglais, ou qui sût leur langue pour me démasquer. La famille de Mme de Larnage pouvait se prendre de mauvaise humeur contre moi et me traiter peu honnêtement. Sa fille, à laquelle malgré moi je pensais plus qu'il

n'eût fallu, m'inquiétait encore : je tremblais d'en devenir amoureux, et cette peur faisait déjà la moitié de l'ouvrage. Allais-je donc, pour prix des bontés de la mère, chercher à corrompre sa fille, à lier le plus détestable commerce, à mettre la dissension, le déshonneur, le scandale et l'enfer dans sa maison? Cette idée me fit horreur; je pris bien la ferme résolution de me combattre et de me vaincre si ce malheureux penchant venait à se déclarer. Mais pourquoi m'exposer à ce combat? Quel misérable état de vivre avec la mère, dont je serais rassasié, et de brûler pour la fille sans oser lui montrer mon cœur! Quelle nécessité d'aller chercher cet état, et m'exposer aux malheurs, aux affronts, aux remords, pour des plaisirs dont j'avais d'avance épuisé le plus grand charme? car il est certain que ma fantaisie avait perdu sa première vivacité; le goût du plaisir y était encore, mais la passion n'y était plus. A cela se mêlaient des réflexions relatives à ma situation, à mes devoirs, à cette Maman si bonne, si généreuse, qui, déjà chargée de dettes, l'était encore de mes folles dépenses, qui s'épuisait pour moi, et que je trompais si indignement. Ce reproche devint si vif qu'il l'emporta à la fin. En approchant du Saint-Esprit, je pris la résolution de brûler l'étape du Bourg-Saint-Andéol, et de passer tout droit. Je l'exécutai courageusement, avec quelques soupirs, je l'avoue, mais aussi avec cette satisfaction intérieure que je goûtais pour la première fois de ma vie, de me dire : Je mérite ma propre estime, je sais préférer

mon devoir à mon plaisir. Voilà la première obligation véritable que j'aie à l'étude. C'était elle qui m'avait appris à réfléchir, à comparer. Après les principes si purs que j'avais adoptés il y avait peu de temps, après les règles de sagesse et de vertu que je m'étais faites et que je m'étais senti si fier de suivre, la honte d'être si peu conséquent à moi-même, de démentir si tôt et si haut mes propres maximes, l'emporta sur la volupté. L'orgueil eut peut-être autant de part à ma résolution que la vertu; mais si cet orgueil n'est pas la vertu même, il a des effets si semblables, qu'il est pardonnable de s'y tromper.

L'un des avantages des bonnes actions est d'élever l'âme et de la disposer à en faire de meilleures : car telle est la faiblesse humaine, qu'on doit mettre au nombre des bonnes actions l'abstinence du mal qu'on est tenté de commettre. Sitôt que j'eus pris ma résolution je devins un autre homme, ou plutôt je redevins celui que j'étais auparavant, et que ce moment d'ivresse avait fait disparaître. Plein de bons sentiments et de bonnes résolutions, je continuai ma route dans la bonne intention d'expier ma faute, ne pensant qu'à régler désormais ma conduite sur les lois de la vertu, à me consacrer sans réserve au service de la meilleure des mères, à lui vouer autant de fidélité que j'avais d'attachement pour elle, et à n'écouter plus d'autre amour que celui de mes devoirs. Hélas! la sincérité de mon retour au bien semblait me promettre une autre destinée; mais la mienne était

écrite et déjà commencée, et quand mon cœur,
plein d'amour pour les choses bonnes et honnêtes,
ne voyait plus qu'innocence et bonheur dans la
vie, je touchais au moment funeste qui devait
traîner à sa suite la longue chaîne de mes malheurs.

L'empressement d'arriver me fit faire plus de
diligence que je n'avais compté. Je lui avais
annoncé de Valence le jour et l'heure de mon
arrivée. Ayant gagné une demi-journée sur mon
calcul, je restai autant de temps à Chaparillan,
afin d'arriver juste au moment que j'avais marqué.
Je voulais goûter dans tout son charme le plaisir
de la revoir. J'aimais mieux le différer un peu pour
y joindre celui d'être attendu. Cette précaution
m'avait toujours réussi. J'avais vu toujours mar-
quer mon arrivée par une espèce de petite fête :
je n'en attendais pas moins cette fois; et ces em-
pressements, qui m'étaient si sensibles, valaient
bien la peine d'être ménagés.

J'arrivai donc exactement à l'heure. De tout loin
je regardais si je ne la verrais point sur le chemin;
le cœur me battait de plus en plus à mesure que
j'approchais. J'arrive essoufflé, car j'avais quitté
ma voiture en ville; je ne vois personne dans la
cour, sur la porte, à la fenêtre : je commence à me
troubler, je redoute quelque accident. J'entre; tout
est tranquille; des ouvriers goûtaient dans la
cuisine; du reste aucun apprêt. La servante parut
surprise de me voir; elle ignorait que je dusse
arriver. Je monte, je la vois enfin, cette chère Ma-
man, si tendrement, si vivement, si purement

aimée; j'accours, je m'élance à ses pieds. « Ah! te voilà, petit, me dit-elle en m'embrassant; as-tu fait bon voyage? comment te portes-tu? » Cet accueil m'interdit un peu. Je lui demandai si elle n'avait pas reçu ma lettre. Elle me dit que oui. « J'aurais cru que non », lui dis-je, et l'éclaircissement finit là. Un jeune homme était avec elle. Je le connaissais pour l'avoir vu déjà dans la maison avant mon départ; mais cette fois il y paraissait établi; il l'était. Bref, je trouvai ma place prise.

Ce jeune homme était du pays de Vaud; son père, appelé Vintzenried, était concierge ou soi-disant capitaine du château de Chillon. Le fils de M. le capitaine était garçon perruquier, et courait le monde en cette qualité quand il vint se présenter à Mme de Warens, qui le reçut bien, comme elle faisait tous les passants, et surtout ceux de son pays. C'était un grand fade blondin, assez bien fait, le visage plat, l'esprit de même, parlant comme le beau Liandre; mêlant tous les tons, tous les goûts de son état avec la longue histoire de ses bonnes fortunes; ne nommant que la moitié des marquises avec lesquelles il avait couché, et prétendant n'avoir point coiffé de jolies femmes dont il n'eût aussi coiffé les maris; vain, sot, igno-rant, insolent, au demeurant le meilleur fils du monde. Tel fut le substitut qui me fut donné du-rant mon absence, et l'associé qui me fut offert après mon retour.

Oh! si les âmes dégagées de leurs terrestres en-traves voient encore du sein de l'éternelle lumière

ce qui se passe chez les mortels, pardonnez, ombre
chère et respectable, si je ne fais pas plus de grâce
à vos fautes qu'aux miennes, si je dévoile égale-
ment les unes et les autres aux yeux des lecteurs.
Je dois, je veux être vrai pour vous comme pour
moi-même : vous y perdrez toujours beaucoup
moins que moi. Eh! combien votre aimable et
doux caractère, votre inépuisable bonté de cœur,
votre franchise et toutes vos excellentes vertus ne
rachètent-elles pas de faiblesses, si l'on peut appeler
ainsi les torts de votre seule raison! Vous eûtes des
erreurs et non pas des vices; votre conduite fut
répréhensible, mais votre cœur fut toujours pur.
Qu'on mette le bien et le mal dans la balance,
et qu'on soit équitable : quelle autre femme, si sa
vie secrète était manifestée ainsi que la vôtre,
s'oserait jamais comparer à vous?

Le nouveau venu s'était montré zélé, diligent,
exact pour toutes ses petites commissions, qui
étaient toujours en grand nombre; il s'était fait le
piqueur de ses ouvriers. Aussi bruyant que je l'étais
peu, il se faisait voir et surtout entendre à la fois
à la charrue, aux foins, au bois, à l'écurie, à la
basse-cour. Il n'y avait que le jardin qu'il négli-
geait, parce que c'était un travail trop paisible et
qui ne faisait point de bruit. Son grand plaisir était
de charger et charrier, de scier ou fendre du bois;
on le voyait toujours la hache ou la pioche à la
main; on l'entendait courir, cogner, crier à pleine
tête. Je ne sais de combien d'hommes il faisait le
travail, mais il faisait toujours le bruit de dix ou

douze. Tout ce tintamarre en imposa à ma pauvre Maman. Elle crut ce jeune homme un trésor pour ses affaires. Voulant se l'attacher, elle employa pour cela tous les moyens qu'elle y crut propres, et n'oublia pas celui sur lequel elle comptait le plus.

On a dû connaître mon cœur, ses sentiments les plus constants, les plus vrais, ceux surtout qui me ramenaient en ce moment auprès d'elle. Quel prompt et plein bouleversement dans tout mon être! Qu'on se mette à ma place pour en juger. En un moment je vis évanouir pour jamais tout l'avenir de félicité que je m'étais peint. Toutes les douces idées que je caressais si affectueusement disparurent, et moi, qui depuis mon enfance ne savais voir mon existence qu'avec la sienne, je me vis seul pour la première fois. Ce moment fut affreux : ceux qui le suivirent fûrent toujours sombres. J'étais jeune encore, mais ce doux sentiment de jouissance et d'espérance qui vivifie la jeunesse me quitta pour jamais. Dès lors, l'être sensible fut mort à demi. Je ne vis plus devant moi que les tristes restes d'une vie insipide, et si quelquefois encore une image de bonheur effleura mes désirs, ce bonheur n'était plus celui qui m'était propre; je sentais qu'en l'obtenant je ne serais pas vraiment heureux.

J'étais si bête et ma confiance était si pleine, que malgré le ton familier du nouveau venu, que je regardais comme un effet de cette facilité d'humeur de Maman qui rapprochait tout le monde d'elle, je ne me serais pas avisé d'en soup-

çonner la véritable cause si elle ne me l'eût dite
elle-même; mais elle se pressa de me faire cet aveu
avec une franchise capable d'ajouter à ma rage, si
mon cœur eût pu se tourner de ce côté-là; trou-
vant quant à elle la chose toute simple, me repro-
chant ma négligence dans la maison, et m'alléguant
mes fréquentes absences, comme si elle eût été d'un
tempérament fort pressé d'en remplir les vides.
« Ah! Maman, lui dis-je, le cœur serré de douleur,
qu'osez-vous m'apprendre? Quel prix d'un attache-
ment pareil au mien? Ne m'avez-vous tant de fois
conservé la vie que pour m'ôter tout ce qui me la
rendait chère? J'en mourrai, mais vous me re-
gretterez. » Elle me répondit d'un ton tranquille à
me rendre fou, que j'étais un enfant, qu'on ne
mourait point de ces choses-là; que je ne perdrais
rien; que nous n'en serions pas moins bons amis,
pas moins intimes dans tous les sens; que son
tendre attachement pour moi ne pouvait ni dimi-
nuer ni finir qu'avec elle. Elle me fit entendre,
en un mot, que tous mes droits demeuraient les
mêmes, et qu'en les partageant avec un autre, je
n'en étais pas privé pour cela.

Jamais la pureté, la vérité, la force de mes sen-
timents pour elle, jamais la sincérité, l'honnêteté de
mon âme ne se firent mieux sentir à moi que dans
ce moment. Je me précipitai à ses pieds, j'embrassai
ses genoux en versant des torrents de larmes.
« Non, Maman, lui dis-je avec transport, je vous
aime trop pour vous avilir; votre possession m'est
trop chère pour la partager; les regrets qui l'ac-

compagnèrent quand je l'acquis se sont accrus avec mon amour; non, je ne la puis conserver au même prix. Vous aurez toujours mes adorations, soyez-en toujours digne : il m'est plus nécessaire encore de vous honorer que de vous posséder. C'est à vous, ô Maman! que je vous cède; c'est à l'union de nos cœurs que je sacrifie tous mes plaisirs. Puissé-je périr mille fois avant d'en goûter qui dégradent ce que j'aime! »

Je tins cette résolution avec une constance digne, j'ose le dire, du sentiment qui me l'avait fait former. Dès ce moment je ne vis plus cette Maman si chérie que des yeux d'un véritable fils; et il est à noter que, bien que ma résolution n'eût point son approbation secrète, comme je m'en suis trop aperçu, elle n'employa jamais pour m'y faire renoncer ni propos insinuants, ni caresses, ni aucune de ces adroites agaceries dont les femmes savent user sans se commettre et qui manquent rarement de leur réussir. Réduit à me chercher un sort indépendant d'elle, et n'en pouvant même imaginer, je passai bientôt à l'autre extrémité, et le cherchai tout en elle. Je l'y cherchai si parfaitement que je parvins presque à m'oublier moi-même. L'ardent désir de la voir heureuse, à quelque prix que ce fût, absorbait toutes mes affections : elle avait beau séparer son bonheur du mien, je le voyais mien en dépit d'elle.

Ainsi commencèrent à germer avec mes malheurs les vertus dont la semence était au fond de mon âme, que l'étude avait cultivées, et qui n'atten-

daient pour éclore que le ferment de l'adversité.
Le premier fruit de cette disposition si désintéressée
fut d'écarter de mon cœur tout sentiment de haine et
d'envie contre celui qui m'avait supplanté. Je voulus,
au contraire, et je voulus sincèrement m'attacher à ce
jeune homme, le former, travailler à son éducation,
lui faire sentir son bonheur, l'en rendre digne, s'il
était possible, et faire en un mot pour lui tout
ce qu'Anet avait fait pour moi dans une occasion
pareille. Mais la parité manquait entre les per-
sonnes. Avec plus de douceur et de lumières je
n'avais pas le sang-froid et la fermeté d'Anet, ni
cette force de caractère qui en imposait, et dont
j'aurais eu besoin pour réussir. Je trouvai encore
moins dans le jeune homme les qualités qu'Anet
avait trouvées en moi : la docilité, l'attachement,
la reconnaissance, surtout le sentiment du besoin
que j'avais de ses soins, et l'ardent désir de les
rendre utiles. Tout cela manquait ici. Celui que je
voulais former ne voyait en moi qu'un pédant
importun qui n'avait que du babil. Au contraire,
il s'admirait lui-même comme un homme impor-
tant dans la maison, et mesurant les services qu'il
y croyait rendre sur le bruit qu'il y faisait, il
regardait ses haches et ses pioches comme infini-
ment plus utiles que tous mes bouquins. A quelque
égard il n'avait pas tort; mais il partait de là pour
se donner des airs à faire mourir de rire. Il tran-
chait avec les paysans du gentilhomme campa-
gnard; bientôt il en fit autant avec moi, et enfin
avec Maman elle-même. Son nom de Vintzenried

ne lui paraissant pas assez noble, il le quitta pour celui de M. de Courtilles, et c'est sous ce dernier nom qu'il a été connu depuis à Chambéry et en Maurienne, où il s'est marié.

Enfin, tant fit l'illustre personnage qu'il fut tout dans la maison, et moi rien. Comme, lorsque j'avais le malheur de lui déplaire, c'était Maman et non pas moi qu'il grondait, la crainte de l'exposer à ses brutalités me rendait docile à tout ce qu'il désirait, et chaque fois qu'il fendait du bois, emploi qu'il remplissait avec une fierté sans égale, il fallait que je fusse là spectateur oisif et tranquille admirateur de sa prouesse. Ce garçon n'était pourtant pas absolument d'un mauvais naturel; il aimait Maman, parce qu'il était impossible de ne la pas aimer; il n'avait même pas pour moi de l'aversion, et quand les intervalles de ses fougues permettaient de lui parler, il nous écoutait quelquefois assez docilement, convenant franchement qu'il n'était qu'un sot : après quoi il n'en faisait pas moins de nouvelles sottises. Il avait d'ailleurs une intelligence si bornée et des goûts si bas, qu'il était difficile de lui parler raison et presque impossible de se plaire avec lui. A la possession d'une femme pleine de charmes, il ajouta le ragoût d'une femme de chambre vieille, rousse, édentée, dont Maman avait la patience d'endurer le dégoûtant service, quoiqu'elle lui fît mal au cœur. Je m'aperçus de ce nouveau ménage, et j'en fus outré d'indignation : mais je m'aperçus d'une autre chose qui m'affecta bien plus vivement encore, et qui me

jeta dans un plus profond découragement que tout
ce qui s'était passé jusqu'alors; ce fut le refroidis-
sement de Maman envers moi.

La privation que je m'étais imposée et qu'elle
avait fait semblant d'approuver est une de ces
choses que les femmes ne pardonnent point, quel-
que mine qu'elles fassent, moins par la privation
qui en résulte pour elles-mêmes, que par l'indiffé-
rence qu'elles y voient pour leur possession. Prenez
la femme la plus sensée, la plus philosophe, la
moins attachée à ses sens; le crime le plus irrémis-
sible que l'homme, dont au reste elle se soucie le
moins, puisse commettre envers elle, est d'en pou-
voir jouir et de n'en rien faire. Il faut bien que
ceci soit sans exception, puisqu'une sympathie si
naturelle et si forte fut altérée en elle par une
abstinence qui n'avait que des motifs de vertu,
d'attachement et d'estime. Dès lors je cessai de
trouver en elle cette intimité des cœurs qui fit
toujours la plus douce jouissance du mien. Elle ne
s'épanchait plus avec moi que quand elle avait à
se plaindre du nouveau venu; quand ils étaient
bien ensemble, j'entrais peu dans ses confidences.
Enfin elle prenait peu à peu une manière d'être
dont je ne faisais plus partie. Ma présence lui
faisait plaisir encore, mais elle ne lui faisait plus
besoin, et j'aurais passé des jours entiers sans la
voir, qu'elle ne s'en serait pas aperçue.

Insensiblement je me sentis isolé et seul dans
cette même maison dont auparavant j'étais l'âme,
et où je vivais pour ainsi dire à double. Je m'ac-

coutumai peu à peu à me séparer de tout ce qui
s'y faisait, de ceux mêmes qui l'habitaient, et pour
m'épargner de continuels déchirements, je m'en-
fermais avec mes livres, ou bien j'allais soupirer
et pleurer à mon aise au milieu des bois. Cette vie
me devint bientôt tout à fait insupportable. Je
sentis que la présence personnelle et l'éloignement
de cœur d'une femme qui m'était si chère irritaient
ma douleur, et qu'en cessant de la voir je m'en
sentirais moins cruellement séparé. Je formai le
projet de quitter sa maison; je le lui dis, et, loin
de s'y opposer, elle le favorisa. Elle avait à Gre-
noble une amie appelée Mme Deybens, dont le
mari était ami de M. de Mably, grand prévôt
à Lyon. M. Deybens me proposa l'éducation des
enfants de M. de Mably : j'acceptai, et je partis
pour Lyon, sans laisser ni presque sentir le moindre
regret d'une séparation dont auparavant la seule
idée nous eût donné les angoisses de la mort.

J'avais à peu près les connaissances nécessaires
pour un précepteur, et j'en croyais avoir le talent.
Durant un an que je passai chez M. de Mably,
j'eus le temps de me désabuser. La douceur de
mon naturel m'eût rendu propre à ce métier, si
l'emportement n'y eût mêlé ses orages. Tant que
tout allait bien, et que je voyais réussir mes soins
et mes peines, qu'alors je n'épargnais point, j'étais
un ange; j'étais un diable quand les choses allaient
de travers. Quand mes élèves ne m'entendaient pas,
j'extravaguais, et, quand ils marquaient de la mé-
chanceté, je les aurais tués : ce n'était pas le moyen

de les rendre savants et sages. J'en avais deux; ils
étaient d'humeurs très différentes. L'un de huit
à neuf ans, appelé Sainte-Marie, était d'une jolie
figure, l'esprit assez ouvert, assez vif, étourdi, badin,
malin, mais d'une malignité gaie. Le cadet, appelé
Condillac, paraissait presque stupide, musard, têtu
comme une mule, et ne pouvant rien apprendre.
On peut juger qu'entre ces deux sujets je n'avais
pas besogne faite. Avec de la patience et du sang-
froid peut-être aurais-je pu réussir; mais, faute de
l'une et de l'autre, je ne fis rien qui vaille, et mes
élèves tournaient très mal. Je ne manquais pas
d'assiduité, mais je manquais d'égalité, surtout de
prudence. Je ne savais employer auprès d'eux que
trois instruments toujours inutiles et souvent per-
nicieux auprès des enfants : le sentiment, le raison-
nement, la colère. Tantôt je m'attendrissais avec
Sainte-Marie jusqu'à pleurer; je voulais l'attendrir
lui-même, comme si l'enfance était susceptible d'une
véritable émotion de cœur; tantôt je m'épuisais
à lui parler raison, comme s'il avait pu m'entendre;
et comme il me faisait parfois des arguments très
subtils, je le prenais tout de bon pour raisonnable,
parce qu'il était raisonneur. Le petit Condillac
était encore plus embarrassant, parce que, n'enten-
dant rien, ne répondant rien, ne s'émouvant de
rien, et d'une opiniâtreté à toute épreuve, il ne
triomphait jamais mieux de moi que quand il
m'avait mis en fureur; alors c'était lui qui était le
sage, et c'était moi qui étais l'enfant. Je voyais
toutes mes fautes, je les sentais; j'étudiais l'esprit

de mes élèves, je les pénétrais très bien, et je ne crois pas que jamais une seule fois j'aie été la dupe de leurs ruses. Mais que me servait de voir le mal sans savoir appliquer le remède? En pénétrant tout je n'empêchais rien, je ne réussissais à rien, et tout ce que je faisais était précisément ce qu'il ne fallait pas faire.

Je ne réussissais guère mieux pour moi que pour mes élèves. J'avais été recommandé par Mme Deybens à Mme de Mably. Elle l'avait priée de former mes manières et de me donner le ton du monde. Elle y prit quelques soins et voulut que j'apprisse à faire les honneurs de sa maison; mais je m'y pris si gauchement, j'étais si honteux, si sot, qu'elle se rebuta, et me planta là. Cela ne m'empêcha pas de devenir, selon ma coutume, amoureux d'elle. J'en fis assez pour qu'elle s'en aperçût; mais je n'osai jamais me déclarer. Elle ne se trouva pas d'humeur à faire les avances, et j'en fus pour mes lorgneries et mes soupirs, dont même je m'ennuyai bientôt, voyant qu'ils n'aboutissaient à rien.

J'avais tout à fait perdu chez Maman le goût des petites friponneries, parce que, tout étant à moi, je n'avais rien à voler. D'ailleurs les principes élevés que je m'étais faits devaient me rendre désormais bien supérieur à de telles bassesses, et il est certain que depuis lors je l'ai d'ordinaire été : mais c'est moins pour avoir appris à vaincre mes tentations que pour en avoir coupé la racine, et j'aurais grand-peur de voler comme dans mon enfance si j'étais sujet aux mêmes désirs. J'eus la preuve de

cela chez M. de Mably. Environné de petites choses
volables que je ne regardais même pas, je m'avisai
de convoiter un certain petit vin blanc d'Arbois
très joli, dont quelques verres que par-ci par-là je
buvais à table m'avaient fort affriandé. Il était un
peu louche; je croyais savoir bien coller le vin, je
m'en vantai, on me confia celui-là; je le collai et le
gâtai, mais aux yeux seulement; il resta toujours
agréable à boire, et l'occasion fit que je m'en
accommodai de temps en temps de quelques bou-
teilles pour boire à mon aise en mon petit parti-
culier. Malheureusement je n'ai jamais pu boire
sans manger. Comment faire pour avoir du pain?
Il m'était impossible d'en mettre en réserve. En
faire acheter par les laquais, c'était me déceler, et
presque insulter le maître de la maison. En acheter
moi-même, je n'osai jamais. Un beau monsieur,
l'épée au côté, aller chez un boulanger acheter
un morceau de pain, cela se pouvait-il? Enfin je
me rappelai le pis aller d'une grande princesse à
qui l'on disait que les paysans n'avaient pas de
pain, et qui répondit : « Qu'ils mangent de la
brioche. » J'achetai de la brioche. Encore, que de
façons pour en venir là! Sorti seul à ce dessein,
je parcourais quelquefois toute la ville, et passais
devant trente pâtissiers avant d'entrer chez aucun.
Il fallait qu'il n'y eût qu'une seule personne dans
la boutique, et que sa physionomie m'attirât beau-
coup, pour que j'osasse franchir le pas. Mais aussi
quand j'avais une fois ma chère petite brioche, et
que, bien enfermé dans ma chambre, j'allais

trouver ma bouteille au fond d'une armoire,
quelles bonnes petites buvettes je faisais là tout
seul, en lisant quelques pages de roman! Car lire en
mangeant fut toujours ma fantaisie, au défaut d'un
tête-à-tête. C'est le supplément de la société qui me
manque. Je dévore alternativement une page et un
morceau : c'est comme si mon livre dînait avec moi.

Je n'ai jamais été dissolu ni crapuleux, et ne me
suis enivré de ma vie. Ainsi mes petits vols
n'étaient pas fort indiscrets : cependant ils se dé-
couvrirent; les bouteilles me décelèrent. On ne
m'en fit pas semblant, mais je n'eus plus la direc-
tion de la cave. En tout cela, M. de Mably se
conduisit honnêtement et prudemment. C'était un
très galant homme, qui, sous un air aussi dur que
son emploi, avait une véritable douceur de carac-
tère et une rare bonté de cœur. Il était judicieux,
équitable, et, ce qu'on n'attendrait pas d'un officier
de maréchaussée, même très humain. En sentant
son indulgence, je lui en devins plus attaché, et
cela me fit prolonger mon séjour dans sa maison
plus que je n'aurais fait sans cela. Mais enfin, dé-
goûté d'un métier auquel je n'étais pas propre
et d'une situation très gênante qui n'avait rien
d'agréable pour moi, après un an d'essai, durant
lequel je n'épargnai point mes soins, je me déter-
minai à quitter mes disciples, bien convaincu que
je ne parviendrais jamais à les bien élever. M. de
Mably lui-même voyait cela tout aussi bien que
moi. Cependant je crois qu'il n'eût jamais pris sur
lui de me renvoyer si je ne lui en eusse épargné

la peine; et cet excès de condescendance en pareil cas n'est assurément pas ce que j'approuve.

Ce qui me rendait mon état plus insupportable était la comparaison continuelle que j'en faisais avec celui que j'avais quitté; c'était le souvenir de mes chères Charmettes, de mon jardin, de mes arbres, de ma fontaine, de mon verger, et surtout de celle pour qui j'étais né, qui donnait de l'âme à tout cela. En repensant à elle, à nos plaisirs, à notre innocente vie, il me prenait des serrements de cœur, des étouffements qui m'ôtaient le courage de rien faire. Cent fois j'ai été violemment tenté de partir à l'instant et à pied pour retourner auprès d'elle; pourvu que je la revisse encore une fois, j'aurais été content de mourir à l'instant même. Enfin je ne pus résister à ces souvenirs si tendres, qui me rappelaient auprès d'elle à quelque prix que ce fût. Je me disais que je n'avais pas été assez patient, assez complaisant, assez caressant, que je pouvais encore vivre heureux dans une amitié très douce, en y mettant du mien plus que je n'avais fait. Je forme les plus beaux projets du monde, je brûle de les exécuter. Je quitte tout, je renonce à tout, je pars, je vole, j'arrive dans tous les mêmes transports de ma première jeunesse, et je me retrouve à ses pieds. Ah! j'y serais mort de joie si j'avais retrouvé dans son accueil, dans ses caresses, dans son cœur enfin, le quart de ce que j'y retrouvais autrefois et que j'y reportais encore.

Affreuse illusion des choses humaines! Elle me reçut toujours avec son excellent cœur, qui ne

pouvait mourir qu'avec elle; mais je venais re-
chercher le passé qui n'était plus et qui ne pouvait
renaître. A peine eus-je resté demi-heure avec elle,
que je sentis mon ancien bonheur mort pour tou-
jours. Je me retrouvai dans la même situation
désolante que j'avais été forcé de fuir, et cela sans
que je pusse dire qu'il y eût de la faute de per-
sonne; car au fond Courtilles n'était pas mauvais,
et parut me revoir avec plus de plaisir que de
chagrin. Mais comment me souffrir surnuméraire
près de celle pour qui j'avais été tout, et qui ne pou-
vait cesser d'être tout pour moi? Comment vivre
étranger dans la maison dont j'étais l'enfant? L'as-
pect des objets témoins de mon bonheur passé me
rendait la comparaison plus cruelle. J'aurais moins
souffert dans une autre habitation. Mais me voir
rappeler incessamment tant de doux souvenirs,
c'était irriter le sentiment de mes pertes. Consumé
de vains regrets, livré à la plus noire mélancolie,
je repris le train de rester seul hors les heures des
repas. Enfermé avec mes livres, j'y cherchais des
distractions utiles, et sentant le péril imminent
que j'avais tant craint autrefois, je me tourmentais
derechef à chercher en moi-même les moyens d'y
pourvoir quand Maman n'aurait plus de ressources.
J'avais mis les choses dans sa maison sur le pied
d'aller sans empirer; mais depuis moi tout était
changé. Son économe était un dissipateur. Il vou-
lait briller : bon cheval, bon équipage; il aimait
à s'étaler noblement aux yeux des voisins; il faisait
des entreprises continuelles en choses où il n'en-

tendait rien. La pension se mangeait d'avance, les
quartiers en étaient engagés, les loyers étaient
arriérés, et les dettes allaient leur train. Je pré-
voyais que cette pension ne tarderait pas d'être sai-
sie et peut-être supprimée. Enfin je n'envisageais que
ruine et désastres, et le moment m'en semblait si
proche, que j'en sentais d'avance toutes les horreurs.

Mon cher cabinet était ma seule distraction. A
force d'y chercher des remèdes contre le trouble de
mon âme, je m'avisai d'y en chercher contre les
maux que je prévoyais, et, revenant à mes anciennes
idées, me voilà bâtissant de nouveaux châteaux
en Espagne pour tirer cette pauvre Maman des
extrémités cruelles où je la voyais prête à tomber.
Je ne me sentais pas assez savant et ne me croyais
pas assez d'esprit pour briller dans la république
des lettres et faire une fortune par cette voie. Une
nouvelle idée qui se présenta m'inspira la confiance
que la médiocrité de mes talents ne pouvait me
donner. Je n'avais pas abandonné la musique en
cessant de l'enseigner; au contraire, j'en avais assez
étudié la théorie pour pouvoir me regarder au
moins comme savant en cette partie. En réfléchis-
sant à la peine que j'avais eue d'apprendre à
déchiffrer la note, et à celle que j'avais encore à
chanter à livre ouvert, je vins à penser que cette
difficulté pouvait bien venir de la chose autant que
de moi, sachant surtout qu'en général apprendre la
musique n'était pour personne une chose aisée. En
examinant la constitution des signes, je les trouvais
souvent fort mal inventés. Il y avait longtemps que

j'avais pensé à noter l'échelle par chiffres, pour éviter d'avoir toujours à tracer des lignes et portées lorsqu'il fallait noter le moindre petit air. J'avais été arrêté par les difficultés des octaves et par celles de la mesure et des valeurs. Cette ancienne idée me revint dans l'esprit, et je vis, en y repensant, que ces difficultés n'étaient pas insurmontables. J'y rêvai avec succès, et je parvins à noter quelque musique que ce fût par mes chiffres avec la plus grande exactitude, et je puis dire avec la plus grande simplicité. Dès ce moment je crus ma fortune faite, et dans l'ardeur de la partager avec celle à qui je devais tout, je ne songeai qu'à partir pour Paris, ne doutant pas qu'en présentant mon projet à l'Académie je ne fisse une révolution. J'avais rapporté de Lyon quelque argent; je vendis mes livres. En quinze jours ma résolution fut prise et exécutée. Enfin, plein des idées magnifiques qui me l'avaient inspirée, et toujours le même dans tous les temps, je partis de Savoie avec mon système de musique comme autrefois j'étais parti de Turin avec ma fontaine de Héron.

Telles ont été les erreurs et les fautes de ma jeunesse. J'en ai narré l'histoire avec une fidélité dont mon cœur est content. Si, dans la suite, j'honorai mon âge mûr de quelques vertus, je les aurais dites avec la même franchise, et c'était mon dessein. Mais il faut m'arrêter ici. Le temps peut lever bien des voiles. Si ma mémoire parvient à la postérité, peut-être un jour elle apprendra ce que j'avais à dire. Alors on saura pourquoi je me tais.

DEUXIÈME PARTIE

Ces cahiers pleins de fautes de toute espèce, et que je n'ai pas même le temps de relire, suffisent pour mettre tout ami de la vérité sur sa trace, et lui donner les moyens de s'en assurer par ses propres informations. Malheureusement, il me paraît difficile et même impossible qu'ils échappent à la vigilance de mes ennemis. S'ils tombent entre les mains d'un honnête homme [fût-il des amis de M. de Choiseul, s'ils parviennent à M. de Choiseul lui-même, je ne crois pas l'honneur de ma mémoire encore sans ressource. Mais, ô Ciel, protecteur de l'innocence, garantis ces derniers renseignements de la mienne des mains des dames de Boufflers, de Verdelin, de celles de leurs amis. Dérobe au moins à ces deux furies la mémoire d'un infortuné que tu leur as abandonné de son vivant]*.

<div align="right">J.-J. Rousseau.</div>

* Le texte entre crochets a été très consciencieusement biffé par Rousseau.

LIVRE SEPTIÈME

1741-1747

Après deux ans de silence et de patience, malgré mes résolutions, je reprends la plume. Lecteur, suspendez votre jugement sur les raisons qui m'y forcent. Vous n'en pouvez juger qu'après m'avoir lu.

On a vu s'écouler ma paisible jeunesse dans une vie égale, assez douce, sans de grandes traverses ni de grandes prospérités. Cette médiocrité fut en grande partie l'ouvrage de mon naturel ardent, mais faible, moins prompt encore à entreprendre que facile à décourager; sortant du repos par secousses, mais y rentrant par lassitude et par goût, et qui, me ramenant toujours, loin des grandes vertus et plus loin des grands vices, à la vie oiseuse et tranquille pour laquelle je me sentais né, ne m'a jamais permis d'aller à rien de grand, soit en bien, soit en mal.

Quel tableau différent j'aurais bientôt à déve-

lopper! Le sort, qui durant trente ans favorisa mes penchants, les contraria durant les trente autres, et, de cette opposition continuelle entre ma situation et mes inclinations, on verra naître des fautes énormes, des malheurs inouïs, et toutes les vertus, excepté la force, qui peuvent honorer l'adversité.

Ma première partie a été toute écrite de mémoire et j'y ai dû faire beaucoup d'erreurs. Forcé d'écrire la seconde de mémoire aussi, j'y en ferai probablement beaucoup davantage. Les doux souvenirs de mes beaux ans, passés avec autant de tranquillité que d'innocence, m'ont laissé mille impressions charmantes que j'aime sans cesse à me rappeler. On verra bientôt combien sont différents ceux du reste de ma vie. Les rappeler, c'est en renouveler l'amertume. Loin d'aigrir celle de ma situation par ces tristes retours, je les écarte autant qu'il m'est possible, et souvent j'y réussis au point de ne les pouvoir plus retrouver au besoin. Cette facilité d'oublier les maux est une consolation que le Ciel m'a ménagée dans ceux que le sort devait un jour accumuler sur moi. Ma mémoire, qui me retrace uniquement les objets agréables, est l'heureux contrepoids de mon imagination effarouchée, qui ne me fait prévoir que de cruels avenirs.

Tous les papiers que j'avais rassemblés pour suppléer à ma mémoire et me guider dans cette entreprise, passés en d'autres mains, ne rentreront plus dans les miennes. Je n'ai qu'un guide fidèle sur lequel je puisse compter, c'est la chaîne des

sentiments qui ont marqué la succession de mon être, et par eux celle des événements qui en ont été la cause ou l'effet. J'oublie aisément mes malheurs; mais je ne puis oublier mes fautes, et j'oublie encore moins mes bons sentiments. Leur souvenir m'est trop cher pour s'effacer jamais de mon cœur. Je puis faire des omissions dans les faits, des transpositions, des erreurs de dates; mais je ne puis me tromper sur ce que j'ai senti, ni sur ce que mes sentiments m'ont fait faire; et voilà de quoi principalement il s'agit. L'objet propre de mes confessions est de faire connaître exactement mon intérieur dans toutes les situations de ma vie. C'est l'histoire de mon âme que j'ai promise, et pour l'écrire fidèlement je n'ai pas besoin d'autres mémoires : il me suffit, comme j'ai fait jusqu'ici, de rentrer au-dedans de moi.

Il y a cependant, et très heureusement, un intervalle de six à sept ans dont j'ai des renseignements sûrs dans un recueil transcrit de lettres dont les originaux sont dans les mains de M. du Peyrou. Ce recueil, qui finit en 1760, comprend tout le temps de mon séjour à l'Hermitage et de ma grande brouillerie avec mes soi-disant amis : époque mémorable dans ma vie et qui fut la source de tous mes autres malheurs. A l'égard des lettres originales plus récentes qui peuvent me rester, et qui sont en très petit nombre, au lieu de les transcrire à la suite du recueil, trop volumineux pour que je puisse espérer de les soustraire à la vigilance de mes Argus, je les transcrirai dans cet écrit

même, lorsqu'elles me paraîtront fournir quelque
éclaircissement soit à mon avantage, soit à ma
charge : car je n'ai pas peur que le lecteur oublie
jamais que je fais mes confessions pour croire que
je fais mon apologie; mais il ne doit pas s'attendre
non plus que je taise la vérité lorsqu'elle parle
en ma faveur.

Au reste, cette seconde partie n'a que cette même
vérité de commune avec la première, ni d'avantage
sur elle que par l'importance des choses. A cela
près, elle ne peut que lui être inférieure en tout.
J'écrivais la première avec plaisir, avec complai-
sance, à mon aise à Wooton, ou dans le château
de Trye; tous les souvenirs que j'avais à me rap-
peler étaient autant de nouvelles jouissances. J'y
revenais sans cesse avec un nouveau plaisir, et je
pouvais tourner mes descriptions sans gêne
jusqu'à ce que j'en fusse content. Aujourd'hui, ma
mémoire et ma tête affaiblies me rendent presque
incapable de tout travail; je ne m'occupe de
celui-ci que par force et le cœur serré de détresse.
Il ne m'offre que malheurs, trahisons, perfidies,
que souvenirs attristants et déchirants. Je vou-
drais pour tout au monde pouvoir ensevelir dans
la nuit des temps ce que j'ai à dire, et, forcé de
parler malgré moi, je suis réduit encore à me
cacher, à ruser, à tâcher de donner le change, à
m'avilir aux choses pour lesquelles j'étais le moins
né; les planchers sous lesquels je suis ont des yeux,
les murs qui m'entourent ont des oreilles; envi-
ronné d'espions et de surveillants malveillants et

vigilants, inquiet et distrait, je jette à la hâte sur
le papier quelques mots interrompus qu'à peine
j'ai le temps de relire, encore moins de corriger.
Je sais que, malgré les barrières immenses qu'on
entasse sans cesse autour de moi, l'on craint tou-
jours que la vérité ne s'échappe par quelque
fissure. Comment m'y prendre pour la faire per-
cer? Je le tente avec peu d'espoir de succès. Qu'on
juge si c'est là de quoi faire des tableaux agréables
et leur donner un coloris bien attrayant! J'avertis
donc ceux qui voudront commencer cette lecture,
que rien, en la poursuivant, ne peut les garantir
de l'ennui, si ce n'est le désir d'achever de
connaître un homme, et l'amour sincère de la jus-
tice et de la vérité.

Je me suis laissé, dans ma première partie, par-
tant à regret pour Paris, déposant mon cœur aux
Charmettes, y fondant mon dernier château en
Espagne, projetant d'y rapporter un jour aux
pieds de Maman, rendue à elle-même, les trésors
que j'aurais acquis, et comptant sur mon système
de musique comme sur une fortune assurée.

Je m'arrêtai quelque temps à Lyon pour y voir
mes connaissances, pour m'y procurer quelques
recommandations pour Paris, et pour vendre mes
livres de géométrie que j'avais apportés avec moi.
Tout le monde m'y fit accueil. M. et Mme de Mably
marquèrent du plaisir à me revoir, et me don-
nèrent à dîner plusieurs fois. Je fis chez eux
connaissance avec l'abbé de Mably, comme je
l'avais déjà faite avec l'abbé de Condillac, qui

tous deux étaient venus voir leur frère. L'abbé de
Mably me donna des lettres pour Paris, entre
autres une pour M. de Fontenelle et une pour
le comte de Caylus. L'un et l'autre me furent des
connaissances très agréables, surtout le premier,
qui jusqu'à sa mort n'a point cessé de me mar-
quer de l'amitié et de me donner dans nos tête-à-
tête des conseils dont j'aurais dû mieux profiter.

Je revis M. Bordes, avec lequel j'avais depuis
longtemps fait connaissance, et qui m'avait sou-
vent obligé de grand cœur et avec le plus vrai
plaisir. En cette occasion je le retrouvai toujours
le même. Ce fut lui qui me fit vendre mes livres,
et il me donna par lui-même ou me procura de
bonnes recommandations pour Paris. Je revis
M. l'intendant, dont je devais la connaissance à
M. Bordes, et à qui je dus celle de M. le duc de
Richelieu, qui passa à Lyon dans ce temps-là.
M. Pallu me présenta à lui. M. de Richelieu me
reçut bien et me dit de l'aller voir à Paris; ce
que je fis plusieurs fois, sans pourtant que cette
haute connaissance, dont j'aurai souvent à parler
dans la suite, m'ait été jamais utile à rien.

Je revis le musicien David, qui m'avait rendu
service dans ma détresse à un de mes précédents
voyages. Il m'avait prêté ou donné un bonnet et
des bas, que je ne lui ai jamais rendus, et qu'il
ne m'a jamais redemandés, quoique nous nous
soyons revus souvent depuis ce temps-là. Je lui ai
pourtant fait dans la suite un présent à peu près
équivalent. Je dirais mieux que cela s'il s'agissait

ici de ce que j'ai dû; mais il s'agit de ce que j'ai fait, et malheureusement ce n'est pas la même chose.

Je revis le noble et généreux Perrichon, et ce ne fut pas sans me ressentir de sa magnificence ordinaire; car il me fit le même cadeau qu'il avait fait auparavant au gentil Bernard en me défrayant de ma place à la diligence. Je revis le chirurgien Parisot, le meilleur et le mieux faisant des hommes; je revis sa chère Godefroi, qu'il entretenait depuis dix ans, et dont la douceur de caractère et la bonté de cœur faisaient à peu près tout le mérite, mais qu'on ne pouvait aborder sans intérêt ni quitter sans attendrissement, car elle était au dernier terme d'une étisie dont elle mourut peu après. Rien ne montre mieux les vrais penchants d'un homme que l'espèce de ses attachements*. Quand on avait vu la douce Godefroi, on connaissait le bon Parisot.

J'avais obligation à tous ces honnêtes gens. Dans la suite je les négligeai tous, non certainement par

* A moins qu'il ne se soit d'abord trompé dans son choix ou que celle à laquelle il s'était attaché n'ait ensuite changé de caractère par un concours de causes extraordinaires; ce qui n'est pas impossible, absolument. Si l'on voulait admettre sans modification cette conséquence, il faudrait donc juger de Socrate par sa femme Xantippe, et de Dion par son ami Calippus : ce qui serait le plus inique et le plus faux jugement qu'on ait jamais porté. Au reste, qu'on écarte ici toute application injurieuse à ma femme. Elle est, il est vrai, plus bornée et plus facile à tromper que je n'avais cru; mais pour son caractère, pur, excellent, sans malice, il est digne de toute mon estime, et l'aura tant que je vivrai.

ingratitude, mais par cette invincible paresse qui m'en a souvent donné l'air. Jamais le sentiment de leurs services n'est sorti de mon cœur; mais il m'en eût moins coûté de leur prouver ma reconnaissance que de la leur témoigner assidûment. L'exactitude à écrire a toujours été au-dessus de mes forces; sitôt que je commence à me relâcher, la honte et l'embarras de réparer ma faute me la font aggraver, et je n'écris plus du tout. J'ai donc gardé le silence, et j'ai paru les oublier. Parisot et Perrichon n'y ont pas même fait attention, et je les ai toujours trouvés les mêmes; mais on verra vingt ans après, dans M. Bordes, jusqu'où l'amour-propre d'un bel esprit peut porter la vengeance lorsqu'il se croit négligé.

Avant de quitter Lyon, je ne dois pas oublier une aimable personne que j'y revis avec plus de plaisir que jamais, et qui laissa dans mon cœur des souvenirs bien tendres. C'est Mlle Serre, dont j'ai parlé dans ma première partie, et avec laquelle j'avais renouvelé connaissance tandis que j'étais chez M. de Mably. A ce voyage, ayant plus de loisir, je la vis davantage; mon cœur se prit, et très vivement. J'eus quelque lieu de penser que le sien ne m'était pas contraire, mais elle m'accorda une confiance qui m'ôta la tentation d'en abuser. Elle n'avait rien, ni moi non plus; nos situations étaient trop semblables pour que nous pussions nous unir, et, dans les vues qui m'occupaient, j'étais bien éloigné de songer au mariage. Elle m'apprit qu'un jeune négociant appelé M. Genève paraissait

vouloir s'attacher à elle. Je le vis chez elle une fois ou deux; il me parut honnête homme, il passait pour l'être. Persuadé qu'elle serait heureuse avec lui, je désirai qu'il l'épousât, comme il a fait dans la suite, et, pour ne pas troubler leurs innocentes amours, je me hâtai de partir, faisant pour le bonheur de cette charmante personne des vœux qui n'ont été exaucés ici-bas que pour un temps, hélas! bien court, car j'appris dans la suite qu'elle était morte au bout de deux ou trois ans de mariage. Occupé de mes tendres regrets durant toute ma route, je sentis et j'ai souvent senti depuis lors, en y repensant, que si les sacrifices qu'on fait au devoir et à la vertu coûtent à faire, on en est bien payé par les doux souvenirs qu'ils laissent au fond du cœur.

Autant à mon précédent voyage j'avais vu Paris par son côté défavorable, autant à celui-ci je le vis par son côté brillant; non pas toutefois quant à mon logement; car, sur une adresse que m'avait donnée M. Bordes, j'allai loger à l'hôtel Saint-Quentin, rue des Cordiers, proche la Sorbonne, vilaine rue, vilain hôtel, vilaine chambre, mais où cependant avaient logé des hommes de mérite, tels que Gresset, Bordes, les abbés de Mably, de Condillac, et plusieurs autres dont malheureusement je n'y trouvai plus aucun. Mais j'y trouvai un M. de Bonnefond, hobereau boiteux, plaideur, faisant le puriste, auquel je dus la connaissance de M. Roguin, maintenant le doyen de mes amis, et par lui celle du philosophe

Diderot, dont j'aurai beaucoup à parler dans la suite.

J'arrivai à Paris dans l'automne de 1741, avec quinze louis d'argent comptant, ma comédie de *Narcisse,* et mon projet de musique pour toute ressource, et ayant par conséquent peu de temps à perdre pour tâcher d'en tirer parti. Je me pressai de faire valoir mes recommandations. Un jeune homme qui arrive à Paris avec une figure passable, et qui s'annonce par des talents, est toujours sûr d'être accueilli. Je le fus ; cela me procura des agréments sans me mener à grand-chose. De toutes les personnes à qui je fus recommandé, trois seules me furent utiles : M. Damesin, gentilhomme savoyard, alors écuyer, et, je crois, favori de Mme la princesse de Carignan ; M. de Boze, secrétaire de l'Académie des inscriptions, et garde des médailles du cabinet du roi ; et le P. Castel, jésuite, auteur du *Clavecin oculaire.* Toutes ces recommandations, excepté celle de M. Damesin, me venaient de l'abbé de Mably.

M. Damesin pourvut au plus pressé par deux connaissances qu'il me procura : l'une de M. de Gasc, président à mortier au parlement de Bordeaux, et qui jouait très bien du violon ; l'autre, de M. l'abbé de Léon, qui logeait alors en Sorbonne, jeune seigneur très aimable, qui mourut à la fleur de son âge après avoir brillé quelques instants dans le monde sous le nom de chevalier de Rohan. L'un et l'autre eurent la fantaisie d'apprendre la composition. Je leur en donnai quelques mois de leçon

qui soutinrent un peu ma bourse tarissante. L'abbé
de Léon me prit en amitié, et voulait m'avoir pour
son secrétaire; mais il n'était pas riche, et ne put
m'offrir en tout que huit cents francs, que je refusai
bien à regret, mais qui ne pouvaient me suffire pour
mon logement, ma nourriture et mon entre-
tien.

M. de Boze me reçut fort bien. Il aimait le sa-
voir, il en avait; mais il était un peu pédant.
Mme de Boze aurait été sa fille; elle était bril-
lante et petite maîtresse. J'y dînais quelquefois. On
ne saurait avoir l'air plus gauche et plus sot que
je l'avais vis-à-vis d'elle. Son maintien dégagé
m'intimidait et rendait le mien plus plaisant. Quand
elle me présentait une assiette, j'avançais ma four-
chette pour piquer modestement un petit morceau
de ce qu'elle m'offrait, de sorte qu'elle rendait
à son laquais l'assiette qu'elle m'avait destinée,
en se tournant pour que je ne la visse pas rire.
Elle ne se doutait guère que dans la tête de ce
campagnard il ne laissait pas d'y avoir quelque
esprit. M. de Boze me présenta à M. de Réaumur,
son ami, qui venait dîner chez lui tous les ven-
dredis, jours d'Académie des sciences. Il lui parla
de mon projet, et du désir que j'avais de le sou-
mettre à l'examen de l'Académie. M. de Réaumur
se chargea de la proposition, qui fut agréée; le
jour donné, je fus introduit et présenté par M. de
Réaumur, et le même jour, 22 août 1742, j'eus
l'honneur de lire à l'Académie le mémoire que
j'avais préparé pour cela. Quoique cette illustre

assemblée fût assurément très imposante, j'y fus
bien moins intimidé que devant Mme de Boze,
et je me tirai passablement de mes lectures et de
mes réponses. Le mémoire réussit, et m'attira
des compliments, qui me surprirent autant
qu'ils me flattèrent, imaginant à peine que, devant
une Académie, quiconque n'en était pas pût
avoir le sens commun. Les commissaires qu'on
me donna furent MM. de Mairan, Hellot et
de Fouchy : tous trois gens de mérite assu-
rément, mais dont pas un ne savait la musique,
assez du moins pour être en état de juger de mon
projet.

Durant mes conférences avec ces messieurs, je me
convainquis, avec autant de certitude que de sur-
prise, que si quelquefois les savants ont moins de
préjugés que les autres hommes, ils tiennent, en
revanche, encore plus fortement à ceux qu'ils ont.
Quelque faibles, quelque fausses que fussent la plu-
part de leurs objections, et quoique j'y répondisse
timidement, je l'avoue, et en mauvais termes, mais
par des raisons péremptoires, je ne vins pas une
seule fois à bout de me faire entendre et de les
contenter. J'étais toujours ébahi de la facilité avec
laquelle, à l'aide de quelques phrases sonores, ils
me réfutaient sans m'avoir compris. Ils déterrèrent,
je ne sais où, qu'un moine appelé le P. Souhaitti
avait jadis imaginé de noter la gamme par chiffres;
c'en fut assez pour prétendre que mon système
n'était pas neuf, et passe pour cela; car bien que
je n'eusse jamais ouï parler du P. Souhaitti, et

bien que sa manière d'écrire les sept notes du
plain-chant sans même songer aux octaves ne mé-
ritât en aucune sorte d'entrer en parallèle avec ma
simple et commode invention pour noter aisément
par chiffres toute musique imaginable, clefs, silences,
octaves, mesures, temps, et valeurs des notes, choses
auxquelles Souhaitti n'avait pas même songé, il
était néanmoins très vrai de dire que, quant
à l'élémentaire expression des sept notes, il en
était le premier inventeur. Mais outre qu'ils don-
nèrent à cette invention primitive plus d'impor-
tance qu'elle n'en avait, ils ne s'en tinrent pas
là, et sitôt qu'ils voulurent parler du fond du sys-
tème, ils ne firent plus que déraisonner. Le plus
grand avantage du mien était d'abroger les trans-
positions et les clefs, en sorte que le même mor-
ceau se trouvait noté et transposé à volonté, dans
quelque ton qu'on voulût, au moyen du chan-
gement supposé d'une seule lettre initiale à la tête
de l'air. Ces Messieurs avaient ouï dire aux croque-
sol de Paris que la méthode d'exécuter par trans-
position ne valait rien. Ils partirent de là pour
tourner en invincible objection contre mon système
son avantage le plus marqué, et ils décidèrent
que ma note était bonne pour la vocale, et mau-
vaise pour l'instrumentale; au lieu de décider,
comme ils l'auraient dû, qu'elle était bonne pour
la vocale, et meilleure pour l'instrumentale. Sur
leur rapport, l'Académie m'accorda un certificat
plein de très beaux compliments à travers lesquels
on démêlait, pour le fond, qu'elle ne jugeait mon

système ni neuf ni utile. Je ne crus pas devoir orner d'une pareille pièce l'ouvrage intitulé *Dissertation sur la musique moderne,* par lequel j'en appelais au public.

J'eus lieu de remarquer en cette occasion combien, même avec un esprit borné, la connaissance unique, mais profonde, de la chose est préférable, pour en bien juger, à toutes les lumières que donne la culture des sciences, lorsqu'on n'y a pas joint l'étude particulière de celle dont il s'agit. La seule objection solide qu'il y eût à faire à mon système y fut faite par Rameau. A peine le lui eus-je expliqué, qu'il en vit le côté faible. « Vos signes, me dit-il, sont très bons en ce qu'ils déterminent simplement et clairement les valeurs, en ce qu'ils représentent nettement les intervalles et montrent toujours le simple dans le redoublé, toutes choses que ne fait pas la note ordinaire; mais ils sont mauvais en ce qu'ils exigent une opération de l'esprit qui ne peut toujours suivre la rapidité de l'exécution. La position de nos notes, continua-t-il, se peint à l'œil sans le concours de cette opération. Si deux notes, l'une très haute, l'autre très basse, sont jointes par une tirade de notes intermédiaires, je vois du premier coup d'œil le progrès de l'une à l'autre par degrés conjoints; mais pour m'assurer chez vous de cette tirade, il faut nécessairement que j'épelle tous vos chiffres l'un après l'autre : le coup d'œil ne peut suppléer à rien. » L'objection me parut sans réplique, et j'en convins à l'instant : quoiqu'elle soit simple et frap-

pante, il n'y a qu'une grande pratique de l'art qui puisse la suggérer, et il n'est pas étonnant qu'elle ne soit venue à aucun académicien; mais il l'est que tous ces grands savants, qui savent tant de choses, sachent si peu que chacun ne devrait juger que de son métier.

Mes fréquentes visites à mes commissaires et à d'autres académiciens me mirent à portée de faire connaissance avec tout ce qu'il y avait à Paris de plus distingué dans la littérature, et par là cette connaissance se trouva toute faite lorsque je me vis, dans la suite, inscrit tout d'un coup parmi eux. Quant à présent, concentré dans mon système de musique, je m'obstinais à vouloir par lui faire une révolution dans cet art, et parvenir de la sorte à une célébrité qui, dans les beaux-arts, se conjoint toujours à Paris avec la fortune. Je m'enfermai dans ma chambre et travaillai deux ou trois mois avec une ardeur inexprimable à refondre, dans un ouvrage destiné pour le public, le mémoire que j'avais lu à l'Académie. La difficulté fut de trouver un libraire qui voulût se charger de mon manuscrit, vu qu'il y avait quelque dépense à faire pour les nouveaux caractères, que les libraires ne jettent pas leurs écus à la tête des débutants, et qu'il me semblait cependant bien juste que mon ouvrage me rendît le pain que j'avais mangé en l'écrivant.

Bonnefond me procura Quillau le père, qui fit avec moi un traité à moitié profit, sans compter le privilège que je payai seul. Tant fut opéré par

ledit Quillau, que j'en fus pour mon privilège, et
n'ai tiré jamais un liard de cette édition, qui vrai-
semblablement eut un débit médiocre, quoique l'abbé
Desfontaines m'eût promis de la faire aller, et
que les autres journalistes en eussent dit assez de
bien.

Le plus grand obstacle à l'essai de mon système
était la crainte que, s'il n'était pas admis, on ne
perdît le temps qu'on mettrait à l'apprendre. Je
disais à cela que la pratique de ma note rendait
les idées si claires, que pour apprendre la musique
par les caractères ordinaires on gagnerait encore
du temps à commencer par les miens. Pour en
donner la preuve par l'expérience, j'enseignai gra-
tuitement la musique à une jeune Américaine
appelée Mlle Desroulins, dont M. Roguin m'avait
procuré la connaissance; en trois mois elle fut en
état de déchiffrer sur ma note quelque musique
que ce fût, et même de chanter à livre ouvert mieux
que moi-même toute celle qui n'était pas chargée
de difficultés. Ce succès fut frappant mais ignoré.
Un autre en aurait rempli les journaux; mais avec
quelque talent pour trouver des choses utiles, je n'en
eus jamais pour les faire valoir.

Voilà comment ma fontaine de Héron fut encore
cassée : mais cette seconde fois j'avais trente ans,
et je me trouvais sur le pavé de Paris, où l'on ne vit
pas pour rien. Le parti que je pris dans cette extré-
mité n'étonnera que ceux qui n'auront pas bien
lu ma première partie. Je venais de me donner
des mouvements aussi grands qu'inutiles; j'avais

besoin de reprendre haleine. Au lieu de me livrer au désespoir, je me livrai tranquillement à ma paresse et aux soins de la Providence, et, pour lui donner le temps de faire son œuvre, je me mis à manger, sans me presser, quelques louis qui me restaient encore, réglant la dépense de mes nonchalants plaisirs sans la retrancher, n'allant plus au café que deux jours l'un, et au spectacle que deux fois la semaine. A l'égard de la dépense des filles, je n'eus aucune réforme à y faire, n'ayant mis de ma vie un sol à cet usage, si ce n'est une seule fois, dont j'aurai bientôt à parler.

La sécurité, la volupté, la confiance avec laquelle je me livrais à cette vie indolente et solitaire, que je n'avais pas de quoi faire durer trois mois, est une des singularités de ma vie et une des bizarreries de mon humeur. L'extrême besoin que j'avais qu'on pensât à moi était précisément ce qui m'ôtait le courage de me montrer, et la nécessité de faire des visites me les rendit insupportables, au point que je cessai même de voir les académiciens et autres gens de lettres avec lesquels j'étais déjà faufilé. Marivaux, l'abbé de Mably, Fontenelle furent presque les seuls chez qui je continuai d'aller quelquefois. Je montrai même au premier ma comédie de *Narcisse*. Elle lui plut, et il eut la complaisance de la retoucher. Diderot, plus jeune qu'eux, était à peu près de mon âge. Il aimait la musique; il en savait la théorie; nous en parlions ensemble; il me parlait aussi de ses projets d'ouvrages. Cela forma bientôt entre nous des liaisons

plus intimes, qui ont duré quinze ans, et qui probablement dureraient encore si malheureusement, et bien par sa faute, je n'eusse été jeté dans son même métier.

On n'imaginerait pas à quoi j'employais ce court et précieux intervalle qui me restait encore avant d'être forcé de mendier mon pain : à étudier par cœur des passages de poètes, que j'avais appris cent fois et autant· de fois oubliés. Tous les matins, vers les dix heures, j'allais me promener au Luxembourg, un Virgile ou un Rousseau dans ma poche, et là, jusqu'à l'heure du dîner, je remémorais tantôt une· ode sacrée et tantôt une bucolique, sans me rebuter de ce qu'en repassant celle du jour je ne manquais point d'oublier celle de la veille. Je me rappelais qu'après la défaite de Nicias à Syracuse, les Athéniens captifs gagnaient leur vie à réciter les poèmes d'Homère. Le parti que je tirai de ce trait d'érudition, pour me prémunir contre la misère, fut d'exercer mon heureuse mémoire à retenir tous les poètes par cœur.

J'avais un autre expédient non moins solide dans les échecs, auxquels je consacrais régulièrement, chez Maugis, les après-midi des jours que je n'allais pas au spectacle. Je fis là connaissance avec M. de Légal, avec un M. Husson, avec Philidor, avec tous les grands joueurs d'échecs de ce temps-là, et n'en devins pas plus habile. Je ne doutais pas cependant que je ne devinsse à la fin plus fort qu'eux tous, et c'en était assez, selon moi, pour me servir de ressource. De quelque folie que je

m'engouasse, j'y portais toujours la même manière de raisonner. Je me disais : « Quiconque prime en quelque chose est toujours sûr d'être recherché. Primons donc, n'importe en quoi; je serai recherché, les occasions se présenteront, et mon mérite fera le reste. » Cet enfantillage n'était pas le sophisme de ma raison, c'était celui de mon indolence. Effrayé des grands et rapides efforts qu'il aurait fallu faire pour m'évertuer, je tâchais de flatter ma paresse, et je m'en voilais la honte par des arguments dignes d'elle.

J'attendais ainsi tranquillement la fin de mon argent, et je crois que je serais arrivé au dernier sou sans m'en émouvoir davantage, si le P. Castel, que j'allais voir quelquefois en allant au café, ne m'eût arraché de ma léthargie. Le P. Castel était fou, mais bon homme au demeurant : il était fâché de me voir consumer ainsi sans rien faire. « Puisque les musiciens, me dit-il, puisque les savants ne chantent pas à votre unisson, changez de corde et voyez les femmes. Vous réussirez peut-être mieux de ce côté-là. J'ai parlé de vous à Mme de Besenval, allez la voir de ma part. C'est une bonne femme qui verra avec plaisir un pays de son fils et de son mari. Vous verrez chez elle Mme de Broglie, sa fille, qui est une femme d'esprit. Mme Dupin en est une autre à qui j'ai aussi parlé de vous : portez-lui votre ouvrage; elle a envie de vous voir, et vous recevra bien. On ne fait rien dans Paris que par les femmes. Ce sont comme des courbes dont les sages sont les asymptotes; ils s'en

approchent sans cesse, mais ils n'y touchent jamais. »

Après avoir remis d'un jour à l'autre ces terribles corvées, je pris enfin courage, et j'allai voir Mme de Besenval. Elle me reçut avec bonté. Mme de Broglie étant entrée dans sa chambre, elle lui dit : « Ma fille, voilà M. Rousseau dont le P. Castel nous a parlé. » Mme de Broglie me fit compliment sur mon ouvrage, et me menant à son clavecin, me fit voir qu'elle s'en était occupée. Voyant à sa pendule qu'il était près d'une heure, je voulus m'en aller. Mme de Besenval me dit : « Vous êtes loin de votre quartier, restez, vous dînerez ici. » Je ne me fis pas prier. Un quart d'heure après je compris par quelque mot que le dîner auquel elle m'invitait était celui de son office. Mme de Besenval était une très bonne femme, mais bornée, et trop pleine de son illustre noblesse polonaise; elle avait peu d'idée des égards qu'on doit aux talents. Elle me jugeait même en cette occasion sur mon maintien plus que sur mon équipage, qui, quoique très simple, était fort propre, et n'annonçait point du tout un homme fait pour dîner à l'office. J'en avais oublié le chemin depuis trop longtemps pour vouloir le reprendre. Sans laisser voir tout mon dépit, je dis à Mme de Besenval qu'une petite affaire, qui me revenait en mémoire, me rappelait dans mon quartier, et je voulus partir. Mme de Broglie s'approcha de sa mère, et lui dit à l'oreille quelques mots qui firent effet. Mme de Besenval se leva pour me retenir et me dit : « Je compte que c'est avec nous que vous nous ferez

l'honneur de dîner. » Je crus que faire le fier serait
faire le sot, et je restai. D'ailleurs la bonté de
Mme de Broglie m'avait touché et me la rendait
intéressante. Je fus fort aise de dîner avec elle et
j'espérai qu'en me connaissant davantage elle
n'aurait pas regret à m'avoir procuré cet honneur.
M. le président de Lamoignon, grand ami de la
maison, y dîna aussi. Il avait, ainsi que Mme de
Broglie, ce petit jargon de Paris, tout en petits mots,
tout en petites allusions fines. Il n'y avait pas là de
quoi briller pour le pauvre Jean-Jacques. J'eus le bon
sens de ne vouloir pas faire le gentil malgré Mi-
nerve, et je me tus. Heureux si j'eusse été toujours
aussi sage! Je ne serais pas dans l'abîme où je suis
aujourd'hui.

J'étais désolé de ma lourdise, et de ne pouvoir
justifier aux yeux de Mme de Broglie ce qu'elle
avait fait en ma faveur. Après le dîner, je m'avisai
de ma ressource ordinaire. J'avais dans ma poche
une épître en vers, écrite à Parisot pendant mon
séjour à Lyon. Ce morceau ne manquait pas de
chaleur; j'en mis dans la façon de le réciter, et je
les fis pleurer tous trois. Soit vanité, soit vérité
dans mes interprétations, je crus voir que les regards
de Mme de Broglie disaient à sa mère : « Eh bien,
maman, avais-je tort de vous dire que cet homme
était plus fait pour dîner avec vous qu'avec vos
femmes? » Jusqu'à ce moment j'avais eu le cœur
un peu gros; mais après m'être ainsi vengé, je
fus content. Mme de Broglie, poussant un peu
trop loin le jugement avantageux qu'elle avait

porté de moi, crut que j'allais faire sensation dans
Paris et devenir un homme à bonnes fortunes.
Pour guider mon inexpérience, elle me donna les
*Confessions du Comte de****. « Ce livre, me dit-elle,
est un Mentor dont vous aurez besoin dans le monde :
vous ferez bien de le consulter quelquefois. » J'ai
gardé plus de vingt ans cet exemplaire avec recon-
naissance pour la main dont il me venait, mais
riant souvent de l'opinion que paraissait avoir cette
dame de mon mérite galant. Du moment que j'eus
lu cet ouvrage, je désirai d'obtenir l'amitié de l'au-
teur. Mon penchant m'inspirait très bien : c'est
le seul ami vrai que j'aie eu parmi les gens de
lettres *.

Dès lors j'osai compter que Mme la baronne de
Besenval et Mme la marquise de Broglie, prenant
intérêt à moi, ne me laisseraient pas longtemps
sans ressource, et je ne me trompai pas. Parlons
maintenant de mon entrée chez Mme Dupin, qui a
eu de plus longues suites.

Mme Dupin était, comme on sait, fille de Samuel
Bernard et de Mme Fontaine. Elles étaient trois
sœurs qu'on pouvait appeler les trois Grâces.
Mme de la Touché, qui fit une escapade en Angle-
terre avec le duc de Kingston ; Mme d'Arty, la
maîtresse, et, bien plus, l'amie, l'unique et sincère
amie de M. le prince de Conti, femme adorable

* Je l'ai cru si longtemps et si parfaitement, que c'est à lui
que, depuis mon retour à Paris, je confiai le manuscrit de mes
confessions. Le défiant J.-J. n'a jamais pu croire à la perfidie
et à la fausseté qu'après en avoir été la victime.

autant par la douceur, par la bonté de son char-
mant caractère, que par l'agrément de son esprit
et par l'inaltérable gaieté de son humeur; enfin,
Mme Dupin, la plus belle des trois, et la seule à
qui l'on n'ait point reproché d'écart dans sa
conduite. Elle fut le prix de l'hospitalité de
M. Dupin, à qui sa mère la donna avec une place
de fermier général et une fortune immense, en
reconnaissance du bon accueil qu'il lui avait fait
dans sa province. Elle était encore, quand je la vis
pour la première fois, une des plus belles femmes
de Paris. Elle me reçut à sa toilette. Elle avait les
bras nus, les cheveux épars, son peignoir mal arrangé.
Cet abord m'était très nouveau; ma pauvre tête
n'y tint pas; je me trouble, je m'égare, et bref me
voilà épris de Mme Dupin.

Mon trouble ne parut pas me nuire auprès d'elle,
elle ne s'en aperçut point. Elle accueillit le livre et
l'auteur, me parla de mon projet en personne
instruite, chanta, s'accompagna du clavecin, me
retint à dîner, me fit mettre à table à côté d'elle;
il n'en fallait pas tant pour me rendre fou; je le
devins. Elle me permit de la venir voir : j'usai,
j'abusai de la permission. J'y allais presque tous
les jours, j'y dînais deux ou trois fois la semaine.
Je mourais d'envie de parler; je n'osai jamais.
Plusieurs raisons renforçaient ma timidité natu-
relle. L'entrée d'une maison opulente était une
porte ouverte à la fortune; je ne voulais pas, dans
ma situation, risquer de me la fermer. Mme Dupin,
tout aimable qu'elle était, était sérieuse et froide;

je ne trouvais rien dans ses manières d'assez aga-
çant pour m'enhardir. Sa maison, aussi brillante
alors qu'aucune autre dans Paris, rassemblait des
sociétés auxquelles il ne manquait que d'être un
peu moins nombreuses pour être l'élite dans tous
les genres. Elle aimait à voir tous les gens qui
jetaient de l'éclat, les grands, les gens de lettres,
les belles femmes. On ne voyait chez elle que ducs,
ambassadeurs, cordons bleus. Mme la princesse de
Rohan, Mme la comtesse de Forcalquier, Mme de
Mirepoix, Mme de Brignolé, milady Hervey pou-
vaient passer pour ses amies. M. de Fontenelle,
l'abbé de Saint-Pierre, l'abbé Sallier, M. de Four-
mont, M. de Bernis, M. de Buffon, M. de Voltaire
étaient de son cercle et de ses dîners. Si son main-
tien réservé n'attirait pas beaucoup les jeunes
gens, sa société, d'autant mieux composée, n'en
était que plus imposante, et le pauvre Jean-Jacques
n'avait pas de quoi se flatter de briller beaucoup
au milieu de tout cela. Je n'osai donc parler; mais,
ne pouvant plus me taire, j'osai écrire. Elle garda
deux jours ma lettre sans m'en parler. Le troi-
sième jour elle me la rendit, m'adressant verba-
lement quelques mots d'exhortation d'un ton
froid qui me glaça. Je voulus parler, la parole
expira sur mes lèvres; ma subite passion s'étei-
gnit avec l'espérance, et, après une déclaration
dans les formes, je continuai de vivre avec elle
comme auparavant, sans plus lui parler de rien,
même des yeux.

Je crus ma sottise oubliée; je me trompai. M. de

Francueil, fils de M. Dupin et beau-fils de madame,
était à peu près de son âge et du mien. Il avait
de l'esprit, de la figure; il pouvait avoir des préten-
tions; on disait qu'il en avait auprès d'elle, uni-
quement peut-être parce qu'elle lui avait donné
une femme bien laide, bien douce, et qu'elle vivait
parfaitement bien avec tous les deux. M. de Fran-
cueil aimait et cultivait les talents. La musique, qu'il
savait fort bien, fut entre nous un moyen de liaison.
Je le vis beaucoup; je m'attachais à lui : tout d'un
coup il me fit entendre que Mme Dupin trouvait
mes visites trop fréquentes, et me priait de les
discontinuer. Ce compliment aurait pu être à sa
place quand elle me rendit ma lettre; mais huit
ou dix jours après, et sans aucune autre cause, il
venait, ce me semble, hors de propos. Cela faisait
une position d'autant plus bizarre, que je n'en
étais pas moins bien vu qu'auparavant chez M. et
Mme de Francueil. J'y allai cependant plus rare-
ment, et j'aurais cessé d'y aller tout à fait, si, par
un autre caprice imprévu, Mme Dupin ne m'avait
fait prier de veiller pendant huit ou dix jours à
son fils, qui, changeant de gouverneur, restait seul
durant cet intervalle. Je passai ces huit jours dans
un supplice que le plaisir d'obéir à Mme Dupin
pouvait seul me rendre souffrable; car le pauvre
Chenonceaux avait dès lors cette mauvaise tête qui
a failli déshonorer sa famille, et qui l'a fait mourir
à l'île de Bourbon. Pendant que je fus auprès de
lui, je l'empêchai de faire du mal à lui-même ou
à d'autres, et voilà tout : encore ne fut-ce pas une

médiocre peine, et je ne m'en serais pas chargé huit
autres jours de plus, quand Mme Dupin se serait
donnée à moi pour récompense.

M. de Francueil me prenait en amitié, je tra-
vaillais avec lui : nous commençâmes ensemble un
cours de chimie chez Rouelle. Pour me rapprocher
de lui, je quittai mon hôtel Saint-Quentin et vins
me loger au jeu de paume de la rue Verdelet, qui
donne dans la rue Plâtrière, où logeait M. Dupin.
Là, par la suite d'un rhume négligé, je gagnai
une fluxion de poitrine dont je faillis mourir. J'ai
eu souvent dans ma jeunesse de ces maladies inflam-
matoires, pleurésies, et surtout des esquinancies
auxquelles j'étais très sujet, dont je ne tiens pas
ici le registre, et qui toutes m'ont fait voir la mort
d'assez près pour me familiariser avec son image.
Durant ma convalescence, j'eus le temps de réflé-
chir sur mon état, et de déplorer ma timidité, ma
faiblesse, et mon indolence qui, malgré le feu dont
je me sentais embrasé, me laissait languir dans
l'oisiveté d'esprit, toujours à la porte de la misère.
La veille du jour où j'étais tombé malade, j'étais
allé à un opéra de Royer, qu'on donnait alors, et
dont j'ai oublié le titre. Malgré ma prévention
pour les talents des autres, qui m'a toujours fait
défier des miens, je ne pouvais m'empêcher de
trouver cette musique faible, sans chaleur, sans
invention. J'osais quelquefois me dire : « Il me
semble que je ferais mieux que cela. » Mais la
terrible idée que j'avais de la composition d'un
opéra, et l'importance que j'entendais donner

par les gens de l'art à cette entreprise, m'en rebutaient à l'instant même, et me faisaient rougir d'oser y penser. D'ailleurs où trouver quelqu'un qui voulût me fournir des paroles et prendre la peine de les tourner à mon gré? Ces idées de musique et d'opéra me revinrent durant ma maladie, et dans le transport de ma fièvre, je composais des chants, des duos, des chœurs. Je suis certain d'avoir fait deux ou trois morceaux *di prima intenzione* dignes peut-être de l'admiration des maîtres s'ils avaient pu les entendre exécuter. Oh! si l'on pouvait tenir registre des rêves d'un fiévreux, quelles grandes et sublimes choses on verrait sortir quelquefois de son délire!

Ces sujets de musique et d'opéra m'occupèrent encore pendant ma convalescence, mais plus tranquillement. A force d'y penser, et même malgré moi, je voulus en avoir le cœur net, et tenter de faire à moi seul un opéra, paroles et musique. Ce n'était pas tout à fait mon coup d'essai. J'avais fait à Chambéry un opéra-tragédie, intitulé *Iphix et Anaxarète,* que j'avais eu le bon sens de jeter au feu. J'en avais fait à Lyon un autre intitulé *La Découverte du Nouveau Monde,* dont, après l'avoir lu à M. Bordes, à l'abbé de Mably, à l'abbé Trublet et à d'autres, j'avais fini par faire le même usage, quoique j'eusse déjà fait la musique du prologue et du premier acte, et que David m'eût dit, en voyant cette musique, qu'il y avait des morceaux dignes du *Buononcini.*

Cette fois, avant de mettre la main à l'œuvre,

je me donnai le temps de méditer mon plan. Je projetai dans un ballet héroïque trois sujets différents en trois actes détachés, chacun dans un différent caractère de musique; et, prenant pour chaque sujet les amours d'un poète, j'intitulai cet opéra *Les Muses galantes.* Mon premier acte, en genre de musique forte, était le Tasse; le second, en genre de musique tendre, était Ovide; et le troisième, intitulé Anacréon, devait respirer la gaieté du dithyrambe. Je m'essayai d'abord sur le premier acte, et je m'y livrai avec une ardeur qui, pour la première fois, me fit goûter les délices de la verve dans la composition. Un soir, prêt d'entrer à l'Opéra, me sentant tourmenté, maîtrisé par mes idées, je remets mon argent dans ma poche, je cours m'enfermer chez moi, je me mets au lit, après avoir bien fermé tous mes rideaux pour empêcher le jour d'y pénétrer, et là, me livrant à tout l'œstre poétique et musical, je composai rapidement en sept ou huit heures la meilleure partie de mon acte. Je puis dire que mes amours pour la princesse de Ferrare (car j'étais le Tasse pour lors) et mes nobles et fiers sentiments vis-à-vis de son injuste frère, me donnèrent une nuit cent fois plus délicieuse que je ne l'aurais trouvée dans les bras de la princesse elle-même. Il ne resta le matin dans ma tête qu'une bien petite partie de ce que j'avais fait; mais ce peu, presque effacé par la lassitude et le sommeil, ne laissait pas de marquer encore l'énergie des morceaux dont il offrait les débris.

Pour cette fois, je ne poussai pas fort loin ce

travail, en ayant été détourné par d'autres affaires.
Tandis que je m'attachais à la maison Dupin,
Mme de Besenval et Mme de Broglie, que je
continuais de voir quelquefois, ne m'avaient pas
oublié, M. le comte de Montaigu, capitaine aux
gardes, venait d'être nommé ambassadeur à Venise.
C'était un ambassadeur de la façon de Barjac,
auquel il faisait assidûment sa cour. Son frère,
le chevalier de Montaigu, gentilhomme de la
manche de M. le Dauphin, était de la connais-
sance de ces deux dames et de celle de M. l'abbé
Alary, de l'Académie française, que je voyais aussi
quelquefois. Mme de Broglie, sachant que l'am-
bassadeur cherchait un secrétaire, me proposa.
Nous entrâmes en pourparlers. Je demandais cin-
quante louis d'appointement, ce qui était bien peu
dans une place où l'on est obligé de figurer. Il ne
voulait me donner que cent pistoles, et que je fisse
le voyage à mes frais. La proposition était ridicule.
Nous ne pûmes nous accorder. M. de Francueil,
qui faisait ses efforts pour me retenir, l'emporta.
Je restai, et M. de Montaigu partit, emmenant
un autre secrétaire appelé M. Follau, qu'on lui
avait donné au bureau des Affaires étrangères. A
peine furent-ils arrivés à Venise qu'ils se brouil-
lèrent. Follau, voyant qu'il avait affaire à un fou,
le planta là; et M. de Montaigu n'ayant qu'un
jeune abbé appelé de Binis, qui écrivait sous le
secrétaire et n'était pas en état d'en remplir la
place, eut recours à moi. Le chevalier son frère,
homme d'esprit, me tourna si bien, me faisant

entendre qu'il y avait des droits attachés à la place de secrétaire, qu'il me fit accepter les mille francs. J'eus vingt louis pour mon voyage, et je partis.

A Lyon, j'aurais bien voulu prendre la route du Mont Cenis pour voir en passant ma pauvre Maman. Mais je descendis le Rhône et fus m'embarquer à Toulon, tant à cause de la guerre et par raison d'économie, que pour prendre un passeport de M. de Mirepoix, qui commandait alors en Provence, et à qui j'étais adressé. M. de Montaigu, ne pouvant se passer de moi, m'écrivait lettre sur lettre pour presser mon voyage. Un incident le retarda.

C'était le temps de la peste de Messine. La flotte anglaise y avait mouillé et visita la felouque sur laquelle j'étais. Cela nous assujettit en arrivant à Gênes, après une longue et pénible traversée, à une quarantaine de vingt et un jours. On donna le choix aux passagers de la faire à bord ou au lazaret, dans lequel on nous prévint que nous ne trouverions que les quatre murs, parce qu'on n'avait pas encore eu le temps de le meubler. Tous choisirent la felouque. L'insupportable chaleur, l'espace étroit, l'impossibilité d'y marcher, la vermine, me firent préférer le lazaret, à tout risque. Je fus conduit dans un grand bâtiment à deux étages absolument nu, où je ne trouvai ni fenêtre, ni lit, ni table, ni chaise, pas même un escabeau pour m'asseoir, ni une botte de paille pour me coucher. On m'apporta mon manteau, mon sac de nuit, mes deux malles; on ferma sur moi de grosses

portes à grosses serrures, et je restai là, maître de me promener à mon aise de chambre en chambre et d'étage en étage, trouvant partout la même solitude et la même nudité.

Tout cela ne me fit pas repentir d'avoir choisi le lazaret plutôt que la felouque, et, comme un nouveau Robinson, je me mis à m'arranger pour mes vingt et un jours comme j'aurais fait pour toute ma vie. J'eus d'abord l'amusement d'aller à la chasse aux poux que j'avais gagnés dans la felouque. Quand, à force de changer de linge et de hardes, je me fus enfin rendu net, je procédai à l'ameublement de la chambre que je m'étais choisie. Je me fis un bon matelas de mes vestes et de mes chemises, des draps de plusieurs serviettes que je cousis, une couverture de ma robe de chambre, un oreiller de mon manteau roulé. Je me fis un siège d'une malle posée à plat, et une table de l'autre posée de champ. Je tirai du papier, une écritoire, j'arrangeai en manière de bibliothèque une douzaine de livres que j'avais. Bref, je m'accommodai si bien, qu'à l'exception des rideaux et des fenêtres, j'étais presque aussi commodément à ce lazaret absolument nu qu'à mon jeu de paume de la rue Verdelet. Mes repas étaient servis avec beaucoup de pompe; deux grenadiers, la baïonnette au bout du fusil, les escortaient; l'escalier était ma salle à manger, le palier me servait de table, la marche inférieure me servait de siège, et, quand mon dîner était servi, l'on sonnait en se retirant une clochette pour m'avertir de me mettre

à table. Entre mes repas, quand je ne lisais ni
n'écrivais, ou que je ne travaillais pas à mon ameu-
blement, j'allais me promener dans le cimetière
des protestants, qui me servait de cour, où je
montais dans une lanterne qui donnait sur le
port et d'où je pouvais voir entrer et sortir les
navires. Je passai de la sorte quatorze jours, et j'y
aurais passé la vingtaine entière sans m'ennuyer
un moment si M. de Jonville, envoyé de France,
à qui je fis parvenir une lettre vinaigrée, parfumée
et demi-brûlée, n'eût fait abréger mon temps de
huit jours : je les allai passer chez lui, et je me
trouvai mieux, je l'avoue, du gîte de sa maison que
de celui du lazaret. Il me fit force caresses. Dupont,
son secrétaire, était un bon garçon, qui me mena,
tant à Gênes qu'à la campagne, dans plusieurs
maisons où l'on s'amusait assez, et je liai avec lui
connaissance et correspondance, que nous entre-
tînmes fort longtemps. Je poursuivis agréablement
ma route à travers la Lombardie. Je vis Milan,
Vérone, Brescia, Padoue, et j'arrivai enfin à Venise,
impatiemment attendu par M. l'ambassadeur.

Je trouvai des tas de dépêches, tant de la cour
que des autres ambassadeurs, dont il n'avait pu
lire ce qui était chiffré, quoiqu'il eût tous les
chiffres nécessaires pour cela. N'ayant jamais tra-
vaillé dans aucun bureau ni vu de ma vie un
chiffre de ministre, je craignis d'abord d'être em-
barrassé; mais je trouvai que rien n'était plus
simple, et en moins de huit jours j'eus déchiffré
le tout, qui assurément n'en valait pas la peine;

car, outre que l'ambassade de Venise est toujours
assez oisive, ce n'était pas à un pareil homme qu'on
eût voulu confier la moindre négociation. Il s'était
trouvé dans un grand embarras jusqu'à mon
arrivée, ne sachant ni dicter, ni écrire lisiblement.
Je lui étais très utile; il le sentait, et me traita
bien. Un autre motif l'y portait encore. Depuis
M. de Froulay, son prédécesseur, dont la tête s'était
dérangée, le consul de France, appelé M. Le Blond,
était resté chargé des affaires de l'ambassade, et,
depuis l'arrivée de M. de Montaigu, il continuait
de les faire jusqu'à ce qu'il l'eût mis au fait. M. de
Montaigu, jaloux qu'un autre fît son métier, quoi-
que lui-même en fût incapable, prit en guignon
le consul, et, sitôt que je fus arrivé, lui ôta les
fonctions de secrétaire d'ambassade pour me les
donner. Elles étaient inséparables du titre; il me
dit de le prendre. Tant que je restai près de lui,
jamais il n'envoya que moi sous ce titre au sénat
et à son conférent; et dans le fond il était fort
naturel qu'il aimât mieux avoir pour secrétaire
d'ambassade un homme à lui, qu'un consul ou un
commis des bureaux nommé par la cour.

Cela rendit ma situation assez agréable, et em-
pêcha ses gentilshommes, qui étaient Italiens, ainsi
que ses pages et la plupart de ses gens, de me
disputer la primauté dans sa maison. Je me servis
avec succès de l'autorité qui y était attachée pour
maintenir son droit de liste, c'est-à-dire la franchise
de son quartier contre les tentatives qu'on fit plu-
sieurs fois pour l'enfreindre, et auxquelles ses offi-

ciers vénitiens n'avaient garde de résister. Mais
aussi je ne souffris jamais qu'il s'y réfugiât des ban-
dits, quoiqu'il m'en eût pu revenir des avantages
dont Son Excellence n'aurait pas dédaigné sa part.

Elle osa même la réclamer sur les droits du
secrétariat qu'on appelait la chancellerie. On était
en guerre; il ne laissait pas d'y avoir bien des
expéditions de passeports. Chacun de ces passeports
payait un sequin au secrétaire qui l'expédiait et le
contresignait. Tous mes prédécesseurs s'étaient fait
payer indistinctement ce sequin, tant des Français
que des étrangers. Je trouvai cet usage injuste; et,
sans être Français, je l'abrogeai pour les Français;
mais j'exigeai si rigoureusement mon droit de tout
autre, que le marquis Scotti, frère du favori de la
reine d'Espagne, m'ayant fait demander un passe-
port sans m'envoyer le sequin, je le lui fis deman-
der, hardiesse que le vindicatif Italien n'oublia pas.
Dès qu'on sut la réforme que j'avais faite dans la
taxe des passeports, il ne se présenta plus, pour
en avoir, que des foules de prétendus Français, qui,
dans des baragouins abominables, se disaient l'un
Provençal, l'autre Picard, l'autre Bourguignon.
Comme j'ai l'oreille assez fine, je n'en fus guère
la dupe, et je doute qu'un seul Italien m'ait
soufflé mon sequin et qu'un seul Français l'ait
payé. J'eus la bêtise de dire à M. de Montaigu, qui
ne savait rien de rien, ce que j'avais fait. Ce mot de
sequin lui fit ouvrir les oreilles, et, sans me dire
son avis sur la suppression de ceux des Français,
il prétendit que j'entrasse en compte avec lui sur

les autres, me promettant des avantages équiva-
lents. Plus indigné de cette bassesse qu'affecté par
mon propre intérêt, je rejetai hautement sa pro-
position; il insista, je m'échauffai : « Non, mon-
sieur, lui dis-je très vivement; que Votre Excellence
garde ce qui est à elle et me laisse ce qui est à moi;
je ne lui en céderai jamais un sol. » Voyant qu'il
ne gagnait rien par cette voie, il en prit une autre,
et n'eut pas honte de me dire que, puisque j'avais
les profits de sa chancellerie, il était juste que j'en
fisse les frais. Je ne voulus pas chicaner sur cet
article, et depuis lors j'ai fourni de mon argent
encre, papier, cire, bougie, nonpareille, jusqu'au
sceau, que je fis refaire, sans qu'il m'en ait rem-
boursé jamais un liard. Cela ne m'empêcha pas de
faire une petite part du produit des passeports à
l'abbé de Binis, bon garçon, et bien éloigné de pré-
tendre à rien de semblable. S'il était complaisant
envers moi, je n'étais pas moins honnête envers
lui, et nous avons toujours bien vécu ensemble.

Sur l'essai de ma besogne, je la trouvai moins
embarrassante que je n'avais craint pour un
homme sans expérience, auprès d'un ambassadeur
qui n'en avait pas davantage, et dont, pour sur-
croît, l'ignorance et l'entêtement contrariaient
comme à plaisir tout ce que le bon sens et quelques
lumières m'inspiraient de bien pour son service et
celui du roi. Ce qu'il fit de plus raisonnable fut
de se lier avec le marquis Mari, ambassadeur d'Es-
pagne, homme adroit et fin, qui l'eût mené par le
nez s'il l'eût voulu, mais qui, vu l'union d'intérêt

des deux couronnes, le conseillait d'ordinaire assez bien, si l'autre n'eût gâté ses conseils en fourrant toujours du sien dans leur exécution. La seule chose qu'ils eussent à faire de concert était d'engager les Vénitiens à maintenir la neutralité. Ceux-ci ne manquaient pas de protester de leur fidélité à l'observer, tandis qu'ils fournissaient publiquement des munitions aux troupes autrichiennes, et même des recrues, sous prétexte de désertion. M. de Montaigu, qui, je crois, voulait plaire à la République, ne manquait pas aussi, malgré mes représentations, de me faire assurer dans toutes ses dépêches qu'elle n'enfreindrait jamais la neutralité. L'entêtement et la stupidité de ce pauvre homme me faisaient écrire et faire à tout moment des extravagances dont j'étais bien forcé d'être l'agent, puisqu'il le voulait, mais qui me rendaient quelquefois mon métier insupportable et même presque impraticable. Il voulait absolument, par exemple, que la plus grande partie de sa dépêche au roi et de celle au ministre fût en chiffres, quoique l'une et l'autre ne contînt absolument rien qui demandât cette précaution. Je lui représentai qu'entre le vendredi qu'arrivaient les dépêches de la cour et le samedi que partaient les nôtres, il n'y avait pas assez de temps pour l'employer à tant de chiffres et à la forte correspondance dont j'étais chargé pour le même courrier. Il trouva à cela un expédient admirable, ce fut de faire dès le jeudi la réponse aux dépêches qui devaient arriver le lendemain. Cette idée lui

parut même si heureusement trouvée, quoi que je
pusse lui dire sur l'impossibilité, sur l'absurdité de
son exécution, qu'il en fallut passer par là; et tout
le temps que j'ai demeuré chez lui, après avoir tenu
note de quelques mots qu'il me disait dans la
semaine à la volée, et de quelques nouvelles tri-
viales que j'allais écumant par-ci par-là, muni de
ces uniques matériaux, je ne manquais jamais le
jeudi matin de lui porter le brouillon des dépêches
qui devaient partir le samedi, sauf quelques addi-
tions ou corrections que je faisais à la hâte sur
celles qui devaient venir le vendredi, et auxquelles
les nôtres servaient de réponses. Il avait un autre
tic fort plaisant et qui donnait à sa correspondance
un ridicule difficile à imaginer. C'était de ren-
voyer chaque nouvelle à sa source, au lieu de lui
faire suivre son cours. Il marquait à M. Amelot les
nouvelles de la cour, à M. de Maurepas celles de
Paris, à M. d'Havrincourt celles de Suède, à M. de
la Chetardie celles de Pétersbourg et quelquefois
à chacun celles qui venaient de lui-même, et que
j'habillais en termes un peu différents. Comme de
tout ce que je lui portais à signer il ne parcourait
que les dépêches de la cour et signait celles des
autres ambassadeurs sans les lire, cela me rendait
un peu plus le maître de tourner ces dernières à ma
mode, et j'y fis au moins croiser les nouvelles. Mais
il me fut impossible de donner un tour raisonnable
aux dépêches essentielles : heureux encore quand
il ne s'avisait pas d'y larder impromptu quelques
lignes de son estoc, qui me forçaient de retourner

transcrire en hâte toute la dépêche ornée de cette nouvelle impertinence, à laquelle il fallait donner l'honneur du chiffre, sans quoi il ne l'aurait pas signée. Je fus tenté vingt fois, pour l'amour de sa gloire, de chiffrer autre chose que ce qu'il avait dit; mais sentant que rien ne pouvait autoriser une pareille infidélité, je le laissai délirer à ses risques, content de lui parler avec franchise, et de remplir aux miens mon devoir auprès de lui.

C'est ce que je fis toujours avec une droiture, un zèle et un courage qui méritaient de sa part une autre récompense que celle que j'en reçus à la fin. Il était temps que je fusse une fois ce que le Ciel qui m'avait doué d'un heureux naturel, ce que l'éducation que j'avais reçue de la meilleure des femmes, ce que celle que je m'étais donnée à moi-même m'avait fait être; et je le fus. Livré à moi seul, sans ami, sans conseil, sans expérience, en pays étranger, servant une nation étrangère, au milieu d'une foule de fripons, qui, pour leur intérêt et pour écarter le scandale du bon exemple, m'excitaient à les imiter, loin d'en rien faire, je servis bien la France, à qui je ne devais rien, et mieux l'ambassadeur, comme il était juste, en tout ce qui dépendit de moi. Irréprochable dans un poste assez en vue, je méritai, j'obtins l'estime de la République, celle de tous les ambassadeurs avec qui nous étions en correspondance, et l'affection de tous les Français établis à Venise, sans en excepter le consul même, que je supplantais à regret dans des fonctions que je savais lui être dues,

et qui me donnaient plus d'embarras que de plaisir.

M. de Montaigu, livré sans réserve au marquis Mari, qui n'entrait pas dans le détail de ses devoirs, les négligeait à tel point que, sans moi, les Français qui étaient à Venise ne se seraient pas aperçus qu'il y eût un ambassadeur de leur nation. Toujours éconduits sans qu'il voulût les entendre lorsqu'ils avaient besoin de sa protection, ils se rebutèrent, et l'on n'en voyait plus aucun ni à sa suite ni à sa table, où il ne les invita jamais. Je fis souvent de mon chef ce qu'il aurait dû faire : je rendis aux Français qui avaient recours à lui, ou à moi, tous les services qui étaient en mon pouvoir. En tout autre pays j'aurais fait davantage; mais, ne pouvant voir personne en place à cause de la mienne, j'étais forcé de recourir souvent au consul, et le consul, établi dans le pays où il avait sa famille, avait des ménagements à garder qui l'empêchaient de faire ce qu'il aurait voulu. Quelquefois cependant, le voyant mollir et n'oser parler, je m'aventurais à des démarches hasardeuses dont plusieurs m'ont réussi. Je m'en rappelle une dont le souvenir me fait encore rire. On ne se douterait guère que c'est à moi que les amateurs du spectacle à Paris ont dû Coralline et sa sœur Camille : rien cependant n'est plus vrai. Véronèse, leur père, s'était engagé avec ses enfants pour la troupe italienne; et après avoir reçu deux mille francs pour son voyage, au lieu de partir, il s'était tranquillement mis à Venise au théâtre de Saint-

Luc*, où Coralline, tout enfant qu'elle était encore, attirait beaucoup de monde. M. le duc de Gesvres, comme premier gentilhomme de la chambre, écrivit à l'ambassadeur pour réclamer le père et la fille. M. de Montaigu, me donnant la lettre, me dit pour toute instruction : *Voyez cela.* J'allai chez M. Le Blond le prier de parler au patricien à qui appartenait le théâtre de Saint-Luc, et qui était, je crois, un Zustiniani, afin qu'il renvoyât Véronèse, qui était engagé au service du roi. Le Blond, qui ne se souciait pas trop de la commission, la fit mal. Zustiniani battit la campagne, et Véronèse ne fut point renvoyé. J'étais piqué. L'on était en carnaval. Ayant pris la bahute et le masque, je me fis mener au palais Zustiniani. Tous ceux qui virent entrer ma gondole avec la livrée de l'ambassadeur furent frappés; Venise n'avait jamais vu pareille chose. J'entre, je me fais annoncer sous le nom d'*una siora maschera.* Sitôt que je fus introduit, j'ôte mon masque et je me nomme. Le sénateur pâlit et reste stupéfait. « Monsieur, lui dis-je en vénitien, c'est à regret que j'importune Votre Excellence de ma visite; mais vous avez à votre théâtre de Saint-Luc un homme nommé Véronèse qui est engagé au service du roi et qu'on vous a fait demander inutilement : je viens le réclamer au nom de Sa Majesté. » Ma courte harangue fit effet. A peine étais-je parti, que mon homme courut rendre

* Je suis en doute si ce n'était point *Saint-Samuel.* Les noms propres m'échappent absolument.

compte de son aventure aux inquisiteurs d'État, qui lui lavèrent la tête. Véronèse fut congédié le jour même. Je lui fis dire que, s'il ne partait dans la huitaine, je le ferais arrêter; et il partit.

Dans une autre occasion, je tirai de peine un capitaine de vaisseau marchand, par moi seul et presque sans le secours de personne. Il s'appelait le capitaine Olivet, de Marseille; j'ai oublié le nom du vaisseau. Son équipage avait pris querelle avec des Esclavons au service de la République : il y avait eu des voies de fait, et le vaisseau avait été mis aux arrêts avec une telle sévérité, que personne, excepté le seul capitaine, n'y pouvait aborder ni en sortir sans permission. Il eut recours à l'ambassadeur, qui l'envoya promener; il fut au consul, qui lui dit que ce n'était pas une affaire de commerce et qu'il ne pouvait s'en mêler; ne sachant plus que faire, il revint à moi. Je représentai à M. de Montaigu qu'il devait me permettre de donner sur cette affaire un mémoire au sénat; je ne me rappelle pas s'il y consentit et si je présentai le mémoire; mais je me rappelle bien que, mes démarches n'aboutissant à rien, et l'embargo durant toujours, je pris un parti qui me réussit. J'insérai la relation de cette affaire dans une dépêche à M. de Maurepas, et j'eus même assez de peine à faire consentir M. de Montaigu à passer cet article. Je savais que nos dépêches, sans valoir trop la peine d'être ouvertes, l'étaient à Venise. J'en avais la preuve dans les articles que j'en trouvais

mot pour mot dans la gazette : infidélité dont
j'avais inutilement voulu porter l'ambassadeur à
se plaindre. Mon objet, en parlant de cette vexa-
tion dans la dépêche, était de tirer parti de leur
curiosité pour leur faire peur et les engager à
délivrer le vaisseau; car s'il eût fallu attendre pour
cela la réponse de la cour, le capitaine était ruiné
avant qu'elle fût venue. Je fis plus, je me rendis
au vaisseau pour interroger l'équipage. Je pris avec
moi l'abbé Patizel, chancelier du consulat, qui ne
vint qu'à contrecœur; tant tous ces pauvres gens
craignaient de déplaire au sénat! Ne pouvant
monter à bord à cause de la défense, je restai dans
ma gondole, et j'y dressai mon verbal, interrogeant
à haute voix et successivement tous les gens de
l'équipage, et dirigeant mes questions de manière
à tirer des réponses qui leur fussent avantageuses.
Je voulus engager Patizel à faire les interrogations
et le verbal lui-même, ce qui en effet était plus
de son métier que du mien. Il n'y voulut jamais
consentir, ne dit pas un seul mot, et voulut à peine
signer le verbal après moi. Cette démarche un peu
hardie eut cependant un heureux succès, et le vais-
seau fut délivré longtemps avant la réponse du
ministre. Le capitaine voulut me faire un présent.
Sans me fâcher, je lui dis, en lui frappant sur
l'épaule : « Capitaine Olivet, crois-tu que celui
qui ne reçoit pas des Français un droit de passe-
port qu'il trouve établi, soit homme à leur vendre
la protection du roi? » Il voulut au moins me
donner sur son bord un dîner, que j'acceptai, et

où je menai le secrétaire d'ambassade d'Espagne,
nommé Carrio, homme d'esprit et très aimable,
qu'on a vu depuis secrétaire d'ambassade à Paris
et chargé des affaires, avec lequel je m'étais inti-
mement lié, à l'exemple de nos ambassadeurs.

Heureux si, lorsque je faisais avec le plus parfait
désintéressement tout le bien que je pouvais faire,
j'avais su mettre assez d'ordre et d'attention dans
tous ces menus détails pour n'en pas être la dupe
et servir les autres à mes dépens! Mais dans des
places comme celle que j'occupais, où les moindres
fautes ne sont point sans conséquence, j'épuisais
toute mon attention pour n'en point faire contre
mon service; je fus jusqu'à la fin du plus grand
ordre et de la plus grande exactitude en tout ce
qui regardait mon devoir essentiel. Hors quelques
erreurs qu'une précipitation forcée me fit faire
en chiffrant, et dont les commis de M. Amelot se
plaignirent une fois, ni l'ambassadeur ni personne
n'eut jamais à me reprocher une seule négligence
dans aucune de mes fonctions, ce qui est à noter
pour un homme aussi négligent et aussi étourdi
que moi; mais je manquais parfois de mémoire et
de soin dans les affaires particulières dont je me
chargeais, et l'amour de la justice m'en a toujours
fait supporter le préjudice de mon propre mouve-
ment avant que personne songeât à se plaindre.
Je n'en citerai qu'un seul trait, qui se rapporte à
mon départ de Venise, et dont j'ai senti le contre-
coup dans la suite à Paris.

Notre cuisinier, appelé Rousselot, avait apporté

de France un ancien billet de deux cents francs, qu'un perruquier de ses amis avait d'un noble vénitien appelé Zanetto Nani, pour fournitures de perruques. Rousselot m'apporta ce billet, me priant de tâcher d'en tirer quelque chose par accommodement. Je savais, il savait aussi que l'usage constant des nobles vénitiens est de ne jamais payer, de retour dans leur patrie, les dettes qu'ils ont contractées en pays étranger; quand on les y veut contraindre, ils consument en tant de longueurs et de frais le malheureux créancier, qu'il se rebute, et finit par tout abandonner, ou s'accommoder presque pour rien. Je priai M. Le Blond de parler à Zanetto; celui-ci convint du billet, non du paiement. A force de batailler, il promit enfin trois sequins. Quand Le Blond lui porta le billet, les trois sequins ne se trouvèrent pas prêts; il fallut attendre. Durant cette attente survint ma querelle avec l'ambassadeur et ma sortie de chez lui. Je laissai les papiers de l'ambassade dans le plus grand ordre, mais le billet de Rousselot ne se trouva point. M. Le Blond m'assura me l'avoir rendu; je le connaissais trop honnête homme pour en douter; mais il me fut impossible de me rappeler ce qu'était devenu ce billet. Comme Zanetto avait avoué la dette, je priai M. Le Blond de tâcher d'en tirer les trois sequins sur un reçu, ou de l'engager à renouveler le billet par duplicata. Zanetto, sachant le billet perdu, ne voulut faire ni l'un ni l'autre. J'offris à Rousselot les trois sequins de ma bourse pour l'acquit du billet. Il les refusa, et me

dit que je m'accommoderais à Paris avec le créancier, dont il me donna l'adresse. Le perruquier, sachant ce qui s'était passé, voulut son billet ou son argent en entier. Que n'aurais-je point donné dans mon indignation pour retrouver ce maudit billet! Je payai les deux cents francs, et cela dans ma plus grande détresse. Voilà comment la perte du billet valut au créancier le paiement de la somme entière, tandis que si, malheureusement pour lui, ce billet se fût retrouvé, il en aurait difficilement tiré les dix écus promis par Son Excellence Zanetto Nani.

Le talent que je crus me sentir pour mon emploi me le fit remplir avec goût, et hors la société de mon ami de Carrio, celle du vertueux Altuna, dont j'aurai bientôt à parler, hors les récréations bien innocentes de la place Saint-Marc, du spectacle, et de quelques visites que nous faisions presque toujours ensemble, je fis mes seuls plaisirs de mes devoirs. Quoique mon travail ne fût pas fort pénible, surtout avec l'aide de l'abbé de Binis, comme la correspondance était très étendue et qu'on était en temps de guerre, je ne laissais pas d'être occupé raisonnablement. Je travaillais tous les jours une bonne partie de la matinée, et les jours de courrier quelquefois jusqu'à minuit. Je consacrais le reste du temps à l'étude du métier que je commençais, et dans lequel je comptais bien, par le succès de mon début, être employé plus avantageusement dans la suite. En effet, il n'y avait qu'une voix sur mon compte, à commencer par

celle de l'ambassadeur, qui se louait hautement de mon service, qui ne s'en est jamais plaint, et dont toute la fureur ne vint dans la suite que de ce que, m'étant plaint inutilement moi-même, je voulus enfin avoir mon congé. Les ambassadeurs et ministres du roi, avec qui nous étions en correspondance, lui faisaient, sur le mérite de son secrétaire, des compliments qui devaient le flatter, et qui, dans sa mauvaise tête, produisirent un effet tout contraire. Il en reçut un surtout dans une circonstance essentielle qu'il ne m'a jamais pardonné. Ceci vaut la peine d'être expliqué.

Il pouvait si peu se gêner, que le samedi même, jour de presque tous les courriers, il ne pouvait attendre pour sortir que le travail fût achevé; et me talonnant sans cesse pour expédier les dépêches du roi et des ministres, il les signait en hâte, et puis courait je ne sais où, laissant la plupart des autres lettres sans signature : ce qui me forçait, quand ce n'étaient que des nouvelles, de les tourner en bulletins; mais lorsqu'il s'agissait d'affaires qui regardaient le service du roi, il fallait bien que quelqu'un signât et je signais. J'en usai ainsi pour un avis important que nous venions de recevoir de M. Vincent, chargé des affaires du roi à Vienne. C'était dans le temps que le prince de Lobkowitz marchait à Naples, et que le comte de Gages fit cette mémorable retraite, la plus belle manœuvre de guerre de tout le siècle, et dont l'Europe a trop peu parlé. L'avis portait qu'un homme dont M. Vincent nous envoyait le signalement partait

de Vienne, et devait passer à Venise, allant fur-
tivement dans l'Abruzze, chargé d'y faire soulever
le peuple à l'approche des Autrichiens. En l'ab-
sence de M. le comte de Montaigu, qui ne s'in-
téressait à rien, je fis passer à M. le marquis de
l'Hôpital cet avis si à propos, que c'est peut-être à
ce pauvre Jean-Jacques si bafoué que la maison de
Bourbon doit la conservation du royaume de Naples.

Le marquis de l'Hôpital, en remerciant son
collègue comme il était juste, lui parla de son
secrétaire et du service qu'il venait de rendre à la
cause commune. Le comte de Montaigu, qui avait
à se reprocher sa négligence dans cette affaire, crut
entrevoir dans ce compliment un reproche, et m'en
parla avec humeur. J'avais été dans le cas d'en
user avec le comte de Castellane, ambassadeur à
Constantinople, comme avec le marquis de l'Hôpi-
tal, quoique en choses moins importantes. Comme
il n'y avait point d'autre poste pour Constan-
tinople que les courriers que le sénat envoyait de
temps en temps à son bayle, on donnait avis du
départ de ces courriers à l'ambassadeur de France,
pour qu'il pût écrire par cette voie à son collègue,
s'il le jugeait à propos. Cet avis venait d'ordinaire
un jour ou deux à l'avance : mais on faisait si peu
de cas de M. de Montaigu, qu'on se contentait
d'envoyer chez lui pour la forme, une heure ou
deux avant le départ du courrier; ce qui me mit
plusieurs fois dans le cas de faire la dépêche en
son absence. M. de Castellane, en y répondant,
faisait mention de moi en termes honnêtes; autant

en faisait à Gênes M. de Jonville; autant de nouveaux griefs.

J'avoue que je ne fuyais pas l'occasion de me faire connaître, mais je ne la cherchais pas non plus hors de propos; et il me paraissait fort juste, en servant bien, d'aspirer au prix naturel des bons services, qui est l'estime de ceux qui sont en état d'en juger et de les récompenser. Je ne dirai pas si mon exactitude à remplir mes fonctions était de la part de l'ambassadeur un légitime sujet de plainte, mais je dirai bien que c'est le seul qu'il ait articulé jusqu'au jour de notre séparation.

Sa maison, qu'il n'avait jamais mise sur un trop bon pied, se remplissait de canaille; les Français y étaient maltraités, les Italiens y prenaient l'ascendant; et même, parmi eux, les bons serviteurs attachés depuis longtemps à l'ambassade furent tous malhonnêtement chassés, entre autres son premier gentilhomme, qui l'avait été du comte de Froulay, et qu'on appelait, je crois, le comte Peati, ou d'un nom très approchant. Le second gentilhomme, du choix de M. de Montaigu, était un bandit de Mantoue, appelé Dominique Vitali, à qui l'ambassadeur confia le soin de sa maison, et qui, à force de patelinage et de basse lésine, obtint sa confiance et devint son favori, au grand préjudice du peu d'honnêtes gens qui y étaient encore, et du secrétaire qui était à leur tête. L'œil intègre d'un honnête homme est toujours inquiétant pour les fripons. Il n'en aurait pas fallu davantage pour que celui-ci me prît en haine; mais cette haine

avait une autre cause encore qui la rendit bien plus cruelle. Il faut dire cette cause, afin qu'on me condamne si j'avais tort.

L'ambassadeur avait, selon l'usage, une loge à chacun des cinq spectacles. Tous, les jours à dîner il nommait le théâtre où il voulait aller ce jour-là; je choisissais après lui, et les gentilshommes disposaient des autres loges. Je prenais en sortant la clef de la loge que j'avais choisie. Un jour, Vitali n'étant pas là, je chargeai le valet de pied qui me servait de m'apporter la mienne dans une maison que je lui indiquai. Vitali, au lieu de m'envoyer ma clef, dit qu'il en avait disposé. J'étais d'autant plus outré, que le valet de pied m'avait rendu compte de ma commission devant tout le monde. Le soir, Vitali voulut me dire quelques mots d'excuse que je ne reçus point : « Demain, monsieur, lui dis-je, vous viendrez me les faire à telle heure dans la maison où j'ai reçu l'affront et devant les gens qui en ont été témoins; ou après-demain, quoi qu'il arrive, je vous déclare que vous ou moi sortirons d'ici. » Ce ton décidé lui en imposa. Il vint au lieu et à l'heure me faire des excuses publiques avec une bassesse digne de lui; mais il prit à loisir ses mesures, et, tout en me faisant de grandes courbettes, il travailla tellement à l'italienne que, ne pouvant porter l'ambassadeur à me donner mon congé, il me mit dans la nécessité de le prendre.

Un pareil misérable n'était assurément pas fait pour me connaître; mais il connaissait de moi ce

qui servait à ses vues. Il me connaissait bon et doux à l'excès pour supporter des torts involontaires, fier et peu endurant pour des offenses préméditées, aimant la décence et la dignité dans les choses convenables, et non moins exigeant pour l'honneur qui m'était dû qu'attentif à rendre celui que je devais aux autres. C'est par là qu'il entreprit et vint à bout de me rebuter. Il mit la maison sens dessus dessous; il en ôta ce que j'avais tâché d'y maintenir de règle, de subordination, de propreté, d'ordre. Une maison sans femme a besoin d'une discipline un peu sévère pour y faire régner la modestie inséparable de la dignité. Il fit bientôt de la nôtre un lieu de crapule et de licence, un repaire de fripons et de débauchés. Il donna pour second gentilhomme à Son Excellence, à la place de celui qu'il avait fait chasser, un autre maquereau comme lui, qui tenait bordel public à la Croix-de-Malte; et ces deux coquins bien d'accord étaient d'une indécence égale à leur insolence. Hors la seule chambre de l'ambassadeur, qui même n'était pas trop en règle, il n'y avait pas un seul coin dans la maison souffrable pour un honnête homme.

Comme Son Excellence ne soupait pas, nous avions le soir, les gentilshommes et moi, une table particulière, où mangeaient aussi l'abbé de Binis et les pages. Dans la plus vilaine gargote on est servi plus proprement, plus décemment, en linge moins sale, et l'on a mieux à manger. On nous donnait une seule petite chandelle bien noire, des assiettes d'étain, des fourchettes de fer. Passe encore

pour ce qui se faisait en secret; mais on m'ôta ma gondole; seul de tous les secrétaires d'ambassadeurs, j'étais forcé d'en louer une, ou d'aller à pied, et je n'avais plus la livrée de Son Excellence que quand j'allais au sénat. D'ailleurs, rien de ce qui se passait au-dedans n'était ignoré dans la ville. Tous les officiers de l'ambassadeur jetaient les hauts cris. Dominique, la seule cause de tout, criait le plus haut, sachant bien que l'indécence avec laquelle nous étions traités m'était plus sensible qu'à tous les autres. Seul de la maison, je ne disais rien au-dehors, mais je me plaignais vivement à l'ambassadeur et du reste et de lui-même, qui, secrètement excité par son âme damnée, me faisait chaque jour quelque nouvel affront. Forcé de dépenser beaucoup pour me tenir au pair de mes confrères, et convenablement à mon poste, je ne pouvais arracher un sol de mes appointements, et quand je lui demandais de l'argent, il me parlait de son estime et de sa confiance, comme si elle eût dû remplir ma bourse et pourvoir à tout.

Ces deux bandits finirent par faire tourner tout à fait la tête à leur maître, qui ne l'avait déjà pas trop droite, et le ruinaient dans un brocantage continuel par des marchés de dupe qu'ils lui persuadaient être des marchés d'escroc. Ils lui firent louer sur la Brenta un palazzo le double de sa valeur, dont ils partagèrent le surplus avec le propriétaire. Les appartements en étaient incrustés en mosaïque et garnis de colonnes et de pilastres de très beaux marbres, à la mode du pays. M. de

Montaigu fit superbement masquer tout cela d'une
boiserie de sapin, par l'unique raison qu'à Paris les
appartements sont ainsi boisés. Ce fut par une
raison semblable que, seul de tous les ambassadeurs
qui étaient à Venise, il ôta l'épée à ses pages et la
canne à ses valets de pied. Voilà quel était l'homme
qui, toujours par le même motif peut-être, me prit
en grippe, uniquement sur ce que je le servais
fidèlement.

J'endurai patiemment ses dédains, sa brutalité,
ses mauvais traitements, tant qu'en y voyant de
l'humeur je crus n'y pas voir de la haine : mais
dès que je vis le dessein formé de me priver de
l'honneur que je méritais par mon bon service,
je résolus d'y renoncer. La première marque que je
reçus de sa mauvaise volonté fut à l'occasion d'un
dîner qu'il devait donner à M. le duc de Modène et
à sa famille, qui étaient alors à Venise, et dans lequel
il me signifia que je n'aurais pas place à sa table.
Je lui répondis piqué, mais sans me fâcher,
qu'ayant l'honneur d'y dîner journellement, si
M. le duc de Modène exigeait que je m'en abstinsse
quand il viendrait, il était de la dignité de Son
Excellence et de mon devoir de n'y pas consentir.
« Comment! dit-il avec emportement, mon secré-
taire, qui même n'est pas gentilhomme, prétend
dîner avec un souverain quand mes gentilshommes
n'y dînent pas? — Oui, monsieur, lui répliquai-je,
le poste dont m'a honoré Votre Excellence m'en-
noblit si bien tant que je le remplis, que j'ai même
le pas sur vos gentilshommes, ou soi-disant tels,

et suis admis où ils ne peuvent l'être. Vous
n'ignorez pas que, le jour que vous ferez votre
entrée publique, je suis appelé par l'étiquette, et
par un usage immémorial, à vous y suivre en habit
de cérémonie et à l'honneur d'y dîner avec vous
au palais de Saint-Marc; et je ne vois pas pourquoi
un homme qui peut et doit manger en public avec
le doge et le sénat de Venise, ne pourrait pas
manger en particulier avec M. le duc de Modène. »
Quoique l'argument fût sans réplique, l'ambassa-
deur ne s'y rendit point : mais nous n'eûmes pas
occasion de renouveler la dispute, M. le duc de
Modène n'étant point venu dîner chez lui.

Dès lors il ne cessa de me donner des désagré-
ments, de me faire des passe-droits, s'efforçant de
m'ôter les petites prérogatives attachées à mon
poste pour les transmettre à son cher Vitali; et je
suis sûr que s'il eût osé l'envoyer au sénat à ma
place, il l'aurait fait. Il employait ordinairement
l'abbé de Binis pour écrire dans son cabinet ses
lettres particulières : il se servit de lui pour écrire
à M. de Maurepas une relation de l'affaire du
capitaine Olivet, dans laquelle, loin de lui faire
aucune mention de moi qui seul m'en étais mêlé,
il m'ôtait même l'honneur du verbal, dont il lui
envoyait un double, pour l'attribuer à Patizel, qui
n'avait pas dit un seul mot. Il voulait me mortifier
et complaire à son favori; mais non pas se défaire
de moi. Il sentait qu'il ne lui serait plus aussi
aisé de me trouver un successeur qu'à M. Follau,
qui l'avait déjà fait connaître. Il lui fallait abso-

lument un secrétaire qui sût l'italien à cause des
réponses du sénat; qui fît toutes ses dépêches,
toutes ses affaires, sans qu'il se mêlât de rien; qui
joignît au mérite de le bien servir la bassesse d'être
le complaisant de messieurs ses faquins de gentils-
hommes. Il voulait donc me garder et me mater, en
me tenant loin de mon pays et du sien, sans
argent pour y retourner : et il aurait réussi, peut-
être, s'il s'y fût pris modérément : mais Vitali, qui
avait d'autres vues, et qui voulait me forcer de
prendre mon parti, en vint à bout. Dès que je vis
que je perdais toutes mes peines, que l'ambassadeur
me faisait des crimes de mes services au lieu de
m'en savoir gré, que je n'avais plus à espérer chez
lui que désagréments au-dedans, injustice au-dehors,
et que dans le décri général où il s'était mis,
ses mauvais offices pouvaient me nuire sans que
les bons pussent me servir, je pris mon parti et lui
demandai mon congé, lui laissant le temps de se
pourvoir d'un secrétaire. Sans me dire ni oui, ni
non, il alla toujours son train. Voyant que rien
n'allait mieux et qu'il ne se mettait en devoir de
chercher personne, j'écrivis à son frère, et, lui
détaillant mes motifs, je le priai d'obtenir mon
congé de Son Excellence, ajoutant que de manière
ou d'autre il m'était impossible de rester. J'attendis
longtemps et n'eus point de réponse. Je com-
mençais d'être fort embarrassé, mais l'ambassadeur
reçut enfin une lettre de son frère. Il fallait qu'elle
fût vive, car, quoiqu'il fût sujet à des emporte-
ments très féroces, je ne lui en vis jamais un pareil.

Après des torrents d'injures abominables, ne sachant plus que dire, il m'accusa d'avoir vendu ses chiffres. Je me mis à rire et lui demandai d'un ton moqueur s'il croyait qu'il y eût dans tout Venise un homme assez sot pour en donner un écu. Cette réponse le fit écumer de rage. Il fit mine d'appeler ses gens pour me faire, dit-il, jeter par la fenêtre. Jusque-là j'avais été fort tranquille; mais à cette menace la colère et l'indignation me transportèrent à mon tour. Je m'élançai vers la porte; et après avoir tiré un bouton qui la fermait en dedans : « Non pas, monsieur le comte, lui dis-je en revenant à lui d'un pas grave; vos gens ne se mêleront pas de cette affaire, trouvez bon qu'elle se passe entre nous. » Mon action, mon air le calmèrent à l'instant même : la surprise et l'effroi se marquèrent dans son maintien. Quand je le vis revenu de sa furie, je lui fis mes adieux en peu de mots; puis, sans attendre sa réponse, j'allai rouvrir la porte, je sortis, et passai posément dans l'antichambre au milieu de ses gens, qui se levèrent à l'ordinaire, et qui, je crois, m'auraient plutôt prêté main-forte contre lui qu'à lui contre moi. Sans remonter chez moi, je descendis l'escalier tout de suite, et sortis sur-le-champ du palais pour n'y plus rentrer.

J'allai droit chez M. Le Blond lui conter l'aventure. Il en fut peu surpris; il connaissait l'homme. Il me retint à dîner. Ce dîner, quoique impromptu, fut brillant. Tous les Français de considération qui étaient à Venise s'y trouvèrent.

L'ambassadeur n'eut pas un chat. Le consul conta
mon cas à la compagnie. A ce récit, il n'y eut
qu'un cri, qui ne fut pas en faveur de Son Excel-
lence. Elle n'avait point réglé mon compte, ne
m'avait pas donné un sol, et, réduit pour toute
ressource à quelques louis que j'avais sur moi,
j'étais dans l'embarras pour mon retour. Toutes les
bourses me furent ouvertes. Je pris une vingtaine
de sequins dans celle de M. Le Blond, autant dans
celle de M. de Saint-Cyr, avec lequel, après lui,
j'avais le plus de liaison; je remerciai tous les
autres, et, en attendant mon départ, j'allai loger
chez le chancelier du consulat, pour bien prouver
au public que la nation n'était pas complice des
injustices de l'ambassadeur. Celui-ci, furieux de
me voir fêté dans mon infortune, et lui délaissé,
tout ambassadeur qu'il était, perdit tout à fait la
tête, et se comporta comme un forcené. Il s'oublia
jusqu'à présenter un mémoire au sénat pour me
faire arrêter. Sur l'avis que m'en donna l'abbé de
Binis, je résolus de rester encore quinze jours, au
lieu de partir le surlendemain, comme j'avais
compté. On avait vu et approuvé ma conduite;
j'étais universellement estimé. La Seigneurie ne
daigna pas même répondre à l'extravagant mé-
moire de l'ambassadeur, et me fit dire par le
consul que je pouvais rester à Venise aussi long-
temps qu'il me plairait, sans m'inquiéter des dé-
marches d'un fou. Je continuai de voir mes amis :
j'allai prendre congé de M. l'ambassadeur d'Espagne,
qui me reçut très bien, et du comte de Fino-

chietti, ministre de Naples, que je ne trouvai pas, mais à qui j'écrivis, et qui me répondit la lettre du monde la plus obligeante. Je partis enfin, ne laissant, malgré mes embarras, d'autres dettes que les emprunts dont je viens de parler et une cinquantaine d'écus chez un marchand nommé Morandi, que Carrio se chargea de payer, et que je ne lui ai jamais rendus, quoique nous nous soyons souvent revus depuis ce temps-là : mais quant aux deux emprunts dont j'ai parlé, je les remboursai très exactement sitôt que la chose me fut possible.

Ne quittons pas Venise sans dire un mot des célèbres amusements de cette ville, ou du moins de la très petite part que j'y pris durant mon séjour. On a vu dans le cours de ma jeunesse combien peu j'ai couru les plaisirs de cet âge, ou du moins ceux qu'on nomme ainsi. Je ne changeai pas de goût à Venise; mais mes occupations, qui d'ailleurs m'en auraient empêché, rendirent plus piquantes les récréations simples que je me permettais. La première et la plus douce était la société des gens de mérite, MM. Le Blond, de Saint-Cyr, Carrio, Altuna et un gentilhomme forlan, dont j'ai grand regret d'avoir oublié le nom, et dont je ne me rappelle point sans émotion l'aimable souvenir : c'était, de tous les hommes que j'ai connus dans ma vie, celui dont le cœur ressemblait le plus au mien. Nous étions liés aussi avec deux ou trois Anglais pleins d'esprit et de connaissances, passionnés de la musique ainsi que

nous. Tous ces messieurs avaient leurs femmes,
ou leurs amies, ou leurs maîtresses, ces dernières
presque toutes filles à talents, chez lesquelles on
faisait de la musique ou des bals. On y jouait aussi,
mais très peu; les goûts vifs, les talents, les spec-
tacles nous rendaient cet amusement insipide. Le
jeu n'est que la ressource des gens ennuyés. J'avais
apporté de Paris le préjugé qu'on a dans ce pays-
là contre la musique italienne; mais j'avais aussi
reçu de la nature cette sensibilité de tact contre
laquelle les préjugés ne tiennent pas. J'eus bientôt
pour cette musique la passion qu'elle inspire à
ceux qui sont faits pour en juger. En écoutant
des barcarolles, je trouvais que je n'avais pas ouï
chanter jusqu'alors, et bientôt je m'engouai telle-
ment de l'opéra, qu'ennuyé de babiller, manger
et jouer dans les loges, quand je n'aurais voulu
qu'écouter, je me dérobais souvent à la compagnie
pour aller d'un autre côté. Là, tout seul, enfermé
dans ma loge, je me livrais, malgré la longueur
du spectacle, au plaisir d'en jouir à mon aise et
jusqu'à la fin. Un jour, au théâtre de Saint-Chrysos-
tome, je m'endormis, et bien plus profondément
que je n'aurais fait dans mon lit. Les airs bruyants
et brillants ne me réveillèrent point. Mais qui pour-
rait exprimer la sensation délicieuse que me firent
la douce harmonie et les chants angéliques de
celui qui me réveilla? Quel réveil, quel ravisse-
ment, quelle extase quand j'ouvris au même instant
les oreilles et les yeux! Ma première idée fut de
me croire en paradis. Ce morceau ravissant, que

je me rappelle encore et que je n'oublierai de ma vie, commençait ainsi :

> « *Conservami la bella*
> « *Che si m'accende il cor.* »

Je voulus avoir ce morceau : je l'eus, et je l'ai gardé longtemps; mais il n'était pas sur mon papier comme dans ma mémoire. C'était bien la même note, mais ce n'était pas la même chose. Jamais cet air divin ne peut être exécuté que dans ma tête, comme il le fut en effet le jour qu'il me réveilla.

Une musique à mon gré bien supérieure à celle des opéras, et qui n'a pas sa semblable en Italie ni dans le reste du monde, est celle des *scuole*. Les *scuole* sont des maisons de charité établies pour donner l'éducation à de jeunes filles sans bien, et que la République dote ensuite, soit pour le mariage, soit pour le cloître. Parmi les talents qu'on cultive dans ces jeunes filles, la musique est au premier rang. Tous les dimanches, à l'église de chacune de ces quatre *scuole,* on a durant les vêpres des motets à grand chœur et en grand orchestre, composés et dirigés par les plus grands maîtres de l'Italie, exécutés dans des tribunes grillées uniquement par des filles dont la plus vieille n'a pas vingt ans. Je n'ai l'idée de rien d'aussi voluptueux, d'aussi touchant que cette musique : les richesses de l'art, le goût exquis des chants, la beauté des voix, la justesse de l'exécution, tout dans ces délicieux concerts concourt à produire

une impression qui n'est assurément pas du bon costume, mais dont je doute qu'aucun cœur d'homme soit à l'abri. Jamais Carrio ni moi ne manquions ces vêpres aux *Mendicanti,* et nous n'étions pas les seuls. L'église était toujours pleine d'amateurs : les acteurs même de l'Opéra venaient se former au vrai goût du chant sur ces excellents modèles. Ce qui me désolait était ces maudites grilles, qui ne laissaient passer que des sons, et me cachaient les anges de beauté dont ils étaient dignes. Je ne parlais d'autre chose. Un jour que j'en parlais chez M. Le Blond : « Si vous êtes si curieux, me dit-il, de voir ces petites filles, il est aisé de vous contenter. Je suis un des administrateurs de la maison. Je veux vous y donner à goûter avec elles. » Je ne le laissai pas en repos qu'il ne m'eût tenu parole. En entrant dans le salon qui renfermait ces beautés si convoitées, je sentis un frémissement d'amour que je n'avais jamais éprouvé. M. Le Blond me présenta l'une après l'autre ces chanteuses célèbres, dont la voix et le nom étaient tout ce qui m'était connu. *Venez, Sophie...* Elle était horrible. *Venez, Cattina...* Elle était borgne. *Venez, Bettina...* La petite vérole l'avait défigurée. Presque pas une n'était sans quelque notable défaut. Le bourreau riait de ma cruelle surprise. Deux ou trois cependant me parurent passables : elles ne chantaient que dans les chœurs. J'étais désolé. Durant le goûter on les agaça; elles s'égayèrent. La laideur n'exclut pas les grâces; je leur en trouvai. Je me disais : « On ne chante

pas ainsi sans âme; elles en ont. » Enfin ma façon de les voir changea si bien, que je sortis presque amoureux de tous ces laiderons. J'osais à peine retourner à leurs vêpres. J'eus de quoi me rassurer. Je continuai de trouver leurs chants délicieux, et leurs voix fardaient si bien leurs visages, que tant qu'elles chantaient je m'obstinais, en dépit de mes yeux, à les trouver belles.

La musique en Italie coûte si peu de chose, que ce n'est pas la peine de s'en faire faute quand on a du goût pour elle. Je louai un clavecin, et pour un petit écu j'avais chez moi quatre ou cinq symphonistes, avec lesquels je m'exerçais une fois la semaine à exécuter les morceaux qui m'avaient fait le plus de plaisir à l'Opéra. J'y fis essayer aussi quelques symphonies de mes *Muses galantes*. Soit qu'elles plussent, ou qu'en me voulût cajoler, le maître des ballets de Saint-Jean-Chrysostome m'en fit demander deux, que j'eus le plaisir d'entendre exécuter par cet admirable orchestre, et qui furent dansés par une petite Bettina, jolie et surtout aimable fille, entretenue par un Espagnol de nos amis appelé Fagoaga, et chez laquelle nous allions passer la soirée assez souvent.

Mais, à propos de filles, ce n'est pas dans une ville comme Venise qu'on s'en abstient; n'avez-vous rien, pourrait-on me dire, à confesser sur cet article? Oui, j'ai quelque chose à dire en effet, et je vais procéder à cette confession avec la même naïveté que j'ai mise à toutes les autres.

J'ai toujours eu du dégoût pour les filles publi-

ques, et je n'avais pas à Venise autre chose à ma
portée, l'entrée de la plupart des maisons du pays
m'étant interdite à cause de ma place. Les filles de
M. Le Blond étaient très aimables, mais d'un dif-
ficile abord, et je considérais trop le père et la
mère pour penser même à les convoiter. J'aurais eu
plus de goût pour une jeune personne appelée
Mlle de Cataneo, fille de l'agent du roi de Prusse :
mais Carrio était amoureux d'elle, il a même été
question de mariage. Il était à son aise, et je n'avais
rien; il avait cent louis d'appointements, je n'avais
que cent pistoles; et, outre que je ne voulais pas
aller sur les brisées d'un ami, je savais que partout,
et surtout à Venise, avec une bourse aussi mal
garnie on ne doit pas se mêler de faire le galant.
Je n'avais pas perdu la funeste habitude de donner
le change à mes besoins; trop occupé pour sentir
vivement ceux que le climat donne, je vécus près
d'un an dans cette ville aussi sage que j'avais fait
à Paris, et j'en suis reparti au bout de dix-huit
mois sans avoir approché du sexe que deux seules
fois par les singulières occasions que je vais dire.

La première me fut procurée par l'honnête gen-
tilhomme Vitali, quelque temps après l'excuse que
je l'obligeai de me demander dans toutes les
formes. On parlait à table des amusements de
Venise. Ces messieurs me reprochaient mon indif-
férence pour le plus piquant de tous, vantant la
gentillesse des courtisanes vénitiennes, et disant qu'il
n'y en avait point au monde qui les valussent. Do-
minique dit qu'il fallait que je fisse connaissance

avec la plus aimable de toutes; qu'il voulait m'y
mener, et que j'en serais content. Je me mis à
rire de cette offre obligeante; et le comte Piati,
homme déjà vieux et vénérable, dit avec plus de
franchise que je n'en aurais attendu d'un Italien
qu'il me croyait trop sage pour me laisser mener
chez des filles par mon ennemi. Je n'en avais en
effet ni l'intention ni la tentation, et malgré cela,
par une de ces inconséquences que j'ai peine à
comprendre moi-même, je finis par me laisser en-
traîner, contre mon goût, mon cœur, ma raison,
ma volonté même, uniquement par faiblesse, par
honte de marquer de la défiance, et, comme on dit
dans ce pays-là, *per non parer troppo coglione.* La
Padoana, chez qui nous allâmes, était d'une assez
jolie figure, belle même, mais non pas d'une beauté
qui me plût. Dominique me laissa chez elle; je fis
venir des sorbetti, je la fis chanter, et au bout
d'une demi-heure je voulus m'en aller en laissant
sur la table un ducat; mais elle eut le singulier
scrupule de n'en vouloir point qu'elle ne l'eût
gagné, et moi la singulière bêtise de lever son scru-
pule. Je m'en revins au palais si persuadé que j'étais
poivré, que la première chose que je fis en arri-
vant fut d'envoyer chercher le chirurgien pour
lui demander des tisanes. Rien ne peut égaler le
malaise d'esprit que je souffris durant trois semaines,
sans qu'aucune incommodité réelle, aucun signe
apparent le justifiât. Je ne pouvais concevoir qu'on
pût sortir impunément des bras de la Padoana.
Le chirurgien lui-même eut toute la peine imagi-

nable à me rassurer. Il n'en put venir à bout qu'en
me persuadant que j'étais conformé d'une façon
particulière à ne pouvoir pas aisément être infecté,
et quoique je me sois moins exposé peut-être qu'au-
cun autre homme à cette expérience, ma santé
de ce côté n'ayant jamais reçu d'atteinte m'est une
preuve que le chirurgien avait raison. Cette opinion
cependant ne m'a jamais rendu téméraire, et, si
je tiens en effet cet avantage de la nature, je puis
dire que je n'en ai pas abusé.

Mon autre aventure, quoique avec une fille aussi,
fut d'une espèce bien différente, et quant à son
origine, et quant à ses effets. J'ai dit que le capi-
taine Olivet m'avait donné à dîner sur son bord,
et que j'y avais mené le secrétaire d'Espagne. Je
m'attendais au salut du canon. L'équipage nous
reçut en haie; mais il n'y eut pas une amorce
brûlée, ce qui me mortifia beaucoup à cause de
Carrio, que je vis en être un peu piqué; et il était
vrai que sur les vaisseaux marchands on accordait
le salut du canon à des gens qui ne nous valaient
certainement pas : d'ailleurs je croyais avoir mérité
quelque distinction du capitaine. Je ne pus me
déguiser, parce que cela m'est toujours impossible;
et quoique le dîner fût très bon et qu'Olivet en
fît très bien · les honneurs, je le commençai de
mauvaise humeur, mangeant peu et parlant encore
moins. A la première santé, du moins, j'attendais
une salve : rien. Carrio, qui me lisait dans l'âme,
riait de me voir grogner comme un enfant. Au tiers
du dîner je vois approcher une gondole. « Ma foi,

monsieur, me dit le capitaine, prenez garde à vous,
voici l'ennemi. » Je lui demande ce qu'il veut
dire : il répond en plaisantant. La gondole aborde,
et j'en vois sortir une jeune personne éblouissante,
fort coquettement mise et fort leste, qui dans trois
sauts fut dans la chambre ; et je la vis établie à côté
de moi avant que j'eusse aperçu qu'on y avait mis
un couvert. Elle était aussi charmante que vive,
une brunette de vingt ans au plus. Elle ne parlait
qu'italien ; son accent seul eût suffi pour me tour-
ner la tête. Tout en mangeant, tout en causant,
elle me regarde, me fixe un moment, puis s'écriant :
« Bonne Vierge! Ah! mon cher Brémond, qu'il
y a de temps que je ne t'ai vu! » se jette entre
mes bras, colle sa bouche contre la mienne, et
me serre à m'étouffer. Ses grands yeux noirs à
l'orientale lançaient dans mon cœur des traits de
feu ; et, quoique la surprise fît d'abord quelque
diversion, la volupté me gagna très rapidement,
au point que, malgré les spectateurs, il fallut bien-
tôt que cette belle me contînt elle-même ; car j'étais
ivre ou plutôt furieux. Quand elle me vit au point
où elle me voulait, elle mit plus de modération
dans ses caresses, mais non dans sa vivacité ; et
quand il lui plut de nous expliquer la cause vraie
ou fausse de toute cette pétulance, elle nous dit
que je ressemblais, à s'y tromper, à M. de Bré-
mond, directeur des douanes de Toscane ; qu'elle
avait raffolé de M. de Brémond ; qu'elle en raffo-
lait encore ; qu'elle l'avait quitté parce qu'elle
était une sotte ; qu'elle me prenait à sa place ;

qu'elle voulait m'aimer parce que cela lui conve-
nait; qu'il fallait, par la même raison, que je
l'aimasse tant que cela lui conviendrait; et que,
quand elle me planterait là, je prendrais patience
comme avait fait son cher Brémond. Ce qui fut
dit fut fait. Elle prit possession de moi comme
d'un homme à elle, me donnait à garder ses gants,
son éventail, son *cinda,* sa coiffe; m'ordonnait
d'aller ici ou là, de faire ceci ou cela, et j'obéissais.
Elle me dit d'aller renvoyer sa gondole, parce
qu'elle voulait se servir de la mienne, et j'y fus;
elle me dit de m'ôter de ma place, et de prier
Carrio de s'y mettre, parce qu'elle avait à lui
parler, et je le fis. Ils causèrent très longtemps en-
semble et tout bas; je les laissai faire. Elle m'ap-
pela, je revins. « Écoute, Zanetto, me dit-elle, je
ne veux point être aimée à la française, et même il
n'y ferait pas bon! Au premier moment d'ennui,
va-t'en; mais ne reste pas à demi, je t'en avertis. »
Nous allâmes après le dîner voir la verrerie à
Murano. Elle acheta beaucoup de petites brelo-
ques qu'elle nous laissa payer sans façon; mais elle
donna partout des tringueltes beaucoup plus forts
que tout ce que nous avions dépensé. Par l'indif-
férence avec laquelle elle jetait son argent et nous
laissait jeter le nôtre, on voyait qu'il n'était d'au-
cun prix pour elle. Quand elle se faisait payer, je
crois que c'était par vanité plus que par avarice.
Elle s'applaudissait du prix qu'on mettait à ses
faveurs.

 Le soir nous la ramenâmes chez elle. Tout en

causant, je vis deux pistolets sur sa toilette. « Ah!
Ah! dis-je en en prenant un, voici une boîte à
mouches de nouvelle fabrique; pourrait-on savoir
quel en est l'usage? Je vous connais d'autres armes
qui font feu mieux que celles-là. » Après quelques
plaisanteries sur le même ton, elle nous dit, avec
une naïve fierté qui la rendait encore plus char-
mante : « Quand j'ai des bontés pour des gens
que je n'aime point, je leur fais payer l'ennui qu'ils
me donnent; rien n'est plus juste : mais en endu-
rant leurs caresses, je ne veux pas endurer leurs
insultes, et je ne manquerai pas le premier qui
me manquera. »

En la quittant j'avais pris son heure pour le
lendemain. Je ne la fis pas attendre. Je la trouvai
in vestito di confidenza, dans un déshabillé plus que
galant, qu'on ne connaît que dans les pays méri-
dionaux, et que je ne m'amuserai pas à décrire,
quoique je me le rappelle trop bien. Je dirai seu-
lement que ses manchettes et son tour de gorge
étaient bordés d'un fil de soie garni de pompons
couleur de rose. Cela me parût animer fort une
belle peau. Je vis ensuite que c'était la mode à
Venise; et l'effet en est si charmant, que je suis
surpris que cette mode n'ait jamais passé en France.
Je n'avais point d'idée des voluptés qui m'atten-
daient. J'ai parlé de Mme de Larnage, dans les
transports que son souvenir me rend quelquefois
encore; mais qu'elle était vieille, et laide, et froide
auprès de ma Zulietta! Ne tâchez pas d'imaginer
les charmes et les grâces de cette fille enchante-

resse, vous resteriez trop loin de la vérité. Les jeunes vierges des cloîtres sont moins fraîches, les beautés du sérail sont moins vives, les houris du paradis sont moins piquantes. Jamais si douce jouissance ne s'offrit au cœur et aux sens d'un mortel. Ah! du moins, si je l'avais su goûter pleine et entière un seul moment!... Je la goûtai, mais sans charme. J'en émoussai toutes les délices, je les tuai comme à plaisir. Non, la nature ne m'a point fait pour jouir. Elle a mis dans ma mauvaise tête le poison de ce bonheur ineffable dont elle a mis l'appétit dans mon cœur.

S'il est une circonstance de ma vie qui peigne bien mon naturel, c'est celle que je vais raconter. La force avec laquelle je me rappelle en ce moment l'objet de mon livre me fera mépriser ici la fausse bienséance qui m'empêcherait de le remplir. Qui que vous soyez, qui voulez connaître un homme, osez lire les deux ou trois pages qui suivent; vous allez connaître à plein J.-J. Rousseau.

J'entrai dans la chambre d'une courtisane comme dans le sanctuaire de l'amour et de la beauté; j'en crus voir la divinité dans sa personne. Je n'aurais jamais cru que, sans respect et sans estime, on pût rien sentir de pareil à ce qu'elle me fit éprouver. A peine eus-je connu, dans les premières familiarités, le prix de ses charmes et de ses caresses, que, de peur d'en perdre le fruit d'avance, je voulus me hâter de le cueillir. Tout à coup, au lieu des flammes qui me dévoraient, je sens un froid mortel courir dans mes veines, les jambes me flageolent,

et, prêt à me trouver mal, je m'assieds, et je pleure comme un enfant.

Qui pourrait deviner la cause de mes larmes, et ce qui me passait par la tête en ce moment? Je me disais : « Cet objet dont je dispose est le chef-d'œuvre de la nature et de l'amour; l'esprit, le corps, tout en est parfait; elle est aussi bonne et généreuse qu'elle est aimable et belle. Les grands, les princes devraient être ses esclaves; les sceptres devraient être à ses pieds. Cependant la voilà, misérable courcuse, livrée au public; un capitaine de vaisseau marchand dispose d'elle; elle vient se jeter à ma tête, à moi qu'elle sait qui n'ai rien, à moi dont le mérite, qu'elle ne peut connaître, doit être nul à ses yeux. Il y a là quelque chose d'inconcevable. Ou mon cœur me trompe, fascine mes sens et me rend la dupe d'une indigne salope, ou il faut que quelque défaut secret que j'ignore détruise l'effet de ses charmes et la rende odieuse à ceux qui devraient se la disputer. » Je me mis à chercher ce défaut avec une contention d'esprit singulière, et il ne me vint pas même à l'esprit que la vérole pût y avoir part. La fraîcheur de ses chairs, l'éclat de son coloris, la blancheur de ses dents, la douceur de son haleine, l'air de propreté répandu sur toute sa personne, éloignaient de moi si parfaitement cette idée, qu'en doute encore sur mon état depuis la Padoana, je me faisais plutôt un scrupule de n'être pas assez sain pour elle, et je suis très persuadé qu'en cela ma confiance ne me trompait pas.

Ces réflexions, si bien placées, m'agitèrent au point d'en pleurer. Zulietta, pour qui cela faisait sûrement un spectacle tout nouveau dans la circonstance, fut un moment interdite. Mais ayant fait un tour de chambre et passé devant son miroir, elle comprit, et mes yeux lui confirmèrent que le dégoût n'avait point de part à ce rat. Il ne lui fut pas difficile de m'en guérir et d'effacer cette petite honte. Mais, au moment que j'étais prêt à me pâmer sur une gorge qui semblait pour la première fois souffrir la bouche et la main d'un homme, je m'aperçus qu'elle avait un téton borgne. Je me frappe, j'examine, je crois voir que ce téton n'est pas conformé comme l'autre. Me voilà cherchant dans ma tête comment on peut avoir un téton borgne; et, persuadé que cela tenait à quelque notable vice naturel, à force de tourner et retourner cette idée, je vis clair comme le jour que, dans la plus charmante personne dont je pusse me former l'image, je ne tenais dans mes bras qu'une espèce de monstre, le rebut de la nature, des hommes et de l'amour. Je poussai la stupidité jusqu'à lui parler de ce téton borgne. Elle prit d'abord la chose en plaisantant, et, dans son humeur folâtre, dit et fit des choses à me faire mourir d'amour. Mais gardant un fond d'inquiétude que je ne pus lui cacher, je la vis enfin rougir, se rajuster, se redresser, et, sans dire un seul mot, s'aller mettre à sa fenêtre. Je voulus m'y mettre à côté d'elle; elle s'en ôta, fut s'asseoir sur un lit de repos, se leva le moment d'après, et se prome-

nant par la chambre en s'éventant, me dit d'un
ton froid et dédaigneux : « *Zanetto, lascia le donne,
e studia la matematica.* »

Avant de la quitter, je lui demandai pour le
lendemain un autre rendez-vous, qu'elle remit au
troisième jour, en ajoutant, avec un sourire iro-
nique, que je devais avoir besoin de repos. Je
passai ce temps mal à mon aise, le cœur plein de
ses charmes et de ses grâces, sentant mon extrava-
gance, me la reprochant, regrettant les moments
si mal employés, qu'il n'avait tenu qu'à moi de
rendre les plus doux de ma vie, attendant avec la
plus vive impatience celui d'en réparer la perte,
et néanmoins inquiet encore, malgré que j'en eusse,
de concilier les perfections de cette adorable fille
avec l'indignité de son état. Je courus, je volai
chez elle à l'heure dite. Je ne sais si son tempé-
rament ardent eût été plus content de cette visite.
Son orgueil l'eût été du moins, et je me faisais
d'avance une jouissance délicieuse de lui montrer
de toutes manières comment je savais réparer mes
torts. Elle m'épargna cette épreuve. Le gondolier,
qu'en abordant j'envoyai chez elle, me rapporta
qu'elle était partie la veille pour Florence. Si je
n'avais pas senti tout mon amour en la possédant,
je le sentis bien cruellement en la perdant. Mon re-
gret insensé ne m'a point quitté. Tout aimable, toute
charmante qu'elle était à mes yeux, je pouvais me
consoler de la perdre; mais de quoi je n'ai pu me
consoler, je l'avoue, c'est qu'elle n'ait emporté de
moi qu'un souvenir méprisant.

Voilà mes deux histoires. Les dix-huit mois que
j'ai passés à Venise ne m'ont fourni de plus à dire
qu'un simple projet tout au plus. Carrio était
galant. Ennuyé de n'aller toujours que chez des
filles engagées à d'autres, il eut la fantaisie d'en
avoir une à son tour; et, comme nous étions insé-
parables, il me proposa l'arrangement, peu rare à
Venise, d'en avoir une à nous deux. J'y consentis. Il
s'agissait de la trouver sûre. Il chercha tant qu'il
déterra une petite fille d'onze à douze ans, que son
indigne mère cherchait à vendre. Nous fûmes la
voir ensemble. Mes entrailles s'émurent en voyant
cette enfant. Elle était blonde et douce comme
un agneau : on ne l'aurait jamais crue Italienne.
On vit pour très peu de chose à Venise. Nous don-
nâmes quelque argent à la mère, et pourvûmes à
l'entretien de la fille. Elle avait de la voix : pour
lui procurer un talent de ressource, nous lui don-
nâmes une épinette et un maître à chanter. Tout
cela nous coûtait à peine à chacun deux sequins
par mois, et nous en épargnait davantage en autres
dépenses; mais comme il fallait attendre qu'elle
fût mûre, c'était semer beaucoup avant que de
recueillir. Cependant, contents d'aller là passer les
soirées, causer et jouer très innocemment avec cette
enfant, nous nous amusions plus agréablement
peut-être que si nous l'avions possédée : tant il
est vrai que ce qui nous attache le plus aux femmes
est moins la débauche qu'un certain agrément de
vivre auprès d'elles! Insensiblement mon cœur
s'attachait à la petite Anzoletta, mais d'un atta-

chement paternel, auquel les sens avaient si peu
de part, qu'à mesure qu'il augmentait il m'aurait
été moins possible de les y faire entrer; et je sen-
tais que j'aurais eu horreur d'approcher de cette
fille devenue nubile comme d'un inceste abomi-
nable. Je voyais les sentiments du bon Carrio pren-
dre, à son insu, le même tour. Nous nous ména-
gions, sans y penser, des plaisirs non moins doux,
mais bien différents de ceux dont nous avions
d'abord eu l'idée; et je suis certain que, quelque
belle qu'eût pu devenir cette pauvre enfant, loin
d'être jamais les corrupteurs de son innocence,
nous en aurions été les protecteurs. Ma catastrophe,
arrivée peu de temps après, ne me laissa pas celui
d'avoir part à cette bonne œuvre; et je n'ai à me
louer dans cette affaire que du penchant de mon
cœur.

TABLE

IMPRIMÉ EN FRANCE PAR BRODARD ET TAUPIN
Usine de La Flèche (Sarthe).
LIBRAIRIE GÉNÉRALE FRANÇAISE - 6, rue Pierre-Sarrazin - 75006 Paris.
ISBN : 2 - 253 - 01031 - 6 ❖ 30/1098/0